KB080981

1천 동사 5천 문장을 듣고 따라 하면 저절로 암기되는 아랍어 회화(MP3)

머리말
1천 동사 5천 문장을 듣고 따라하면 저절로 암기되는 아랍어 회화(MP3)
1천 동사의 5천 문장들 듣고 따라하면 저절로 암기되는 아랍어 회화(한국어와 아랍어 MP3 파일)

아랍어 회화 마스터하기: 단계별 학습으로 완성하는 언어의 여정
어서 오십시오, 아랍어 학습의 새로운 차원으로의 초대입니다. "아랍어 회화 마스터하기"는 기초부터 심화 학습까지, 여러분의 아랍어 회화 능력을 체계적으로 발전시킬 수 있는 완벽한 가이드입니다.
이 책과 함께 제공되는 MP3 파일들은 한국어와 아랍어 학습자를 위해 특별히 설계되었습니다.
1천 개의 동사와 명사를 활용하여 구성된 5천여 문장들은 일상생활에서 자주 접할 수 있는 표현들로, 초등학교 수준의 기본 문장부터 시작하여 점차 난이도를 높여갑니다.

소개글
학습자 중심의 혁신적인 접근법
"아랍어 회화 마스터하기"는 1천개의 동사의 문장들 듣고 따라하면서, 자연스럽게 암기할 수 있도록 설계되었습니다.
이 책은 암기 훈련, 말하기 훈련, 듣기 훈련을 통합적으로 할 수 있도록 구성되어 있으며, 학습자가 한국어로 단어를 듣고 머릿속으로 이미지를 연상한 후, 아랍어로 동시에 따라하며 학습할 수 있도록 돕습니다.

말하기와 듣기 능력의 동시 향상
이 책과 함께 제공되는 MP3 파일들은 말하기와 듣기 능력을 동시에 향상시키는데 중점을 두고 있습니다.
아랍어가 주어진 횟수만큼 반복됨으로써, 학습자는 아랍어의 정확한 발음을 익히고, 한국어와의 비교를 통해 단어의 의미를 더욱 명확히 이해할 수 있습니다.
이 과정을 통해, 학습자는 자신도 모르는 사이에 아랍어 회화 능력을 자연스럽게 개발하게 됩니다.

아랍어 학습의 새로운 시작
이제 "아랍어 회화 마스터하기"와 함께라면, 아랍어 학습이 더 이상 어렵지 않습니다.

학습자 중심의 접근법과 효과적인 학습 지원 도구를 통해, 여러분은 아랍어를 보다 쉽고 재미있게 배울 수 있을 것입니다.

MP3 파일을 통한 효과적인 학습 지원
본 교재에 포함된 MP3 파일들은 한국어 단어를 한 번 듣고, 아랍어로 3번, 2번, 1번 반복하여 듣는 패턴으로 구성되어 있습니다.
또한 듣기 훈련을 위해 아랍어 3번, 한국어1, 아랍어 2번, 한국어 1번, 아랍어 1번, 한국어 1번으로 나오도록 구성되어 있습니다.
이는 학습자가 아랍어 발음과 억양을 정확히 익히고, 단어의 뜻을 깊이 이해할 수 있게 함으로써, 보다 효과적으로 언어를 습득할 수 있도록 합니다.

또한, 여러분이 단어와 문장을 외울 수 있도록 MP3 파일들이 한 단어(문장)으로 나누어져 있어서 학습자가 이미 알고 있는 단어는 건너뛰고, 모르는 단어는 반복하여 들을 수 있도록 하여 개별적인 학습이 가능합니다.
그리고 먼저 명사, 동사의 단어들을 외우고, 그 다음 이 단어들을 가지고 문장들을 암기하도록 구성되어 있습니다.
하나의 동사마다 5문장이 있습니다. 문장은 과거, 현재, 미래, 의문문, 의문문의 대답, 인칭대명사(나는, 너는, 그는, 그녀는, 우리는, 당신들은, 그들은)이 나오도록 구성되어 있습니다.

mp3 샘플- 밑의 주소를 클릭하시면 보실 수 있습니다.
https://naver.me/5v45FKjh
또는 큐알코드를 스마트폰으로 찍으시면 보실 수 있습니다.

MP3 파일들 다운로드는 맨 마지막 페이지에 있습니다.

1. 1. 명사 단어들 외우기, 필수 10개 동사의 단어들을 가지고 50문장 연습하기 - 1 - حفظ الكلمات الاسمية، والتدرب على 50 جملة مع 10 كلمات فعلية أساسية
2. 학교 - المدرسة
3. 공원 - حديقة
4. 집 - منزل
5. 여기 - هنا
6. TV - التلفاز
7. 전시회 - معرض
8. 주말 - عطلة نهاية الأسبوع
9. 영화 - فيلم
10. 음악 - موسيقى
11. 콘서트 - حفلة موسيقية
12. 클래식 - كلاسيكي
13. 친구 - صديق
14. 이야기 - قصة
15. 회의 - اجتماع
16. 발표 - عرض تقديمي
17. 여행 - السفر
18. 경험 - تجربة
19. 저녁 - عشاء
20. 점심 - الغداء
21. 아침 - الغداء
22. 피자 - بيتزا
23. 물 - ماء
24. 커피 - قهوة
25. 주스 - عصير
26. 음료 - مشروب
27. 녹차 - شاي أخضر
28. 의자 - كرسي
29. 소파 - كنبة
30. 벤치 - مقعد
31. 창가 - نافذة
32. 시간 - ساعة
33. 문 - باب

34. 줄 - خط
35. 해변 - الشاطئ
36. 산책로 - درب
37. 가다 - للذهاب
38. 나는 학교에 갔다. - ذهبت إلى المدرسة
39. 너는 지금 가고 있다. - ستذهب الآن
40. 그는 내일 공원에 갈 것이다. - سيذهب إلى الحديقة غداً.
41. 그녀는 언제 학교에 가나요? - متى تذهب إلى المدرسة؟
42. 그녀는 매일 학교에 갑니다. - تذهب إلى المدرسة كل يوم.
43. 오다 - لتأتي
44. 나는 집에 왔다. - سأعود إلى المنزل
45. 너는 지금 오고 있다. - ستأتي الآن.
46. 그녀는 내일 여기에 올 것이다. - ستكون هنا غداً
47. 당신들은 언제 집에 오나요? - متى تعودون إلى المنزل؟
48. 우리는 저녁에 집에 옵니다. - نعود إلى المنزل في المساء
49. 보다 - لرؤية
50. 나는 TV를 봤다. - شاهدت التلفاز
51. 너는 지금 무언가를 보고 있습니다. - أنت تشاهد شيئا الآن.
52. 우리는 내일 전시회를 볼 것이다. - سنشاهد المعرض غداً.
53. 그들은 주말에 무엇을 보나요? - ماذا يشاهدون في عطلة نهاية الأسبوع؟
54. 그들은 주말에 영화를 봅니다. - يشاهدون الأفلام في عطلة نهاية الأسبوع.
55. 듣다 - الاستماع
56. 나는 음악을 들었다. - استمعت إلى الموسيقى.
57. 너는 지금 무언가를 듣고 있습니다. - أنت تستمع إلى شيء ما الآن.
58. 그는 내일 콘서트에서 음악을 들을 것이다. - سوف يستمع إلى الموسيقى في الحفلة الا
موسيقية غداً.
59. 그녀는 어떤 음악을 듣고 싶어하나요? - ما نوع الموسيقى التي تريد الاستماع إليها؟
60. 그녀는 클래식 음악을 듣고 싶어합니다. - تريد الاستماع إلى الموسيقى الكلاسيكية.
61. 말하다 - للتحدث
62. 나는 친구와 이야기했다. - لقد تحدثت مع صديقي.
63. 너는 지금 무언가를 말하고 있습니다. - أنت تقول شيئاً الآن.
64. 우리는 내일 회의에서 발표할 것이다. - سنقدم في الاجتماع غداً.
65. 그는 무엇에 대해 말하고 싶어하나요? - ما الذي يريد التحدث عنه؟
66. 그는 여행 경험에 대해 말하고 싶어합니다. - يريد التحدث عن تجاربه في السفر.

67. 먹다 - لتناول الطعام
68. 나는 저녁을 먹었다. - لقد تناولت العشاء.
69. 너는 지금 점심을 먹고 있다. - أنت تتناول الغداء الآن.
70. 그는 내일 아침을 먹을 것이다. - سيتناول الفطور غداً.
71. 그녀는 무엇을 먹고 싶어하나요? - ماذا تريد أن تأكل؟
72. 그녀는 피자를 먹고 싶어합니다. - تريد أن تأكل البيتزا
73. 마시다 - أن تشرب
74. 나는 물을 마셨다. - شربت الماء.
75. 너는 지금 커피를 마시고 있다. - أنت تشرب القهوة الآن.
76. 우리는 내일 주스를 마실 것이다. - سنشرب العصير غداً.
77. 너는 어떤 음료를 마시나요? - ما المشروب الذي تشربه؟
78. 나는 녹차를 마십니다. - أشرب الشاي الأخضر.
79. 앉다 - الجلوس
80. 나는 의자에 앉았다. - جلست على كرسي.
81. 너는 지금 소파에 앉아 있다. - أنت تجلس على الأريكة الآن.
82. 그녀는 내일 벤치에 앉을 것이다. - ستجلس على المقعد غداً.
83. 그들은 어디에 앉고 싶어하나요? - أين يريدون الجلوس؟
84. 그들은 창가에 앉고 싶어합니다. - يريدون الجلوس بجانب النافذة.
85. 서다 - للوقوف
86. 나는 한 시간 동안 서 있었다. - أنا واقف منذ ساعة.
87. 너는 지금 문 앞에 서 있다. - أنت تقف عند الباب الآن.
88. 그는 내일 줄에서 서 있을 것이다. - سيقف في الطابور غداً.
89. 그녀는 얼마나 오래 서 있었나요? - منذ متى وهي واقفة؟
90. 그녀는 30분 동안 서 있었습니다. - إنها تقف منذ نصف ساعة.
91. 걷다 - تمشي
92. 나는 공원을 걸었다. - مشيت في الحديقة.
93. 너는 지금 집으로 걷고 있다. - أنت تمشي إلى المنزل الآن.
94. 우리는 내일 해변을 걸을 것이다. - سنمشي على الشاطئ غداً.
95. 그들은 어디를 걷고 싶어하나요? - أين يريدون المشي؟
96. 그들은 산책로를 걷고 싶어합니다. - يريدون المشي على الممشى الخشبي.
97. 2. 명사 단어들 외우기, 필수 10개 동사의 단어들을 가지고 50문장 연습하기 - 2- احفظ الكلمات الاسمية، وتدرب على 50 جملة بكلمات الأفعال العشرة الأساسية
98. 10킬로미터 - 10 كيلومترات
99. 그림 - الرسم

100. 꽃 - زهرة
101. 농담 - نكتة
102. 댄스(춤) - الرقص)الرقص(
103. 마라톤 - الماراثون
104. 무엇 - ماذا
105. 백화점 - متجر متعدد الأقسام
106. 보고서 - تقرير
107. 샌드위치 - شطيرة
108. 소설 - رواية
109. 소식 - الأخبار
110. 쇼 - عرض
111. 수학 - رياضيات
112. 신문 - صحيفة
113. 신발 - أحذية
114. 아침 - الصباح
115. 영어 - إنجليزي
116. 영화 - الأفلام
117. 옷 - ملابس
118. 요가 - اليوغا
119. 요리 - الطبخ
120. 운동장 - ساحة اللعب
121. 이야기 - قصة
122. 인사 - المعايدة
123. 일기 - المذكرات
124. 자전거 - دراجة هوائية
125. 작년 - العام الماضي
126. 잡지 - مجلة
127. 정원 - حديقة
128. 책 - كتاب
129. 편지 - رسالة
130. 프로젝트 - مشروع
131. 피아노 - بيانو
132. 한국어 - كوري
133. 달리다 - الجري

134. 나는 마라톤을 달렸다. - لقد ركضت في ماراثون
135. 너는 지금 운동장을 달리고 있다. - أنت تركض حول الملعب الآن
136. 그는 내일 아침에 달릴 것이다. - سوف يركض صباح الغد.
137. 그녀는 얼마나 빨리 달릴 수 있나요? - ما مدى سرعتها في الجري؟
138. 그녀는 시속 10킬로미터로 달릴 수 있습니다. - يمكنها الركض عشرة كيلومترات ف
ي الساعة.
139. 웃다 - أن تضحك
140. 나는 친구의 농담에 웃었다. - ضحكت على نكتة صديقي.
141. 너는 지금 행복해 보인다. - تبدو سعيداً الآن.
142. 우리는 내일 코미디 쇼에서 웃을 것이다. - سنضحك في العرض الكوميدي غداً.
143. 너는 무엇에 웃나요? - على ماذا تضحك؟
144. 나는 유머러스한 이야기에 웃습니다. - أضحك على القصص الفكاهية
145. 울다 - على البكاء
146. 나는 영화를 보고 울었다. - بكيت على الفيلم.
147. 너는 지금 슬픈 이야기에 울고 있다. - أنت تبكي الآن على القصة الحزينة.
148. 그녀는 내일 작별 인사를 할 때 울 것이다. - ستبكي عندما تودعنا غداً.
149. 그는 왜 울었나요? - لماذا بكى؟
150. 그는 감동적인 소식에 울었습니다. - بكى على الخبر المؤثر
151. 사다 - ليشتري
152. 나는 새 신발을 샀다. - اشتريت حذاءً جديداً.
153. 너는 지금 옷을 사고 있다. - ستشتري ملابس الآن.
154. 그들은 내일 선물을 살 것이다. - ستشتري الهدايا غداً.
155. 그녀는 어디서 쇼핑하나요? - أين تتسوق؟
156. 그녀는 백화점에서 쇼핑합니다. - تتسوق في المتجر
157. 팔다 - للبيع
158. 나는 자전거를 팔았다. - لقد بعت دراجتي.
159. 너는 지금 꽃을 팔고 있다. - تبيع الزهور الآن.
160. 그는 내일 책을 팔 것이다. - سيبيع الكتب غداً.
161. 당신들은 무엇을 팔고 싶어하나요? - ماذا تريدون بيعه؟
162. 우리는 그림을 팔고 싶어합니다. - نريد بيع اللوحات
163. 만들다 - لصنع
164. 나는 샌드위치를 만들었다. - لقد صنعت شطيرة.
165. 너는 지금 프로젝트를 만들고 있다. - أنت تصنع مشروعاً الآن.
166. 우리는 내일 정원을 만들 것이다. - سنصنع حديقة غداً

167. 그들은 어떤 케이크를 만든나요? - أي نوع من الكعك يصنعون؟
168. 그들은 초콜릿 케이크를 만듭니다. - يصنعون كعكة الشوكولاتة.
169. 쓰다 - للكتابة
170. 나는 편지를 썼다. - لقد كتبت رسالة.
171. 너는 지금 보고서를 쓰고 있다. - أنت تكتب تقريراً الآن.
172. 그녀는 내일 일기를 쓸 것이다. - ستكتب مذكراتها غداً.
173. 그는 언제 소설을 썼나요? - متى كتب روايته؟
174. 그는 작년에 소설을 썼습니다. - كتب الرواية العام الماضي.
175. 읽다 - للقراءة
176. 나는 소설을 읽었다. - قرأت الرواية.
177. 너는 지금 신문을 읽고 있다. - أنت تقرأ الصحيفة الآن.
178. 그녀는 내일 잡지를 읽을 것이다. - ستقرأ المجلة غداً.
179. 너는 어떤 책을 좋아하나요? - أي نوع من الكتب تحب؟
180. 나는 모험 소설을 좋아합니다. - أحب روايات المغامرات.
181. 배우다 - أن تتعلم
182. 나는 피아노를 배웠다. - تعلمت العزف على البيانو.
183. 너는 지금 한국어를 배우고 있다. - أنت تتعلم اللغة الكورية الآن.
184. 우리는 내일 요가를 배울 것이다. - سنتعلم اليوغا غداً.
185. 너는 무엇을 배우고 싶어하나요? - ماذا تحب أن تتعلم؟
186. 나는 댄스를 배우고 싶어합니다. - أريد أن أتعلم الرقص
187. 가르치다 - أن أدرس
188. 나는 수학을 가르쳤다. - أدرس الرياضيات.
189. 너는 지금 영어를 가르치고 있다. - أنت تدرس اللغة الإنجليزية الآن.
190. 그는 내일 요리를 가르칠 것이다. - سيدرس الطبخ غداً.
191. 그들은 어디에서 가르치나요? - أين يدرسون؟
192. 그들은 학교에서 가르칩니다. - يدرسون في المدرسة.
193. 3. 명사 단어들 외우기, 필수 10개 동사의 단어들을 가지고 50문장 연습하기 - 3. حفظ الكلمات الاسمية، والتدرب على 50 جملة مع 10 كلمات فعلية أساسية
194. 열쇠 - المفتاح
195. 안경 - النظارات
196. 지갑 - المحفظة
197. 책 - كتاب
198. 전화기 - هاتف محمول
199. 시계 - ساعة

200. 선물 - هدية
201. 문서 - مستند
202. 기부금 - تبرع
203. 편지 - رسالة
204. 이메일 - بريد إلكتروني
205. 상 - جائزة
206. 프로젝트 - مشروع
207. 운동 - العمل
208. 여행 - السفر
209. 숙제 - الواجبات المنزلية
210. 회의 - اجتماع
211. 작업 - العمل
212. 창문 - النافذة
213. 상자 - صندوق
214. 전시회 - معرض
215. 문 - باب
216. 컴퓨터 - كمبيوتر
217. 가게 - مخزن
218. 라이트 - الضوء
219. 텔레비전 - تلفاز
220. 에어컨 - مكيف هواء
221. 라디오 - راديو
222. 불 - مدفأة
223. 난방 - تدفئة
224. TV - تلفاز
225. 찾다 - للعثور
226. 나는 열쇠를 찾았다. - وجدت المفاتيح
227. 너는 지금 안경을 찾고 있다. - تبحث عن نظارتك الآن
228. 그녀는 내일 그녀의 지갑을 찾을 것이다. - ستجد محفظتها غداً
229. 그는 무엇을 찾았나요? - ماذا وجد؟
230. 그는 그의 책을 찾았습니다. - وجد كتابه
231. 잃다 - فقده
232. 나는 전화기를 잃었다. - لقد فقدت هاتفي
233. 너는 지금 무언가를 잃었습니다. - لقد فقدت شيئاً الآن.

234. 그는 내일 그의 시계를 잃을 것이다. - سيفقد ساعته غداً.
235. 그녀는 자주 무엇을 잃나요? - ما الذي تفقده غالباً؟
236. 그녀는 자주 열쇠를 잃습니다. - غالباً ما تفقد مفاتيحها.
237. 주다 - لإعطاء
238. 나는 친구에게 선물을 주었다. - أعطيت هدية لصديقي.
239. 너는 지금 문서를 주고 있다. - أنت تعطي الوثيقة الآن.
240. 우리는 내일 기부금을 줄 것이다. - سنتبرع غداً.
241. 그는 누구에게 도움을 주나요? - لمن يقدم المساعدة؟
242. 그는 어린이 병원에 도움을 줍니다. - يقدم المساعدة لمستشفى الأطفال.
243. 받다 - لتلقي
244. 나는 편지를 받았다. - لقد تلقيت رسالة.
245. 너는 지금 이메일을 받고 있다. - أنت تتلقى رسالة إلكترونية الآن.
246. 그녀는 내일 상을 받을 것이다. - ستتلقى جائزة غداً.
247. 그는 어떤 상을 받았나요? - ما الجائزة التي حصل عليها؟
248. 그는 최우수 학생 상을 받았습니다. - لقد فاز بجائزة أفضل طالب.
249. 시작하다 - للبدء
250. 나는 새로운 프로젝트를 시작했다. - لقد بدأت مشروعاً جديداً.
251. 너는 지금 운동을 시작하고 있다. - لقد بدأت في ممارسة الرياضة الآن.
252. 우리는 내일 여행을 시작할 것이다. - سنبدأ السفر غداً.
253. 당신들은 언제 공부를 시작했나요? - متى بدأتم الدراسة؟
254. 우리는 오늘 아침에 공부를 시작했습니다. - بدأنا الدراسة هذا الصباح.
255. 끝내다 - لإنهاء
256. 나는 숙제를 끝냈다. - أنهيت واجبي المنزلي.
257. 너는 지금 회의를 끝내고 있다. - لقد انتهيت من الاجتماع الآن.
258. 그는 내일 그의 작업을 끝낼 것이다. - سوف ينهي عمله غداً.
259. 그녀는 책을 언제 끝냈나요? - متى أنهت الكتاب؟
260. 그녀는 어제 책을 끝냈습니다. - لقد أنهت كتابها بالأمس.
261. 열다 - لفتح
262. 나는 창문을 열었다. - فتحت النافذة.
263. 너는 지금 상자를 열고 있다. - ستفتح الصندوق الآن.
264. 그들은 내일 전시회를 열 것이다. - سيفتحون المعرض غداً.
265. 그는 문을 언제 열었나요? - متى فتح الباب؟
266. 그는 아침에 문을 열었습니다. - فتح الباب في الصباح.
267. 닫다 - ليغلق

268. 나는 책을 닫았다. - أغلقت الكتاب.
269. 너는 지금 컴퓨터를 닫고 있다. - أنت تغلق الكمبيوتر الآن.
270. 우리는 내일 가게를 닫을 것이다. - سنغلق المتجر غداً.
271. 그녀는 왜 창문을 닫았나요? - لماذا أغلقت النافذة؟
272. 추워서 창문을 닫았습니다. - أغلقت النافذة لأن الجو كان بارداً.
273. 켜다 - لتشغيل
274. 나는 라이트를 켰다. - أشعلت الضوء.
275. 너는 지금 텔레비전을 켜고 있다. - ستشغل التلفاز الآن.
276. 그는 내일 에어컨을 켤 것이다. - سيشغل المكيف غداً.
277. 그들은 언제 라디오를 켰나요? - متى قاموا بتشغيل الراديو؟
278. 그들은 점심 때 라디오를 켰습니다. - قاموا بتشغيل الراديو في وقت الغداء.
279. 끄다 - لإيقاف التشغيل
280. 나는 컴퓨터를 껐다. - لقد أطفأت الكمبيوتر.
281. 너는 지금 불을 끄고 있다. - ستطفئ الضوء الآن.
282. 그녀는 내일 난방을 끌 것이다. - ستطفئ التدفئة غداً.
283. 그는 왜 TV를 껐나요? - لماذا أطفأ التلفاز؟
284. 잠자려고 TV를 껐습니다. - أطفأت التلفاز لأخلد إلى النوم.
285. 4. 명사 단어들 외우기, 필수 10개 동사의 단어들을 가지고 50문장 연습하기 - 4. احفظ الكلمات الاسمية، وتدرّب على 50 جملة باستخدام 10 كلمات فعلية أساسية
286. 결과 - النتيجة
287. 공부 - الدراسة
288. 날씨 - الطقس
289. 날 - أنا
290. 남 - أخرى
291. 답 - إجابة
292. 도움 - مساعدة
293. 눈 - العين
294. 봉사활동 - متطوع
295. 부엌 - مطبخ
296. 사람 - شخص
297. 사무실 - مكتب
298. 소파 - أريكة
299. 손 - يد
300. 어르신 - مسن

301. 얼굴 - الوجه
302. 음식 - الطعام
303. 일 - يوم
304. 일정 - الجدول الزمني
305. 자 - المسطرة
306. 정원 - الحديقة
307. 조언 - نصيحة
308. 차 - سيارة
309. 친구 - صديق
310. 침대 - سرير
311. 책 - كتاب
312. 추위 - بارد
313. 휴식 - الراحة
314. 해답 - الحل
315. 회의 - الاجتماع
316. 씻다 - للغسيل
317. 나는 손을 씻었다. - غسلت يدي
318. 너는 지금 얼굴을 씻고 있다. - أنت تغسل وجهك الآن.
319. 우리는 내일 차를 씻을 것이다. - سنغسل السيارة غداً.
320. 그들은 언제 차를 씻나요? - متى يغسلون السيارة؟
321. 그들은 매주 일요일에 차를 씻습니다. - يغسلون سيارتهم كل يوم أحد.
322. 청소하다 - للتنظيف
323. 나는 방을 청소했다. - لقد نظفت الغرفة.
324. 너는 지금 사무실을 청소하고 있다. - أنت تنظف المكتب الآن.
325. 그들은 내일 정원을 청소할 것이다. - سوف ينظفون الحديقة غداً.
326. 그녀는 언제 부엌을 청소했나요? - متى قامت بتنظيف المطبخ؟
327. 그녀는 오늘 아침에 부엌을 청소했습니다. - نظفت المطبخ هذا الصباح.
328. 일어나다 - استيقظت
329. 나는 일찍 일어났다. - استيقظت مبكراً.
330. 너는 지금 침대에서 일어나고 있다. - ستنهض من السرير الآن.
331. 우리는 내일 아침 6시에 일어날 것이다. - سنستيقظ في السادسة صباح الغد.
332. 그는 보통 몇 시에 일어나나요? - في أي وقت يستيقظ عادة؟
333. 그는 보통 7시에 일어납니다. - عادة ما يستيقظ في الساعة السابعة.
334. 자다 - للنوم

335. 나는 깊이 잤다. - نمت بعمق.
336. 너는 지금 소파에서 자고 있다. - أنت نائم على الأريكة الآن.
337. 그녀는 내일 일찍 자러 갈 것이다. - ستذهب إلى الفراش مبكراً غداً.
338. 너는 얼마나 오래 잤나요? - كم من الوقت نمت؟
339. 나는 8시간 잤습니다. - نمت لمدة ثماني ساعات.
340. 알다 - لمعرفة
341. 나는 답을 알았다. - عرفت الإجابة
342. 너는 지금 비밀을 알고 있다. - أنت تعرف السر الآن.
343. 우리는 내일 결과를 알 것이다. - سنعرف النتيجة غداً
344. 그는 그녀의 전화번호를 알고 있나요? - هل يعرف رقم هاتفها؟
345. 네, 알고 있습니다. - نعم، إنه يعرفه
346. 모르다 - أنا لا أعرف
347. 나는 그 사람을 몰랐다. - لا أعرف الشخص
348. 너는 지금 답을 모르고 있다. - أنت لا تعرف الإجابة الآن.
349. 그들은 내일 일정을 모를 것이다. - لن يعرفوا الجدول غداً
350. 그녀는 왜 해답을 모르나요? - لماذا لا تعرف الإجابة؟
351. 그녀는 공부하지 않았습니다. - لم تدرس
352. 좋아하다 - لتحب
353. 나는 여름을 좋아했다. - أحببت الصيف
354. 너는 지금 책을 좋아하고 있다. - أنت تحب الكتب الآن.
355. 우리는 내일 바베큐를 좋아할 것이다. - سنحب الشواء غداً
356. 그들은 어떤 음식을 좋아하나요? - أي نوع من الطعام يحبون؟
357. 그들은 일식을 좋아합니다. - إنهم يحبون الطعام الياباني.
358. 싫어하다 - لا يعجبهم
359. 나는 눈을 싫어했다. - أنا أكره الثلج
360. 너는 지금 추위를 싫어하고 있다. - أنت تكره البرد الآن.
361. 그는 내일 회의를 싫어할 것이다. - سيكره الاجتماع غداً.
362. 그녀는 어떤 날씨를 싫어하나요? - ما نوع الطقس الذي تكرهه؟
363. 그녀는 비오는 날씨를 싫어합니다. - إنها تكره الطقس الممطر.
364. 필요하다 - إلى الحاجة
365. 나는 도움이 필요했다. - أحتاج إلى المساعدة
366. 너는 지금 휴식이 필요하다. - تحتاج إلى استراحة الآن.
367. 그녀는 내일 조언이 필요할 것이다. - ستحتاج إلى نصيحة غداً.
368. 그들에게 무엇이 필요한가요? - ماذا يحتاجون؟

369. 그들은 지원이 필요합니다. - يحتاجون إلى الدعم
370. 돕다 - للمساعدة
371. 나는 이웃을 도왔다. - لقد ساعدت جاري.
372. 너는 지금 친구를 돕고 있다. - أنت تساعد صديقاً الآن.
373. 우리는 내일 봉사활동을 할 것이다. - سنتطوع غداً
374. 당신은 누구를 도와주고 싶어하나요? - من تحب أن تساعد؟
375. 나는 어르신들을 도와주고 싶어합니다. - أحب مساعدة كبار السن.
376. 5. 명사 단어들 외우기, 필수 10개 동사의 단어들을 가지고 50문장 연습하기 - 5- احفظ الكلمات الاسمية، وتدرب على 50 جملة بكلمات من الأفعال العشرة الأساسية
377. 가족 - عائلة
378. 공원 - حديقة
379. 길 - طريق
380. 날 - يوم
381. 누구 - من
382. 늦은 - في وقت متأخر
383. 도로 - الطريق
384. 만남 - لقاء
385. 무례함 - وقاحة
386. 사람 - الناس
387. 사랑 - الحب
388. 사무실 - المكتب
389. 삶 - الحياة
390. 서울 - سيول
391. 시골 - الريف
392. 슬픔 - الحزن
393. 약속 - الوعد
394. 어디 - حيث
395. 영원 - الخلود
396. 오랜 - طويل
397. 오후 - بعد الظهيرة
398. 의사 - طبيب
399. 일 - يوم
400. 전화 - الهاتف
401. 주말 - عطلة نهاية الأسبوع

402. 지난달 - الشهر الماضي
403. 집 - المنزل
404. 친구 - صديق
405. 해변 - الشاطئ
406. 행복 - سعيد
407. 헤어짐 - انفصال
408. 놀다 - للعب
409. 나는 공원에서 놀았다. - لعبت في الحديقة
410. 너는 지금 친구들과 노는 중이다. - أنت تلعب مع أصدقائك الآن.
411. 우리는 내일 해변에서 놀 것이다. - سنلعب على الشاطئ غداً
412. 당신들은 주말에 어디에서 노나요? - أين تلعبون في عطلة نهاية الأسبوع؟
413. 우리는 주말에 공원에서 논다. - نلعب في الحديقة في عطلة نهاية الأسبوع.
414. 일하다 - في العمل
415. 나는 늦게까지 일했다. - أعمل حتى وقت متأخر.
416. 너는 지금 사무실에서 일하고 있다. - أنت تعمل في المكتب الآن.
417. 그는 내일 집에서 일할 것이다. - سيعمل في المنزل غداً.
418. 그녀는 어떤 일을 하나요? - ما نوع العمل الذي تقوم به؟
419. 그녀는 선생님이다. - إنها معلمة.
420. 살다 - تعيش
421. 나는 서울에서 살았다. - كنت أعيش في سيول.
422. 너는 지금 어디에 살고 있나요? - أين تعيش الآن؟
423. 우리는 내일 새 집에서 살 것이다. - سنعيش في منزلنا الجديد غداً.
424. 그들은 어디에서 살고 싶어하나요? - أين يريدون العيش؟
425. 그들은 시골에서 살고 싶어한다. - يريدون العيش في الريف
426. 죽다 - للموت
427. 나는 거의 죽을 뻔했다. - كدت أن أموت
428. 너는 지금 삶을 살고 있다. - أنت تعيش الحياة الآن
429. 그는 오래 살 것이다. - سيعيش وقتاً طويلاً.
430. 그녀는 어떻게 살고 싶어하나요? - كيف تريد أن تعيش؟
431. 그녀는 행복하게 살고 싶어한다. - تريد أن تعيش بسعادة إلى الأبد
432. 사랑하다 - أن تحب
433. 나는 너를 사랑했다. - أحببتك
434. 너는 지금 누군가를 사랑하고 있다. - أنت تحب شخص ما الآن
435. 그녀는 영원히 사랑할 것이다. - ستحب إلى الأبد

436. 그는 누구를 사랑하나요? - من يحب؟
437. 그는 그의 가족을 사랑한다. - يحب عائلته
438. 미워하다 - يكره
439. 나는 어제 늦은 약속을 미워했다. - كرهت موعدي المتأخر بالأمس.
440. 너는 지금 막힌 도로를 미워한다. - تكره الطريق المسدود الآن
441. 그는 내일 일찍 일어나는 것을 미워할 것이다. - سيكره الاستيقاظ مبكراً غداً.
442. 그녀는 무엇을 미워하나요? - ماذا تكره؟
443. 그녀는 무례함을 미워합니다. - تكره الوقاحة
444. 기다리다 - الانتظار
445. 나는 어제 너를 오랫동안 기다렸다. - انتظرتك لفترة طويلة بالأمس.
446. 너는 지금 친구를 기다린다. - انتظرت صديقك الآن.
447. 그는 내일 중요한 전화를 기다릴 것이다. - سينتظر مكالمة مهمة غداً.
448. 우리는 얼마나 더 기다려야 하나요? - كم من الوقت علينا أن ننتظر؟
449. 5분만 더 기다려 주세요. - يرجى الانتظار لمدة خمس دقائق أخرى.
450. 만나다 - للقاء
451. 나는 지난 주에 그를 만났다. - قابلته الأسبوع الماضي.
452. 너는 지금 새로운 사람을 만난다. - ستلتقي بشخص جديد الآن.
453. 그녀는 내일 오랜 친구를 만날 것이다. - ستلتقي بصديق قديم غداً
454. 그들은 언제 만나기로 했나요? - متى سيلتقيان؟
455. 그들은 내일 오후에 만나기로 했습니다. - سيلتقيان بعد ظهر الغد.
456. 헤어지다 - للانفصال
457. 나는 지난달에 그녀와 헤어졌다. - انفصلت عنها الشهر الماضي.
458. 너는 지금 슬픔을 헤어진다. - انفصلت عن أحزانك الآن.
459. 그들은 내일 서로 헤어질 것이다. - سيفترقان عن بعضهما البعض غداً.
460. 왜 그들은 헤어지기로 결정했나요? - لماذا قررا أن يفترقا؟
461. 그들은 서로 다른 길을 가기로 결정했습니다. - قررا أن يفترقا.
462. 전화하다 - للاتصال
463. 나는 어제 그에게 전화했다. - اتصلت به بالأمس.
464. 너는 지금 의사에게 전화한다. - اتصلي بالطبيب الآن
465. 그녀는 내일 저녁에 나에게 전화할 것이다. - ستتصل بي مساء الغد
466. 그는 언제 나에게 전화할 거예요? - متى سيتصل بي؟
467. 그는 저녁에 전화할 거예요. - سيتصل بي في المساء.
468. 6. 명사 단어들 외우기, 필수 10개 동사의 단어들을 가지고 50문장 연습하기 - 6. احفظ الكلمات الاسمية، وتدرب على 50 جملة باستخدام 10 كلمات فعلية أساسية

469. 길 - طريقة
470. 질문 - سؤال
471. 조언 - نصيحة
472. 시간 - الوقت
473. 문제 - مشكلة
474. 상자 - صندوق
475. 책 - كتاب
476. 가방 - الحقيبة
477. 펜 - قلم
478. 열쇠 - مفتاح
479. 서류 - مستند
480. 캐리어 - حامل
481. 장난감 - لعبة
482. 바구니 - سلة
483. 카트 - عربة
484. 문 - باب
485. 의자 - كرسي
486. 책장 - رف كتب
487. 로프 - حبل
488. 커튼 - ستارة
489. 끈 - خيط
490. 손잡이 - مقبض
491. 방 - غرفة
492. 집 - منزل
493. 회의실 - غرفة الاجتماعات
494. 건물 - مبنى
495. 영화관 - السينما
496. 사무실 - مكتب
497. 도서관 - مكتبة
498. 언덕 - التل
499. 계단 - سلالم
500. 탑 - برج
501. 산 - جبل
502. 묻다 - للسؤال

503. 나는 어제 길을 물었다. - سألت عن الاتجاهات بالأمس
504. 너는 지금 질문을 한다. - سألت سؤالاً الآن
505. 그는 내일 조언을 물을 것이다. - سيطلب المشورة غداً.
506. 그녀는 무엇을 물어봤나요? - ماذا سألت؟
507. 그녀는 시간을 물어봤습니다. - سألت عن الوقت
508. 대답하다 - للإجابة
509. 나는 그의 질문에 대답했다. - أجبت على سؤاله.
510. 너는 지금 내 질문에 대답한다. - أجبت على سؤالي الآن.
511. 그녀는 내일 문제에 대답할 것이다. - ستجيب على السؤال غداً.
512. 그들은 어떻게 대답했나요? - كيف أجابوا؟
513. 그들은 친절하게 대답했습니다. - أجابوا بلطف.
514. 들다 - لرفع
515. 나는 무거운 상자를 들었다. - رفعت الصندوق الثقيل.
516. 너는 지금 책을 든다. - أنت تحمل كتاباً الآن.
517. 그는 내일 가방을 들 것이다. - سوف يرفع الحقيبة غداً.
518. 그녀는 무엇을 들 수 있나요? - ما الذي يمكنها رفعه؟
519. 그녀는 큰 가방을 들 수 있습니다. - يمكنها رفع حقيبة كبيرة.
520. 놓다 - أن تضع
521. 나는 펜을 책상 위에 놓았다. - أضع القلم على المكتب.
522. 너는 지금 열쇠를 놓는다. - ضع مفاتيحك الآن.
523. 그들은 내일 서류를 책상 위에 놓을 것이다. - سوف يضعون الأوراق على المكتب غداً.
524. 그는 어디에 그것을 놓았나요? - أين وضعها؟
525. 그는 문 앞에 그것을 놓았습니다. - وضعه أمام الباب.
526. 끌다 - لسحبها
527. 나는 캐리어를 끌었다. - سحبت الحقيبة.
528. 너는 지금 장난감을 끈다. - سحبت اللعبة الآن.
529. 그녀는 내일 바구니를 끌 것이다. - ستسحب السلة غداً.
530. 그들은 무엇을 끌었나요? - ماذا سحبوا؟
531. 그들은 작은 카트를 끌었습니다. - دفعوا عربة صغيرة.
532. 밀다 - دفعت
533. 나는 문을 밀었다. - دفعت الباب.
534. 너는 지금 의자를 밀고 있다. - ستدفع الكرسي الآن.
535. 그는 내일 상자를 밀 것이다. - سيدفع الصناديق غداً.

536. 그녀는 어떤 것을 밀어야 하나요? - ماذا عليها أن تدفع؟
537. 그녀는 책장을 밀어야 합니다. - عليها أن تدفع خزانة الكتب.
538. 당기다 - أن تسحب
539. 나는 로프를 당겼다. - سحبت الحبل.
540. 너는 지금 커튼을 당긴다. - ستسحب الستائر الآن.
541. 그들은 내일 끈을 당길 것이다. - ستسحب الحبل غداً
542. 그는 무엇을 당겼나요? - ماذا سحب؟
543. 그는 문 손잡이를 당겼습니다. - سحب مقبض الباب
544. 들어가다 - للدخول
545. 나는 방에 들어갔다. - دخلت الغرفة.
546. 너는 지금 집에 들어간다. - ستدخل المنزل الآن.
547. 그녀는 내일 회의실에 들어갈 것이다. - ستدخل غرفة الاجتماعات غداً.
548. 그들은 언제 건물에 들어갔나요? - متى دخلوا المبنى؟
549. 그들은 아침에 건물에 들어갔습니다. - دخلوا المبنى في الصباح.
550. 나오다 - ليخرجوا
551. 나는 어제 영화관에서 나왔다. - خرجت من السينما بالأمس.
552. 너는 지금 사무실에서 나온다. - خرجت من المكتب الآن.
553. 그는 내일 도서관에서 나올 것이다. - سيخرج من المكتبة غداً
554. 너는 어디에서 나왔나요? - من أين خرجت؟
555. 나는 회의실에서 나왔습니다. - خرجت من قاعة المؤتمرات
556. 올라가다 - لأتسلق
557. 나는 언덕을 올라갔다. - صعدت إلى أعلى التل.
558. 너는 지금 계단을 올라간다. - ستصعد الدرج الآن.
559. 우리는 내일 탑에 올라갈 것이다. - سنصعد البرج غداً.
560. 그들은 어디로 올라갔나요? - إلى أين صعدوا؟
561. 그들은 산으로 올라갔습니다. - صعدوا إلى الجبل.
562. 7. 명사 단어들 외우기, 필수 10개 동사의 단어들을 가지고 50문장 연습하기 - 7- احفظ الكلمات الاسمية، وتدرب على 50 جملة بكلمات الأفعال العشرة الأساسية
563. 지하 - تحت الأرض
564. 계단 - السلالم
565. 지하철역 - محطة مترو الأنفاق
566. 지하실 - قبو
567. 자전거 - دراجة
568. 버스 - حافلة

569. 기차 - قطار
570. 배 - سفينة
571. 역 - محطة
572. 비행기 - طائرة
573. 정류장 - محطة
574. 중앙 정류장 - محطة مركزية
575. 계약서 - العقد
576. 메뉴 - قائمة الطعام
577. 계획 - الخطة
578. 문서 - المستندات
579. 보고서 - تقرير
580. 미래 - المستقبل
581. 결정 - القرار
582. 직업 변경 - تغيير الوظيفة
583. 대학 - الجامعة
584. 저녁 메뉴 - قائمة العشاء
585. 여행지 - وجهة السفر
586. 색깔 - اللون
587. 파란색 - أزرق
588. 문제 - مشكلة
589. 어려움 - الصعوبة
590. 수수께끼 - لغز
591. 상황 - الموقف
592. 팀워크 - العمل الجماعي
593. 순간 - لحظة
594. 날짜 - التاريخ
595. 대화 - المحادثة
596. 숫자 - الرقم
597. 전화번호 - رقم الهاتف
598. 생일 - تاريخ الميلاد
599. 약속 - الوعد
600. 회의 - الاجتماع
601. 회의 시간 - وقت الاجتماع
602. 말 - كلمة

603. 소식 - أخبار
604. 기적 - معجزة
605. 운명 - المصير
606. 내려가다 - النزول إلى الأسفل
607. 나는 지하로 내려갔다. - نزلت إلى الطابق السفلي
608. 너는 지금 계단을 내려간다. - سوف تنزل السلالم الآن
609. 그녀는 내일 지하철역으로 내려갈 것이다. - ستنزل إلى محطة مترو الأنفاق غداً.
610. 그는 어디로 내려갔나요? - إلى أين نزل؟
611. 그는 지하실로 내려갔습니다. - نزل إلى الطابق السفلي
612. 타다 - لركوب
613. 나는 자전거를 탔다. - ركبت دراجتي.
614. 너는 지금 버스를 탄다. - ركبت الحافلة الآن.
615. 그들은 내일 기차를 탈 것이다. - ستستقل القطار غداً.
616. 그녀는 무엇을 타고 싶어하나요? - ماذا تريد أن تركب؟
617. 그녀는 배를 타고 싶어합니다. - تريد أن تركب القارب
618. 내리다 - للنزول
619. 나는 역에서 기차에서 내렸다. - نزلت من القطار في المحطة
620. 너는 지금 버스에서 내린다. - نزلت من الحافلة الآن.
621. 그는 내일 비행기에서 내릴 것이다. - سوف ينزل من الطائرة غداً.
622. 그들은 어느 정류장에서 내렸나요? - في أي محطة نزلوا؟
623. 그들은 중앙 정류장에서 내렸습니다. - نزلوا في المحطة المركزية.
624. 살펴보다 - للنظر في
625. 나는 계약서를 살펴보았다. - نظرت على العقد.
626. 너는 지금 메뉴를 살펴본다. - نظرت على القائمة الآن.
627. 그녀는 내일 계획을 살펴볼 것이다. - ستنظر في خطط الغد.
628. 그들은 어떤 문서를 살펴보고 있나요? - ما هي الوثائق التي ينظرون إليها؟
629. 그들은 보고서를 살펴보고 있습니다. - إنهم ينظرون في التقرير.
630. 생각하다 - للتفكير
631. 나는 우리의 미래에 대해 생각했다. - كنت أفكر في مستقبلنا.
632. 너는 지금 무엇에 대해 생각한다. - تفكر في ماذا الآن.
633. 그는 내일 결정에 대해 생각할 것이다. - سيفكر في قراره غداً.
634. 그녀는 무엇에 대해 생각하고 있나요? - بماذا تفكر؟
635. 그녀는 직업 변경에 대해 생각하고 있습니다. - إنها تفكر في تغيير وظيفتها.
636. 결정하다 - أن تقرر

637. 나는 대학을 결정했다. - لقد قررت بشأن الجامعة.
638. 너는 지금 저녁 메뉴를 결정한다. - ستقرر قائمة العشاء الآن.
639. 그들은 내일 여행지를 결정할 것이다. - ستقرر إلى أين ستسافر غداً.
640. 그는 어떤 색깔을 결정했나요? - ما اللون الذي قرره؟
641. 그는 파란색을 결정했습니다. - قرر اللون الأزرق.
642. 해결하다 - ليحل
643. 나는 그 문제를 해결했다. - لقد حللت هذه المشكلة.
644. 너는 지금 어려움을 해결한다. - لقد حللت المشكلة الآن
645. 그녀는 내일 그 수수께끼를 해결할 것이다. - ستحل ذلك اللغز غداً
646. 그들은 어떻게 그 상황을 해결했나요? - كيف حلوا تلك المشكلة؟
647. 그들은 팀워크로 해결했습니다. - لقد حلوها بالعمل الجماعي
648. 기억하다 - للتذكر
649. 나는 그 순간을 기억했다. - تذكرت اللحظة.
650. 너는 지금 중요한 날짜를 기억한다. - تذكرت التاريخ المهم الآن.
651. 우리는 내일 그 대화를 기억할 것이다. - سنتذكر تلك المحادثة غداً.
652. 그녀는 어떤 숫자를 기억하나요? - ما الرقم الذي تتذكره؟
653. 그녀는 그의 전화번호를 기억합니다. - تتذكر رقم هاتفه
654. 잊다 - أن تنسى
655. 나는 그의 생일을 잊었다. - نسيت عيد ميلاده
656. 너는 지금 약속을 잊는다. - نسيت الموعد الآن
657. 그는 내일 중요한 회의를 잊을 것이다. - سوف ينسى اجتماعه المهم غداً.
658. 그들은 무엇을 잊어버렸나요? - ماذا نسوا؟
659. 그들은 그 회의 시간을 잊어버렸습니다. - لقد نسوا موعد الاجتماع
660. 믿다 - أن تصدق
661. 나는 그녀의 말을 믿었다. - لقد صدقت كلامها.
662. 너는 지금 그 소식을 믿는다. - صدقت الأخبار الآن
663. 그들은 내일 기적을 믿을 것이다. - سيؤمنون بمعجزة غداً
664. 그는 무엇을 믿나요? - بماذا يؤمن؟
665. 그는 운명을 믿습니다. - يؤمن بالقدر.
666. 8. 명사 단어들 외우기, 필수 10개 동사의 단어들을 가지고 50문장 연습하기 - 8- احفظ الكلمات الاسمية، وتمرن على 50 جملة باستخدام الكلمات الفعلية العشر الأساسية
667. 말 - كلمة
668. 소식 - الأخبار
669. 계획 - خطة

670. 이야기 - قصة
671. 결과 - النتيجة
672. 평화 - سلام
673. 성공 - النجاح
674. 미래 - المستقبل
675. 건강 - الصحة
676. 안전 - الأمان
677. 가족 - الأسرة
678. 행복 - السعادة
679. 세계 평화 - السلام العالمي
680. 차 - السيارة
681. 집 - منزل
682. 여행 - السفر
683. 시골 - الريف
684. 활동 - نشاط
685. 신호등 - إشارة المرور
686. 새벽 - الفجر
687. 학교 - مدرسة
688. 아침 - الصباح
689. 회사 - الشركة
690. 목적지 - الوجهة
691. 오후 - بعد الظهر
692. 편지 - رسالة
693. 메일 - بريد
694. 선물 - هدية
695. 친구 - صديق
696. 길 - طريق
697. 강 - نهر
698. 다리 - الساق
699. 보트 - قارب
700. 과거 - الماضي
701. 결정 - قرار
702. 무언가 - شيء ما
703. 의심하다 - للشك

704. 나는 그의 말을 의심했다. - شككت في كلامه
705. 너는 지금 그 소식을 의심한다. - شككت في الأخبار الآن
706. 그는 내일 그 계획을 의심할 것이다. - سوف يشك في الخطة غداً.
707. 너는 왜 그를 의심하나요? - لماذا تشك فيه؟
708. 나는 그의 이야기가 일관되지 않기 때문입니다. - أشك فيه لأن روايته متناقضة.
709. 희망하다 - للأمل
710. 나는 좋은 결과를 희망했다. - آمل في نتيجة جيدة.
711. 너는 지금 평화를 희망한다. - تأمل في السلام الآن.
712. 그들은 내일 성공을 희망할 것이다. - سوف يأملون النجاح غداً.
713. 우리는 무엇을 희망해야 하나요? - ماذا يجب أن نأمل؟
714. 우리는 더 나은 미래를 희망해야 합니다. - يجب أن نأمل بمستقبل أفضل.
715. 기도하다 - أن نصلي
716. 나는 건강을 위해 기도했다. - صلّ من أجل الصحة.
717. 너는 지금 안전을 기도한다. - ستصلي من أجل السلامة الآن.
718. 그녀는 내일 가족의 행복을 기도할 것이다. - ستصلي من أجل سعادة عائلتها غدًا.
719. 너는 무엇을 위해 기도하나요? - ماذا تصلي من أجل ماذا؟
720. 나는 세계 평화를 위해 기도합니다. - أصلي من أجل السلام العالمي
721. 운전하다 - للقيادة
722. 나는 어제 차를 운전했다. - قدت سيارتي بالأمس.
723. 너는 지금 집으로 운전한다. - ستقود السيارة إلى المنزل الآن.
724. 그는 내일 여행을 운전할 것이다. - سيقود الرحلة غداً.
725. 그녀는 어디로 운전해 가나요? - إلى أين تقود سيارتها؟
726. 그녀는 시골로 운전해 갑니다. - إنها تقود إلى الريف.
727. 멈추다 - للتوقف
728. 나는 갑자기 멈췄다. - توقفت فجأة.
729. 너는 지금 멈춘다. - توقفت الآن.
730. 우리는 내일 활동을 멈출 것이다. - سنتوقف غداً
731. 그들은 왜 멈췄나요? - لماذا توقفوا؟
732. 그들은 신호등에서 멈췄습니다. - توقفوا عند إشارة المرور.
733. 출발하다 - للمغادرة
734. 나는 새벽에 출발했다. - انطلقت عند الفجر.
735. 너는 지금 여행을 출발한다. - ستغادر في رحلة الآن.
736. 그녀는 내일 학교로 출발할 것이다. - ستغادر إلى المدرسة غداً.
737. 그들은 언제 출발할 예정인가요? - متى من المقرر أن يغادروا؟

738. 그들은 내일 아침에 출발할 예정입니다. - من المقرر أن يغادروا صباح الغد.
739. 도착하다 - للوصول
740. 나는 어젯밤에 도착했다. - وصلت الليلة الماضية.
741. 너는 지금 회사에 도착한다. - وصلت إلى العمل الآن.
742. 그들은 내일 목적지에 도착할 것이다. - سيصلون إلى وجهتهم غداً.
743. 너는 언제 도착했나요? - متى وصلت؟
744. 나는 오후에 도착했습니다. - وصلت بعد الظهر
745. 보내다 - لإرسال
746. 나는 편지를 보냈다. - أرسلت رسالة.
747. 너는 지금 메일을 보낸다. - أرسل البريد الآن.
748. 그는 내일 선물을 보낼 것이다. - سوف يرسل الهدية غداً.
749. 우리는 누구에게 선물을 보내나요? - لمن نرسل الهدايا؟
750. 우리는 친구에게 선물을 보냅니다. - نرسل الهدايا لأصدقائنا.
751. 건너다 - لعبور
752. 나는 길을 건넜다. - عبرت الطريق.
753. 너는 지금 강을 건넌다. - ستعبر النهر الآن.
754. 그녀는 내일 다리를 건널 것이다. - ستعبر الجسر غداً.
755. 당신들은 어떻게 강을 건넜나요? - كيف عبرت النهر؟
756. 우리는 보트를 이용해서 건넜습니다. - عبرنا بالقارب.
757. 돌아보다 - نظرت إلى الوراء
758. 나는 뒤를 돌아보았다. - نظرت للخلف
759. 너는 지금 과거를 돌아본다. - نظرت إلى الوراء الآن.
760. 우리는 내일 결정을 돌아볼 것이다. - سننظر إلى الوراء في قرارنا غداً.
761. 그녀는 왜 주저하며 돌아보나요? - لماذا تتردد في النظر إلى الوراء؟
762. 그녀는 무언가를 잊었기 때문입니다. - لأنها نسيت شيئًا ما.
763. 9. 명사 단어들 외우기, 필수 10개 동사의 단어들을 가지고 50문장 연습하기 - 9- احفظ الكلمات الاسمية، وتدرب على 50 جملة مع الكلمات الفعلية العشر الأساسية
764. 위험 - الخطر
765. 갈등 - الصراع
766. 교통 체증 - ازدحام مروري
767. 논쟁 - جدال
768. 제품 - منتج
769. 가격 - السعر
770. 옵션 - الخيار

771. 대학 프로그램 - برنامج الجامعة
772. 시험 - الاختبار
773. 발표 - العرض التقديمي
774. 파티 - حفلة
775. 저녁 식사 - عشاء
776. 방 - غرفة
777. 책상 - طاولة
778. 창고 - التخزين
779. 서류 - المستندات
780. 자전거 - دراجة هوائية
781. 컴퓨터 - كمبيوتر
782. 시계 - ساعة
783. 옥상 - السطح
784. 신발 - حذاء
785. 문 - باب
786. 안경 - نظارات
787. 자동차 - سيارة
788. 피아노 - بيانو
789. 공 - كرة
790. 골프 - الغولف
791. 드럼 - طبلة
792. 돌 - صخرة
793. 종이비행기 - طائرة ورقية
794. 나비 - فراشة
795. 물고기 - سمكة
796. 꽃 - زهرة
797. 화분 - وعاء
798. 정원 - حديقة
799. 피하다 - لتجنب
800. 나는 위험을 피했다. - تجنبت الخطر
801. 너는 지금 갈등을 피한다. - تجنبت الصراع الآن
802. 그들은 내일 교통 체증을 피할 것이다. - سوف تتجنب الازدحام المروري غداً.
803. 그는 무엇을 피하려고 하나요? - ما الذي يحاول تجنبه؟
804. 그는 불필요한 논쟁을 피하려고 합니다. - إنه يحاول تجنب الجدال غير الضروري.

805. 비교하다 - للمقارنة
806. 나는 두 제품을 비교했다. - قارنت بين المنتجين.
807. 너는 지금 가격을 비교한다. - قارنت الأسعار الآن.
808. 그녀는 내일 옵션을 비교할 것이다. - ستقارن الخيارات غداً.
809. 그들은 어떤 것들을 비교하나요? - ما الأشياء التي يقارنونها؟
810. 그들은 다양한 대학 프로그램을 비교합니다. - تقارن بين برامج الكلية المختلفة.
811. 준비하다 - للتحضير
812. 나는 시험을 준비했다. - استعدت للاختبار.
813. 너는 지금 발표를 준비한다. - استعد للعرض التقديمي الآن.
814. 우리는 내일 파티를 준비할 것이다. - سنستعد للحفل غداً.
815. 그녀는 무엇을 준비하고 있나요? - ماذا تحضّر؟
816. 그녀는 저녁 식사를 준비하고 있습니다. - إنها تحضر العشاء.
817. 정리하다 - لتنظيم
818. 나는 내 방을 정리했다. - لقد رتبت غرفتي.
819. 너는 지금 책상을 정리한다. - أنت تنظم مكتبك الآن.
820. 그들은 내일 창고를 정리할 것이다. - سيقومون بتنظيم المستودع غداً.
821. 그는 언제 서류를 정리할까요? - متى سينظم أوراقه؟
822. 그는 이번 주말에 서류를 정리할 것입니다. - سوف يرتب أوراقه في نهاية هذا الأسد
بوع.
823. 수리하다 - لإصلاح
824. 나는 자전거를 수리했다. - لقد أصلحت دراجتي.
825. 너는 지금 컴퓨터를 수리한다. - ستقوم بإصلاح الكمبيوتر الآن.
826. 그녀는 내일 시계를 수리할 것이다. - ستقوم بإصلاح ساعتها غداً.
827. 그들은 무엇을 수리하고 있나요? - ما الذي يقومون بإصلاحه؟
828. 그들은 옥상을 수리하고 있습니다. - إنهم يصلحون السقف.
829. 고치다 - لإصلاح
830. 나는 신발을 고쳤다. - أصلحت حذائي.
831. 너는 지금 문을 고친다. - أصلحت الباب الآن.
832. 그는 내일 안경을 고칠 것이다. - سيصلح نظارته غداً.
833. 그녀는 언제 자동차를 고쳤나요? - متى أصلحت سيارتها؟
834. 그녀는 지난 주에 자동차를 고쳤습니다. - أصلحت سيارتها الأسبوع الماضي.
835. 치다 - عزفت
836. 나는 피아노를 쳤다. - عزفت على البيانو
837. 너는 지금 공을 친다. - ضربت الكرة الآن.

838. 그들은 내일 골프를 칠 것이다. - ستلعب الغولف غداً.
839. 너는 언제 드럼을 쳤나요? - متى عزفت على الطبول؟
840. 나는 어제 드럼을 쳤습니다. - عزفت على الطبول بالأمس.
841. 던지다 - رميت
842. 나는 공을 던졌다. - رميت الكرة.
843. 너는 지금 돌을 던진다. - أنت ترمي الحجارة الآن.
844. 그는 내일 종이비행기를 던질 것이다. - سوف يرمي طائرة ورقية غداً.
845. 그녀는 무엇을 던졌나요? - ماذا رمت؟
846. 그녀는 공을 던졌어요. - رمت كرة
847. 잡다 - لالتقاط
848. 나는 나비를 잡았다. - أمسكت فراشة.
849. 너는 지금 공을 잡는다. - أمسكت الكرة الآن.
850. 우리는 내일 물고기를 잡을 것이다. - سنصطاد السمك غداً.
851. 그들은 무엇을 잡았나요? - ماذا اصطادوا؟
852. 그들은 큰 물고기를 잡았어요. - لقد اصطادوا سمكة كبيرة.
853. 피다 - لتتفتح
854. 나는 꽃을 피웠다. - أزهرت زهرة.
855. 너는 지금 화분에서 꽃이 피는 것을 본다. - ترى زهرة تتفتح في وعاء الآن.
856. 그녀는 내일 정원에서 꽃을 피울 것이다. - سيكون لديها زهور في الحديقة غداً.
857. 그들은 어디에서 꽃을 피웠나요? - أين تفتحت؟
858. 그들은 정원에서 꽃을 피웠어요. - لقد أزهرت في الحديقة.
859. 침대 - السرير
860. 소파 - الأريكة
861. 잔디밭 - الحديقة
862. 꿈 - الحلم
863. 몸 - جسد
864. 병 - زجاجة
865. 물 - ماء
866. 수프 - حساء
867. 차 - شاي
868. 친구들 - الأصدقاء
869. 파티 - حفلة
870. 모임 - تجمع
871. 공원 - الحديقة

872. 집 - منزل
873. 여행 - السفر
874. 학교 - المدرسة
875. 방 - الغرفة
876. 비밀 - السر
877. 진실 - الحقيقة
878. 이야기 - قصة
879. 서랍 - الدرج
880. 책 - الكتاب
881. 가방 - الحقيبة
882. 지갑 - المحفظة
883. 상자 - صندوق
884. 선물 - هدية
885. 편지 - رسالة
886. 눕다 - الاستلقاء
887. 나는 일찍 누웠다. - استلقيت مبكراً
888. 너는 지금 침대에 눕는다. - استلقي على السرير الآن
889. 그는 내일 소파에 누울 것이다. - سوف يستلقي على الأريكة غداً.
890. 그녀는 어디에 누웠나요? - أين استلقت؟
891. 그녀는 잔디밭에 누웠어요. - استلقت على العشب
892. 꿈꾸다 - لتحلم
893. 나는 행복한 꿈을 꿨다. - حلمت حلماً سعيداً
894. 너는 지금 꿈을 꾼다. - أنت تحلم الآن.
895. 우리는 내일 큰 꿈을 꿀 것이다. - سيكون لدينا حلم كبير غداً
896. 그들은 무슨 꿈을 꿨나요? - بماذا حلموا؟
897. 그들은 여행하는 꿈을 꿨어요. - حلموا بالسفر
898. 움직이다 - للتحرك
899. 나는 천천히 움직였다. - تحركت ببطء.
900. 너는 지금 몸을 움직인다. - حركت جسدك الآن.
901. 그들은 내일 더 빠르게 움직일 것이다. - سوف تتحرك أسرع غدا.
902. 그녀는 왜 움직이지 않나요? - لماذا لا تتحرك؟
903. 그녀는 피곤해서 움직이지 않아요. - إنها لا تتحرك لأنها متعبة.
904. 흔들다 - لتهتز
905. 나는 나무를 흔들었다. - هزت الشجرة.

906. 너는 지금 의자를 흔든다. - هزت الكرسي الآن.
907. 그는 내일 우산을 흔들 것이다. - سيهز المظلة غداً.
908. 그들은 무엇을 흔들었나요? - ماذا هزوا؟
909. 그들은 병을 흔들었어요. - هزوا الزجاجة
910. 끓이다 - ليغلي
911. 나는 물을 끓였다. - لقد غليت الماء.
912. 너는 지금 수프를 끓인다. - ستغلي الحساء الآن.
913. 그녀는 내일 차를 끓일 것이다. - ستغلي الشاي غداً.
914. 그들은 언제 물을 끓였나요? - متى قاموا بغلي الماء؟
915. 그들은 아침에 물을 끓였어요. - لقد غليا الماء في الصباح.
916. 어울리다 - للتوافق مع
917. 나는 친구들과 잘 어울렸다. - لقد انسجمت بشكل جيد مع أصدقائي.
918. 너는 지금 파티에서 잘 어울린다. - تبدو جيداً في الحفلة الآن.
919. 우리는 내일 모임에서 잘 어울릴 것이다. - سننسجم بشكل جيد في حفل الغد.
920. 그들은 어디에서 어울렸나요? - أين كانوا يتسكعون؟
921. 그들은 공원에서 잘 어울렸어요. - لقد انسجموا بشكل جيد في الحديقة.
922. 떠나다 - غادروا
923. 나는 새벽에 떠났다. - غادرت عند الفجر
924. 너는 지금 집을 떠난다. - ستغادر المنزل الآن.
925. 그는 내일 여행을 떠날 것이다. - سيغادر في رحلته غداً
926. 그녀는 언제 떠났나요? - متى غادرت؟
927. 그녀는 어제 떠났어요. - غادرت بالأمس
928. 돌아오다 - للعودة
929. 나는 저녁에 돌아왔다. - لقد عدت في المساء.
930. 너는 지금 학교에서 돌아온다. - ستعود من المدرسة الآن.
931. 우리는 내일 여행에서 돌아올 것이다. - سنعود من رحلتنا غداً.
932. 그들은 언제 돌아올까요? - متى سيعودون؟
933. 그들은 내일 돌아올 거예요. - سيعودون غداً.
934. 밝히다 - للإضاءة
935. 나는 방에 불을 밝혔다. - أشعلت الضوء في الغرفة.
936. 너는 지금 비밀을 밝힌다. - ستكشف السر الآن.
937. 그녀는 내일 진실을 밝힐 것이다. - ستكشف الحقيقة غداً
938. 그는 왜 이야기를 밝혔나요? - لماذا كشف القصة؟
939. 그는 솔직하고 싶어서 밝혔어요. - لقد كشفها لأنه أراد أن يكون صادقًا.

940. 꺼내다 - أن يخرج
941. 나는 서랍에서 책을 꺼냈다. - أخرجت الكتاب من الدرج.
942. 너는 지금 가방에서 지갑을 꺼낸다. - أخرج محفظتك من حقيبتك الآن.
943. 그는 내일 상자에서 선물을 꺼낼 것이다. - سيخرج الهدية من الصندوق غداً.
944. 그녀는 무엇을 꺼냈나요? - ماذا أخرجت؟
945. 그녀는 편지를 꺼냈어요. - أخرجت رسالة.
946. 10. 명사 단어들 외우기, 필수 10개 동사의 단어들을 가지고 50문장 연습하기 - 10- احفظ الكلمات الاسمية، تدرب على 50 جملة بكلمات الأفعال العشرة الأساسية
947. 상자 - صندوق
948. 사진 - صورة
949. 서류 - ورقة
950. 파일 - ملف
951. 책 - كتاب
952. 책장 - أرفف كتب
953. 서랍 - درج
954. 신문 - صحيفة
955. 컵 - كوب
956. 물건 - غرض
957. 저녁 - عشاء
958. 식탁 - طاولة طعام
959. 아침 - الفطور
960. 식사 - وجبة
961. 파티 - حفلة
962. 테이블 - طاولة
963. 정리 - التنظيم
964. 책상 - مكتب
965. 방 - غرفة
966. 장난감 - الألعاب
967. 친구 - صديق
968. 연필 - قلم رصاص
969. 텐트 - خيمة
970. 선생님 - مدرس
971. 돈 - نقود
972. 도구 - أداة

973. 소식 - الأخبار
974. 소리 - الصوت
975. 선물 - حاضر
976. 밤 - ليلة
977. 시험 - اختبار
978. 결과 - النتيجة
979. 발표 - إعلان
980. 높은 - عالية
981. 건강 - الصحة
982. 여행 - السفر
983. 날씨 - الطقس
984. 메시지 - رسالة
985. 넣다 - للإدراج
986. 나는 상자에 사진을 넣었다. - وضعت الصورة في المربع
987. 너는 지금 서류를 파일에 넣는다. - وضعت الأوراق في الملف الآن
988. 우리는 내일 책을 책장에 넣을 것이다. - سنضع الكتب على رف الكتب غداً.
989. 그들은 어디에 넣었나요? - أين وضعوها؟
990. 그들은 서랍에 넣었어요. - وضعوها في الدرج
991. 버리다 - رموها بعيداً
992. 나는 오래된 신문을 버렸다. - لقد رميت الصحيفة القديمة.
993. 너는 지금 깨진 컵을 버린다. - تخلصت من الكوب المكسور الآن.
994. 그는 내일 불필요한 물건을 버릴 것이다. - سوف يرمي الأشياء غير الضرورية غداً.
995. 그녀는 왜 그것을 버렸나요? - لماذا رمته بعيداً؟
996. 그녀는 필요 없어서 버렸어요. - رمته لأنها لم تكن بحاجة إليه.
997. 차리다 - لإعداد الطاولة
998. 나는 저녁 식탁을 차렸다. - أعددت المائدة للعشاء.
999. 너는 지금 아침 식사를 차린다. - أعددت الطاولة للإفطار الآن.
1000. 우리는 내일 파티를 위해 테이블을 차릴 것이다. - سنقوم بإعداد الطاولة للحفلة غ
داً.
1001. 그들은 언제 식탁을 차렸나요? - متى قاموا بإعداد الطاولة؟
1002. 그들은 방금 차렸어요. - لقد أعدوا الطاولة للتو.
1003. 치우다 - للتنظيف
1004. 나는 파티 후에 정리를 했다. - قمت بالتنظيف بعد الحفلة.
1005. 너는 지금 책상을 치운다. - تقوم بتنظيف المكتب الآن.

1006. 그녀는 내일 방을 치울 것이다. - سوف ترتب غرفتها غداً.
1007. 그들은 무엇을 치웠나요? - ماذا وضعوا بعيدا؟
1008. 그들은 장난감을 치웠어요. - لقد وضعوا الألعاب جانباً
1009. 빌리다 - للاستعارة
1010. 나는 친구에게 책을 빌렸다. - استعرت كتاباً من صديق.
1011. 너는 지금 연필을 빌린다. - استعرت قلم رصاص الآن.
1012. 우리는 내일 텐트를 빌릴 것이다. - سنستعير الخيمة غداً.
1013. 그녀는 누구에게 빌렸나요? - ممن استعارت؟
1014. 그녀는 선생님에게 빌렸어요. - اقترضت من معلمتها.
1015. 갚다 - أن تسدد
1016. 나는 친구에게 돈을 갚았다. - سددت المال لصديقي.
1017. 너는 지금 빌린 책을 갚는다. - سددت الكتاب المستعار الآن.
1018. 그는 내일 빌린 도구를 갚을 것이다. - سيسدد الأدوات المقترضة غداً.
1019. 그들은 언제 갚을까요? - متى سيسددونها؟
1020. 그들은 내일 갚을 거예요. - سيسددونها غداً.
1021. 놀라다 - أن تتفاجأ
1022. 나는 소식에 놀랐다. - لقد فوجئت بالأخبار.
1023. 너는 지금 갑작스러운 소리에 놀란다. - لقد فوجئت بالصوت المفاجئ الآن.
1024. 그녀는 내일 깜짝 선물에 놀랄 것이다. - سوف تفاجأ بالمفاجأة غداً.
1025. 그는 왜 놀랐나요? - لماذا تفاجأ؟
1026. 그는 선물을 받아서 놀랐어요. - لقد فوجئ باستلام الهدية.
1027. 두렵다 - لخوفه
1028. 나는 어두운 밤이 두려웠다. - كنت خائفاً من الليل المظلم.
1029. 너는 지금 시험 결과가 두렵다. - كنت خائفاً من نتائج الامتحان الآن.
1030. 우리는 내일 발표가 두려울 것이다. - سنكون خائفين من العرض التقديمي غداً.
1031. 그녀는 무엇이 두렵나요? - ما الذي تخاف منه؟
1032. 그녀는 높은 곳이 두려워요. - إنها تخاف من المرتفعات
1033. 걱정하다 - أن تكون قلقة
1034. 나는 시험 결과를 걱정했다. - كنت قلقة بشأن نتائج الامتحان.
1035. 너는 친구의 건강을 걱정한다. - ستقلق على صحة صديقك.
1036. 그는 여행의 날씨를 걱정할 것이다. - سيقلق بشأن الطقس في رحلته.
1037. 걱정이 많나요? - هل تقلق كثيراً؟
1038. 네, 걱정이 많아요. - نعم، أقلق كثيراً.
1039. 안심하다 - أن تشعر بالارتياح

1040. 나는 메시지를 받고 안심했다. - لقد شعرت بالارتياح لتلقي الرسالة.
1041. 너는 결과를 듣고 안심한다. - تشعر بالارتياح لسماع النتيجة.
1042. 그녀는 확인 후 안심할 것이다. - ستشعر بالارتياح بعد التحقق.
1043. 안심됐나요? - هل أنت مرتاح؟
1044. 네, 안심됐어요. - نعم، أنا مرتاح.
1045. 11. 명사 단어들 외우기, 필수 10개 동사의 단어들을 가지고 50문장 연습하기 - 11. احفظ الكلمات الاسمية، وتمرن على 50 جملة مع 10 كلمات فعلية أساسية
1046. 실수 - خطأ
1047. 지연 - التأخير
1048. 문제 - مشكلة
1049. 친구 - صديق
1050. 아이 - طفل
1051. 동료 - زميل عمل
1052. 동생 - شقيق
1053. 졸업 - التخرج
1054. 생일 - عيد ميلاد
1055. 성공 - نجاح
1056. 도움 - مساعدة
1057. 선생님 - مدرس
1058. 지원 - الدعم
1059. 오해 - سوء الفهم
1060. 잘못 - خطأ
1061. 서류 - المستند
1062. 파일 - ملف
1063. 책 - كتاب
1064. 책장 - رف الكتب
1065. 돈 - نقود
1066. 저금통 - حصالة نقود
1067. 그릇 - وعاء
1068. 신문 - جريدة
1069. 옷 - ملابس
1070. 저녁 - عشاء
1071. 식탁 - طاولة الطعام
1072. 아침 - الفطور

1073. 식사 - وجبة
1074. 파티 - حفلة
1075. 테이블 - طاولة
1076. 화내다 - أن تغضب
1077. 나는 실수를 하고 화냈다. - لقد أخطأت وغضبت
1078. 너는 지연에 화낸다. - أنت غاضب من التأخير
1079. 그들은 문제를 보고 화낼 것이다. - سوف يرون المشكلة ويغضبون.
1080. 화났나요? - هل أنت غاضب؟
1081. 네, 화났어요. - نعم، أنا غاضب
1082. 달래다 - لتهدئة
1083. 나는 친구를 달랬다. - لقد هدأت صديقي.
1084. 너는 아이를 달랜다. - سوف تسترضي الطفل.
1085. 그녀는 동료를 달랠 것이다. - سوف تسترضي زميلها في العمل.
1086. 달랐나요? - هل كان الأمر مختلفاً؟
1087. 네, 달랐어요. - نعم، كان مختلفاً
1088. 축하하다 - للاحتفال
1089. 나는 동생의 졸업을 축하했다. - هنأت أخي على تخرجه.
1090. 너는 친구의 생일을 축하한다. - احتفلت بعيد ميلاد صديقك.
1091. 우리는 성공을 축하할 것이다. - سنحتفل بنجاحنا.
1092. 축하할까요? - هل نحتفل؟
1093. 네, 축하해요. - نعم، لنحتفل.
1094. 감사하다 - لنكون ممتنين
1095. 나는 도움을 받고 감사했다. - لقد تمت مساعدتي وشكري.
1096. 너는 선생님께 감사한다. - أنت ممتن لمعلمك.
1097. 그들은 지원에 감사할 것이다. - سيكونون ممتنين للدعم.
1098. 감사해요? - هل أنت ممتن؟
1099. 네, 감사해요. - نعم، أنا ممتن.
1100. 사과하다 - الاعتذار
1101. 나는 실수에 대해 사과했다. - اعتذرت عن خطأي.
1102. 너는 지각에 대해 사과한다. - تعتذر عن تأخرك.
1103. 그는 오해에 대해 사과할 것이다. - سوف يعتذر عن سوء الفهم.
1104. 사과할까요? - هل أعتذر؟
1105. 네, 사과해요. - نعم، أعتذر
1106. 용서하다 - لأغفر

1107. 나는 친구의 실수를 용서했다. - سامحت صديقي على خطئه.
1108. 너는 그의 잘못을 용서한다. - ستغفر خطأه.
1109. 그녀는 오해를 용서할 것이다. - سوف تغفر سوء الفهم.
1110. 용서할까요? - هل نسامح؟
1111. 네, 용서해요. - نعم، أنا أسامح
1112. 선물하다 - لإعطاء هدية
1113. 나는 친구에게 선물을 했다. - أعطيت هدية لصديقي.
1114. 너는 선생님께 선물한다. - أعطيت هدية لمعلمتك.
1115. 그들은 기념일에 선물할 것이다. - سوف يقدمون هدية في ذكرى زواجهم.
1116. 선물할까요? - هل أعطي هدية؟
1117. 네, 선물해요. - نعم، أقدم هدية.
1118. 넣다 - لوضع
1119. 나는 서류를 파일에 넣었다. - أضع الأوراق في الملف.
1120. 너는 책을 책장에 넣는다. - أضع الكتب على رف الكتب.
1121. 그는 돈을 저금통에 넣을 것이다. - أضع المال في الحصالة.
1122. 넣을까요? - هل أضعه فيها؟
1123. 네, 넣어요. - نعم، ضعها
1124. 버리다 - لأرميها
1125. 나는 깨진 그릇을 버렸다. - رميت الوعاء المكسور.
1126. 너는 오래된 신문을 버린다. - سترمي الصحيفة القديمة.
1127. 그녀는 사용하지 않는 옷을 버릴 것이다. - سترمي الملابس التي لا تستخدمها.
1128. 버릴까요? - هل نرميها بعيداً؟
1129. 네, 버려요. - نعم، ارميها بعيداً.
1130. 차리다 - لإعداد الطاولة
1131. 나는 저녁 식탁을 차렸다. - أضع الطاولة للعشاء.
1132. 너는 아침 식사를 차린다. - وأنتِ ترتبين الطاولة للإفطار.
1133. 우리는 파티를 위해 테이블을 차릴 것이다. - سنقوم بإعداد الطاولة للحفلة.
1134. 차릴까요? - هل نرتب الطاولة؟
1135. 네, 차려요. - نعم، دعونا نرتب الطاولة.
1136. 12. 명사 단어들 외우기, 필수 10개 동사의 단어들을 가지고 50문장 연습하기 - 12. احفظ الكلمات الاسمية، وتدرب على 50 جملة بكلمات الأفعال العشرة الأساسية
1137. 저녁 - عشاء
1138. 식사 - وجبة
1139. 방 - غرفة

1140. 책상 - مكتب
1141. 이웃 - جار
1142. 사다리 - السلم
1143. 친구 - صديق
1144. 책 - كتاب
1145. 차 - سيارة
1146. 빚 - ديون
1147. 은행 - بنك
1148. 대출 - قرض
1149. 돈 - المال
1150. 소식 - الأخبار
1151. 소리 - صوت
1152. 발표 - إعلان
1153. 어둠 - ظلام
1154. 높이 - الارتفاع
1155. 실패 - فشل
1156. 시험 - اختبار
1157. 결과 - النتائج
1158. 여행 - السفر
1159. 계획 - التخطيط
1160. 답장 - الرد
1161. 확인 - تحقق
1162. 해결 - حل
1163. 지각 - التأخر
1164. 실수 - الأخطاء
1165. 지연 - التأخير
1166. 아이 - طفل
1167. 동료 - زميل عمل
1168. 승진 - الترقية
1169. 성공 - النجاح
1170. 기념일 - الذكرى السنوية
1171. 치우다 - لوضعها بعيدًا
1172. 나는 저녁 식사 후에 정리했다. - قمت بالتنظيف بعد العشاء
1173. 너는 방을 치운다. - رتب غرفتك

1174. 그는 책상을 치울 것이다. - سوف ينظف المكتب
1175. 치울까요? - هل أضعه جانباً؟
1176. 네, 치워요. - نعم، ضعه جانباً
1177. 빌리다 - استعرت
1178. 나는 이웃에게 사다리를 빌렸다. - استعرت سلماً من جاري.
1179. 너는 친구에게 책을 빌린다. - استعرت كتاباً من صديق.
1180. 그들은 차를 빌릴 것이다. - ستستعير السيارة.
1181. 빌릴까요? - هل أستعيرها؟
1182. 네, 빌려요. - نعم، لنستعير
1183. 갚다 - للسداد
1184. 나는 친구에게 빚을 갚았다. - سددت ديني لصديقي.
1185. 너는 은행에 대출을 갚는다. - ستسدد القرض للبنك.
1186. 그는 돈을 갚을 것이다. - سوف يسدد المال.
1187. 갚을까요? - هل أسدده له؟
1188. 네, 갚아요. - نعم، سأسدده.
1189. 놀라다 - أن تتفاجأ
1190. 나는 소식을 듣고 놀랐다. - لقد فوجئت بسماع الخبر.
1191. 너는 갑작스러운 소리에 놀란다. - لقد فوجئت بالصوت المفاجئ.
1192. 그녀는 발표를 듣고 놀랄 것이다. - سوف تفاجأ لسماع الخبر.
1193. 놀랐나요? - هل تفاجأت؟
1194. 네, 놀랐어요. - نعم، لقد فوجئت
1195. 두렵다 - بالخوف
1196. 나는 어둠이 두려웠다. - كنت خائفاً من الظلام.
1197. 너는 높이가 두렵다. - كنت خائفاً من المرتفعات
1198. 그들은 실패가 두려울 것이다. - خائف من الفشل
1199. 두려워요? - هل أنت خائف؟
1200. 네, 두려워요. - نعم، أنا خائف
1201. 걱정하다 - أن تقلق
1202. 나는 시험을 걱정했다. - كنت قلقاً بشأن الامتحان.
1203. 너는 결과를 걱정한다. - أنت قلق بشأن النتائج.
1204. 그는 여행 계획을 걱정할 것이다. - سيقلق بشأن خطط سفره.
1205. 걱정이 많으세요? - هل تقلق كثيراً؟
1206. 아니요, 조금요. - لا، قليلاً
1207. 안심하다 - أن تشعر بالارتياح

1208. 나는 답장을 받고 안심했다. - شعرت بالارتياح لحصولي على رد.
1209. 너는 확인하고 안심한다. - تشعر بالارتياح لحصولك على تأكيد.
1210. 그녀는 해결되면 안심할 것이다. - ستشعر بالارتياح عندما يتم حلها.
1211. 안심됐어요? - هل أنت مرتاح؟
1212. 네, 안심됐어요. - نعم، أنا مرتاح
1213. 화내다 - أن تكون غاضباً
1214. 나는 지각에 화냈다. - أنا غاضب من التأخير.
1215. 너는 실수에 화낸다. - أنت غاضب من الخطأ.
1216. 그는 지연에 화낼 것이다. - سيكون غاضباً من التأخير.
1217. 화낼 거예요? - هل ستكون غاضباً؟
1218. 아니요, 안 화낼래요. - لا، لن أغضب.
1219. 달래다 - لتهدئة
1220. 나는 울던 아이를 달랬다. - هدأت الطفل الباكي.
1221. 너는 친구를 달랜다. - سوف تهدئ صديقك.
1222. 그녀는 동료를 달랠 것이다. - سوف تهدئ زميلها في العمل.
1223. 달랠 수 있어요? - هل يمكنك تهدئة؟
1224. 네, 달랠게요. - نعم، سوف أهدئ.
1225. 축하하다 - للاحتفال
1226. 나는 승진을 축하했다. - سأحتفل بترقيتي.
1227. 너는 성공을 축하한다. - ستحتفل بنجاحك.
1228. 우리는 기념일을 축하할 것이다. - سنحتفل بذكرى زواجنا.
1229. 축하해줄까요? - هل أهنئك؟
1230. 네, 축하해요. - نعم، لنحتفل.
1231. 13. 명사 단어들 외우기, 필수 10개 동사의 단어들을 가지고 50문장 연습하기 - 13- احفظ الكلمات الاسمية، وتدرب على 50 جملة مع الكلمات الفعلية العشر الأساسية
1232. 도움 - المساعدة
1233. 지원 - الدعم
1234. 협력 - التعاون
1235. 잘못 - خطأ
1236. 실수 - خطأ
1237. 오해 - سوء فهم
1238. 거짓말 - الكذب
1239. 생일 - عيد ميلاد
1240. 선물 - هدية

1241. 졸업 - التخرج
1242. 책 - كتاب
1243. 운동 - عمل خارجي
1244. 여행지 - وجهة السفر
1245. 조언 - نصيحة
1246. 조용 - الهدوء
1247. 정리 - التنظيم
1248. 제출 - تقديم
1249. 흡연 - التدخين
1250. 출입 - الذهاب والإياب
1251. 사용 - الاستخدام
1252. 요청 - طلب
1253. 출발 - المغادرة
1254. 참여 - المشاركة
1255. 제안 - اقتراح
1256. 초대 - دعوة
1257. 감사하다 - شكرًا
1258. 나는 도움에 감사했다. - أنا ممتن للمساعدة
1259. 너는 지원에 감사한다. - أنت ممتن للدعم
1260. 그들은 협력에 감사할 것이다. - سيقدرون التعاون
1261. 감사드려도 돼요? - هل يمكنني أن أشكرك؟
1262. 네, 감사해요. - نعم، شكراً لك
1263. 사과하다 - للاعتذار
1264. 나는 잘못을 사과했다. - اعتذرت عن خطأي.
1265. 너는 늦은 것에 사과한다. - اعتذر عن التأخير
1266. 그는 실수에 대해 사과할 것이다. - سيعتذر عن خطئه.
1267. 사과해야 하나요? - هل يجب أن أعتذر؟
1268. 네, 사과하세요. - نعم، اعتذر
1269. 용서하다 - أن أغفر
1270. 나는 실수를 용서했다. - أنا أغفر الخطأ.
1271. 너는 오해를 용서한다. - ستغفر سوء الفهم
1272. 그녀는 거짓말을 용서할 것이다. - سوف تغفر الكذبة
1273. 용서해줄 수 있어요? - هل تسامحني؟
1274. 네, 용서해요. - نعم، أسامحك

1275. 선물하다 - لإعطاء هدية
1276. 나는 생일 선물을 했다. - أعطيت هدية عيد ميلاد
1277. 너는 감사의 표시로 선물한다. - أعطيت هدية كعلامة على الامتنان.
1278. 우리는 졸업 선물을 할 것이다. - سنقدم هدية التخرج.
1279. 선물 좋아하세요? - هل تحب الهدايا؟
1280. 네, 좋아해요. - نعم، أحبها.
1281. 권하다 - للتوصية
1282. 나는 책을 권했다. - أوصيت بكتاب.
1283. 너는 운동을 권한다. - ستوصي بممارسة الرياضة.
1284. 그는 여행지를 권할 것이다. - سيوصي بوجهة سفر.
1285. 추천해줄까요? - هل تريدني أن أوصي بشيء؟
1286. 네, 추천해주세요. - نعم، رجاءً أوصي.
1287. 요청하다 - أن أطلب
1288. 나는 도움을 요청했다. - أطلب المساعدة
1289. 너는 조언을 요청한다. - ستطلب المشورة.
1290. 그들은 지원을 요청할 것이다. - ستطلب المساعدة.
1291. 도와달라고 할까요? - هل أطلب المساعدة؟
1292. 네, 부탁해요. - نعم من فضلك
1293. 명령하다 - للأمر
1294. 나는 조용히 할 것을 명령했다. - أنا آمرك بالهدوء
1295. 너는 정리를 명령한다. - ستأمرك بالترتيب
1296. 그녀는 제출을 명령할 것이다. - ستأمرك بتسليمها
1297. 명령할게요? - هل تريدني أن آمرك؟
1298. 아니요, 괜찮아요. - لا، شكراً لك
1299. 금지하다 - أن أمنعك
1300. 나는 흡연을 금지했다. - منعت التدخين.
1301. 너는 출입을 금지한다. - أنت ممنوع من الدخول.
1302. 그들은 사용을 금지할 것이다. - سيمنعون الاستخدام.
1303. 금지된 건가요? - هل هو ممنوع؟
1304. 네, 금지예요. - نعم، ممنوع.
1305. 허락하다 - لمنح الإذن
1306. 나는 요청을 허락했다. - لقد وافقت على الطلب
1307. 너는 출발을 허락한다. - مسموح لك بالمغادرة.
1308. 우리는 참여를 허락할 것이다. - سنمنح الإذن بالمشاركة.

1309. 허락될까요? - هل يُسمح لي؟

1310. 네, 허락돼요. - نعم، مسموح لك

1311. 거절하다 - بالرفض

1312. 나는 제안을 거절했다. - رفضت العرض

1313. 너는 초대를 거절한다. - سترفض الدعوة

1314. 그는 요청을 거절할 것이다. - سوف يرفض الطلب.

1315. 거절해도 돼요? - هل من المقبول الرفض؟

1316. 네, 괜찮아요. - نعم، لا بأس.

1317. 14. 명사 단어들 외우기, 필수 10개 동사의 단어들을 가지고 50문장 연습하기 - 14- احفظ الكلمات الاسمية، وتدرب على 50 جملة مع الكلمات الفعلية العشر الأساسية

1318. 계획 - خطة

1319. 의견 - رأي

1320. 제안 - اقتراح

1321. 결정 - قرار

1322. 방침 - سياسة

1323. 정책 - السياسة

1324. 새벽 - الفجر

1325. 직원 - الموظف

1326. 파트너 - شريك

1327. 규칙 - القاعدة

1328. 방법 - الطريقة

1329. 절차 - الإجراء

1330. 여행 - السفر

1331. 미래 - المستقبل

1332. 꿈 - الحلم

1333. 경험 - التجربة

1334. 상황 - الوضع

1335. 권리 - صحيح

1336. 입장 - المدخل

1337. 문제 - المشكلة

1338. 해결책 - الحل

1339. 중요성 - الأهمية

1340. 필요성 - الضرورة

1341. 안전 - السلامة

1342. 동의하다 - الموافقة
1343. 나는 계획에 동의했다. - أتفق مع الخطة
1344. 너는 의견에 동의한다. - توافق على الرأي
1345. 그녀는 제안에 동의할 것이다. - توافق على الاقتراح
1346. 동의할 수 있나요? - هل توافق؟
1347. 네, 동의해요. - نعم، أوافق
1348. 반대하다 - عارضت
1349. 나는 결정에 반대했다. - عارضت القرار.
1350. 너는 방침에 반대한다. - أنت ضد السياسة.
1351. 우리는 정책에 반대할 것이다. - سنعارض السياسة.
1352. 반대해야 하나요? - هل يجب أن أعارضها؟
1353. 아니요, 고민해보세요. - لا، فكر في الأمر.
1354. 인사하다 - لتحية
1355. 나는 새벽에 인사했다. - أحيي عند الفجر.
1356. 너는 도착하자마자 인사한다. - تحيي عند الوصول.
1357. 그들은 만날 때 인사할 것이다. - سيلقون التحية عند اللقاء.
1358. 인사드려도 될까요? - هل لي أن أقول مرحباً؟
1359. 네, 인사하세요. - نعم، من فضلك قل مرحباً
1360. 소개하다 - لتقديم
1361. 나는 친구를 소개했다. - قمت بتقديم صديقي.
1362. 너는 새 직원을 소개한다. - ستقدم الموظف الجديد.
1363. 그는 파트너를 소개할 것이다. - سيقدم شريكه.
1364. 소개시켜줄까요? - هل أقدمك أنت؟
1365. 네, 소개해주세요. - نعم، من فضلك قدمني
1366. 설명하다 - لشرح
1367. 나는 규칙을 설명했다. - أشرح القواعد
1368. 너는 방법을 설명한다. - ستشرح الطريقة
1369. 그녀는 절차를 설명할 것이다. - سوف تشرح الطريقة.
1370. 설명해드릴까요? - هل تريدني أن أشرح لك؟
1371. 네, 부탁해요. - نعم من فضلك
1372. 이야기하다 - التحدث عن
1373. 나는 여행에 대해 이야기했다. - تحدثت عن الرحلة.
1374. 너는 계획에 대해 이야기한다. - ستتحدث عن الخطط
1375. 우리는 미래에 대해 이야기할 것이다. - سنتحدث عن المستقبل.

1376. 이야기해볼까요? - هلا تحدثنا؟
1377. 네, 해봐요. - نعم، لنتحدث
1378. 묘사하다 - للوصف
1379. 나는 꿈을 묘사했다. - وصفت حلماً
1380. 너는 경험을 묘사한다. - ستصف تجربة
1381. 그는 상황을 묘사할 것이다. - سيصف حالة.
1382. 묘사해줄 수 있어요? - هل يمكنك وصفها؟
1383. 네, 묘사할게요. - نعم، سأصفه.
1384. 주장하다 - لتأكيد
1385. 나는 의견을 주장했다. - أؤكد على رأي.
1386. 너는 권리를 주장한다. - ستؤكد على حق.
1387. 그녀는 입장을 주장할 것이다. - ستؤكد على موقف.
1388. 주장할 건가요? - هل ستؤكد؟
1389. 네, 주장할래요. - نعم، سأؤكد على رأي.
1390. 논의하다 - للمناقشة
1391. 나는 문제를 논의했다. - أناقش المشكلة
1392. 너는 계획을 논의한다. - ستناقش الخطة.
1393. 우리는 해결책을 논의할 것이다. - سنناقش الحل.
1394. 논의해볼까요? - هل نناقش؟
1395. 네, 논의합시다. - نعم، لنناقشها.
1396. 강조하다 - للتأكيد على
1397. 나는 중요성을 강조했다. - أكدت على الأهمية.
1398. 너는 필요성을 강조한다. - أكدت على الضرورة.
1399. 그들은 안전을 강조할 것이다. - ستؤكد على السلامة.
1400. 강조해야 할까요? - هل يجب أن نؤكد؟
1401. 네, 강조하세요. - نعم، التأكيد.
1402. 15. 명사 단어들 외우기, 필수 10개 동사의 단어들을 가지고 50문장 연습하기 - 15- احفظ الكلمات الاسمية، تدرب على 50 جملة بكلمات الأفعال العشرة الأساسية
1403. 지각 - تأخر
1404. 실수 - خطأ
1405. 불참 - عدم الظهور
1406. 자료 - البيانات
1407. 책 - كتاب
1408. 문서 - مستند

1409. 데이터 - البيانات
1410. 결과 - النتيجة
1411. 추세 - الاتجاهات
1412. 길이 - الطول
1413. 무게 - الوزن
1414. 온도 - درجة الحرارة
1415. 날씨 - الطقس
1416. 경기 - اللعبة
1417. 스코어 - النتيجة
1418. 문제 - مشكلة
1419. 논의 - جدال
1420. 회의 - اجتماع
1421. 식당 - مطعم
1422. 영화 - فيلم
1423. 여행지 - وجهة السفر
1424. 프로젝트 - مشروع
1425. 성능 - الأداء
1426. 보고서 - تقرير
1427. 계약서 - العقد
1428. 제안 - العرض
1429. 약속 - الوعد
1430. 시간 - الساعة
1431. 주소 - العنوان
1432. 예약 - الحجز
1433. 변명하다 - للعذر
1434. 나는 지각에 대해 변명했다. - اعتذرت عن التأخير
1435. 너는 실수에 대해 변명한다. - اعتذرت عن أخطائك
1436. 그는 불참에 대해 변명할 것이다. - سوف يعتذر عن غيابه.
1437. 변명할까요? - هل أقدم عذراً؟
1438. 아니요, 솔직히 말해요. - لا، كن صادقاً
1439. 분류하다 - لتصنيف
1440. 나는 자료를 분류했다. - أنا صنفت المواد.
1441. 너는 책을 분류한다. - ستصنف الكتب.
1442. 그녀는 문서를 분류할 것이다. - سوف تصنف الوثائق.

1443. 분류해야 하나요? - هل أحتاج إلى التصنيف؟
1444. 네, 분류해주세요. - نعم، يرجى التصنيف.
1445. 분석하다 - قمت بتحليل
1446. 나는 데이터를 분석했다. - قمت بتحليل البيانات.
1447. 너는 결과를 분석한다. - ستقوم بتحليل النتائج.
1448. 우리는 추세를 분석할 것이다. - سنقوم بتحليل الاتجاه.
1449. 분석할까요? - هل نحلل؟
1450. 네, 분석해 주세요. - نعم، يرجى التحليل.
1451. 측정하다 - لقياس
1452. 나는 길이를 측정했다. - أقيس الطول.
1453. 너는 무게를 측정한다. - ستقيس الوزن.
1454. 그는 온도를 측정할 것이다. - سيقيس درجة الحرارة.
1455. 크기 확인할까요? - هل تريد التحقق من الحجم؟
1456. 네, 확인해 주세요. - نعم، يرجى التحقق.
1457. 예측하다 - للتنبؤ
1458. 나는 날씨를 예측했다. - توقعت الطقس.
1459. 너는 결과를 예측한다. - توقعت النتيجة.
1460. 그녀는 경기 스코어를 예측할 것이다. - سوف تتنبأ بنتيجة المباراة.
1461. 미래 맞출 수 있나요? - هل يمكنك التنبؤ بالمستقبل؟
1462. 아마도 가능할 거예요. - ربما يمكنك ذلك.
1463. 결론내다 - أن تستنتج
1464. 나는 문제의 결론을 내렸다. - لقد اختتمت المشكلة.
1465. 너는 논의를 결론짓는다. - اختتمت المناقشة.
1466. 우리는 회의를 결론낼 것이다. - سنختتم الاجتماع.
1467. 결론은 뭐예요? - ما هي الخاتمة؟
1468. 곧 결정할 거예요. - سنقرر قريباً
1469. 추천하다 - للتوصية
1470. 나는 좋은 식당을 추천했다. - أوصيت بمطعم جيد.
1471. 너는 영화를 추천한다. - أوصيت بفيلم
1472. 그들은 여행지를 추천할 것이다. - سيوصون بوجهة سفر
1473. 어디 가볼까요? - أين يجب أن نذهب؟
1474. 이곳 추천해요. - أوصي بهذا المكان.
1475. 평가하다 - قيمت
1476. 나는 프로젝트를 평가했다. - قمت بتقييم مشروع

1477. 너는 성능을 평가한다. - ستقوم بتقييم الأداء.
1478. 당신들은 결과를 평가할 것이다. - ستقوم بتقييم النتائج.
1479. 어떻게 생각해요? - ما رأيك؟
1480. 잘 했어요. - أحسنت
1481. 검토하다 - للمراجعة
1482. 나는 보고서를 검토했다. - قمت بمراجعة التقرير
1483. 너는 계약서를 검토한다. - سوف تراجع العقد.
1484. 그는 제안을 검토할 것이다. - سيراجع الاقتراح.
1485. 다시 볼까요? - هل نراجعه مرة أخرى؟
1486. 네, 확인해요. - نعم، دعنا نراجع
1487. 확인하다 - للتأكيد
1488. 나는 약속 시간을 확인했다. - لقد أكدت وقت الموعد.
1489. 너는 주소를 확인한다. - أكدت العنوان.
1490. 그녀는 예약을 확인할 것이다. - ستؤكد الموعد.
1491. 맞는지 봐줄래요? - هل يمكنك التأكد من صحة الموعد؟
1492. 네, 볼게요. - نعم، سأتأكد.
1493. 16. 명사 단어들 외우기, 필수 10개 동사의 단어들을 가지고 50문장 연습하기 - 16. احفظ الكلمات الاسمية، تدرب على 50 جملة بكلمات الأفعال العشرة الأساسية
1494. 카페 - مقهى
1495. 비밀 - سر
1496. 보물 - كنز
1497. 별 - نجمة
1498. 행동 - العمل
1499. 자연 - الطبيعة
1500. 실수 - خطأ
1501. 장점 - القوة
1502. 성과 - الإنجاز
1503. 의견 - الرأي
1504. 규칙 - القاعدة
1505. 문화 - الثقافة
1506. 친구 - صديق
1507. 선생님 - المعلم
1508. 고객 - الزبون
1509. 메시지 - رسالة

1510. 소식 - الأخبار
1511. 선물 - هدية
1512. 결과 - النتيجة
1513. 상황 - الوضع
1514. 진행 - التقدم المحرز
1515. 질문 - سؤال
1516. 요청 - الطلبات
1517. 초대 - دعوة
1518. 놀람 - مفاجأة
1519. 기쁨 - الفرح
1520. 감사함 - الامتنان
1521. 문제 - مشكلة
1522. 도전 - التحدي
1523. 위기 - الأزمة
1524. 발견하다 - اكتشاف
1525. 나는 새로운 카페를 발견했다. - اكتشفت مقهى جديد
1526. 너는 비밀을 발견한다. - اكتشفت سراً
1527. 그들은 보물을 발견할 것이다. - ستكتشف كنزاً
1528. 뭔가 찾았어요? - هل وجدت شيئاً؟
1529. 네, 발견했어요. - نعم، وجدته
1530. 관찰하다 - لاحظت
1531. 나는 별을 관찰했다. - لاحظت النجوم.
1532. 너는 행동을 관찰한다. - لاحظت السلوك.
1533. 우리는 자연을 관찰할 것이다. - سنراقب الطبيعة.
1534. 봐도 돼요? - هل يمكنني أن أراقب؟
1535. 네, 같이 봐요. - نعم، لنشاهد معاً.
1536. 인정하다 - للاعتراف
1537. 나는 실수를 인정했다. - اعترفت بخطأي.
1538. 너는 장점을 인정한다. - ستعترف بالجدارة
1539. 그녀는 성과를 인정할 것이다. - ستعترف بالإنجازات.
1540. 맞아요? - هل هذا صحيح؟
1541. 네, 인정해요. - نعم، أعترف بذلك
1542. 존중하다 - باحترام
1543. 나는 상대방의 의견을 존중했다. - احترمت رأي الشخص الآخر.

1544. 너는 규칙을 존중한다. - ستحترم القواعد
1545. 우리는 문화를 존중할 것이다. - سنحترم الثقافة.
1546. 존중하는 거 맞죠? - نحن نحترم، أليس كذلك؟
1547. 네, 맞아요. - نعم، نحن كذلك
1548. 연락하다 - للاتصال
1549. 나는 친구에게 연락했다. - تواصلت مع صديقي
1550. 너는 선생님에게 연락한다. - سوف تتصل بمعلمك.
1551. 그들은 고객에게 연락할 것이다. - سوف يتصلون بالعميل.
1552. 연락할까요? - هل أتصل بهم؟
1553. 네, 해주세요. - نعم، من فضلك
1554. 전달하다 - لإعادة التوجيه
1555. 나는 메시지를 전달했다. - لقد أرسلت الرسالة
1556. 너는 소식을 전달한다. - ستقوم بتوصيل الأخبار
1557. 그녀는 선물을 전달할 것이다. - ستقوم بتوصيل الهدية
1558. 전해드려야 하나요? - هل أقوم بتوصيلها؟
1559. 네, 부탁해요. - نعم من فضلك
1560. 보고하다 - للإبلاغ
1561. 나는 결과를 보고했다. - أبلغ عن النتائج
1562. 너는 상황을 보고한다. - ستبلغ عن الوضع.
1563. 당신들은 진행 상황을 보고할 것이다. - ستبلغ عن التقدم المحرز.
1564. 알려줘야 해요? - هل يجب أن أعلمك؟
1565. 네, 알려주세요. - نعم، يرجى إعلامي
1566. 회답하다 - للإجابة
1567. 나는 질문에 회답했다. - أجبت على السؤال
1568. 너는 요청에 회답한다. - سوف تستجيب للطلب.
1569. 그는 초대에 회답할 것이다. - سوف يستجيب للدعوة.
1570. 답할 수 있어요? - هل يمكنك الإجابة؟
1571. 네, 할게요. - نعم، سأفعل
1572. 반응하다 - للرد
1573. 나는 놀람으로 반응했다. - استجبت بدهشة.
1574. 너는 기쁨으로 반응한다. - ستستجيب بفرح.
1575. 그녀는 감사함으로 반응할 것이다. - سوف تتفاعل مع الامتنان.
1576. 기뻐해야 할까요? - هل يجب أن أفرح؟
1577. 네, 기뻐하세요. - نعم، ابتهج.

1578. 대응하다 - للتفاعل
1579. 나는 문제에 대응했다. - استجبت للمشكلة.
1580. 너는 도전에 대응한다. - ستستجيب للتحدي.
1581. 우리는 위기에 대응할 것이다. - سنستجيب للأزمة.
1582. 준비됐나요? - هل أنت مستعد؟
1583. 네, 준비됐어요. - نعم، أنا مستعد.
1584. 17. 명사 단어들 외우기, 필수 10개 동사의 단어들을 가지고 50문장 연습하기 - 17- احفظ الكلمات الاسمية، وتدرب على 50 جملة بكلمات من الأفعال العشرة الأساسية
1585. 아이 - طفل
1586. 반려동물 - حيوان أليف
1587. 정원 - حديقة
1588. 짐 - حمل
1589. 우산 - مظلة
1590. 선물 - هدية
1591. 여행 - السفر
1592. 파티 - حفلة
1593. 프로젝트 - مشروع
1594. 팀 - الفريق
1595. 메뉴 - القائمة
1596. 위원회 - اللجنة
1597. 모임 - الفئة
1598. 대회 - المسابقة
1599. 이벤트 - الفعالية
1600. 계획 - الخطة
1601. 명령 - القيادة
1602. 작전 - التشغيل
1603. 약속 - الوعد
1604. 규칙 - قاعدة
1605. 수업 - الفصل
1606. 회의 - اجتماع
1607. 활동 - نشاط
1608. 캠페인 - حملة
1609. 박물관 - المتحف
1610. 친구 집 - منزل صديق

1611. 병원 - مستشفى
1612. 돌보다 - الاعتناء
1613. 나는 아이를 돌보았다. - اعتنيت بطفل
1614. 너는 반려동물을 돌본다. - اعتنيت بحيوان أليف
1615. 그들은 정원을 돌볼 것이다. - تعتني بالحديقة
1616. 잘 지내나요? - كيف حالهم؟
1617. 네, 잘 지내요. - نعم، أنا بخير
1618. 챙기다 - لحزم الأمتعة
1619. 나는 짐을 챙겼다. - حزمت أمتعتي
1620. 너는 우산을 챙긴다. - احزمي مظلتك
1621. 그녀는 선물을 챙길 것이다. - ستحزم هداياها
1622. 필요한 거 있어요? - هل تحتاجين أي شيء؟
1623. 아니요, 다 챙겼어요. - لا، لقد حزمت كل شيء
1624. 계획하다 - للتخطيط
1625. 나는 여행을 계획했다. - لقد خططت للرحلة
1626. 너는 파티를 계획한다. - خططت لحفلة
1627. 우리는 프로젝트를 계획할 것이다. - سنخطط لمشروع
1628. 언제 시작할까요? - متى سنبدأ؟
1629. 곧 시작해요. - سنبدأ قريباً
1630. 구성하다 - لتنظيم
1631. 나는 팀을 구성했다. - قمت بتنظيم الفريق.
1632. 너는 메뉴를 구성한다. - ستنظم القائمة.
1633. 그들은 위원회를 구성할 것이다. - هم سينظمون اللجنة.
1634. 누가 포함되나요? - من سيتم إشراكه؟
1635. 모두 포함될 거예요. - سيتم إشراك الجميع.
1636. 조직하다 - لتنظيم
1637. 나는 모임을 조직했다. - قمت بتنظيم اجتماع.
1638. 너는 대회를 조직한다. - ستنظم مسابقة.
1639. 우리는 이벤트를 조직할 것이다. - سننظم فعالية.
1640. 준비됐어요? - هل أنت مستعد؟
1641. 네, 준비됐습니다. - نعم، أنا مستعد
1642. 실행하다 - لتنفيذ
1643. 나는 계획을 실행했다. - قمت بتنفيذ الخطة
1644. 너는 명령을 실행한다. - ستنفذ الأمر

1645. 그는 작전을 실행할 것이다. - سينفذ العملية
1646. 진행할까요? - هل نبدأ؟
1647. 네, 시작해요. - نعم، لنبدأ
1648. 실천하다 - لوضعها موضع التنفيذ
1649. 나는 약속을 실천했다. - لقد تدربت على وعدي
1650. 너는 규칙을 실천한다. - تدربت على القواعد
1651. 그녀는 계획을 실천할 것이다. - ستنفذ خطتها
1652. 지키고 있나요? - هل ستحافظ عليها؟
1653. 네, 지키고 있어요. - نعم، أفي بها.
1654. 참가하다 - للمشاركة في
1655. 나는 대회에 참가했다. - شاركت في المسابقة.
1656. 너는 수업에 참가한다. - شاركت في الصف.
1657. 그들은 회의에 참가할 것이다. - ستنضم إلى مؤتمر.
1658. 가입할 수 있나요? - هل يمكنني الانضمام؟
1659. 네, 가능해요. - نعم، يمكنك
1660. 참여하다 - المشاركة في
1661. 나는 프로젝트에 참여했다. - شاركت في مشروع
1662. 너는 활동에 참여한다. - ستشارك في نشاط ما.
1663. 우리는 캠페인에 참여할 것이다. - سنشارك في حملة.
1664. 도울까요? - هل تريد المساعدة؟
1665. 네, 도와주세요. - نعم، الرجاء المساعدة
1666. 방문하다 - قمت بزيارة
1667. 나는 박물관을 방문했다. - قمت بزيارة المتحف.
1668. 너는 친구 집을 방문한다. - ستزور منزل صديقك.
1669. 그는 병원을 방문할 것이다. - سيزور المستشفى.
1670. 언제 갈까요? - متى سنذهب؟
1671. 이번 주말에 가요. - سأذهب في نهاية هذا الأسبوع.
1672. 18. 명사 단어들 외우기, 필수 10개 동사의 단어들을 가지고 50문장 연습하기 - 18. احفظ الكلمات الاسمية، وتدرب على 50 جملة باستخدام 10 كلمات فعلية أساسية
1673. 전시회 - معرض
1674. 영화 - فيلم
1675. 공연 - عرض
1676. 도시 - مدينة
1677. 명소 - مشاهد

1678. 섬 - جزيرة
1679. 유럽 - أوروبا
1680. 국내 여행 - السفر الداخلي
1681. 아시아 - آسيا
1682. 숲 - غابة
1683. 동굴 - كهف
1684. 사막 - الصحراء
1685. 연구 결과 - النتائج
1686. 프로젝트 - مشروع
1687. 계획 - خطة
1688. 연극 - المسرح
1689. 무대 - المسرح
1690. 콘서트 - حفلة موسيقية
1691. TV 프로그램 - برنامج تلفزيوني
1692. 드라마 - دراما
1693. 피아노 - بيانو
1694. 기타 - وما إلى ذلك
1695. 바이올린 - الكمان
1696. 친구 결혼식 - زفاف الأصدقاء
1697. 샤워실 - غرفة الاستحمام
1698. 가라오케 - الكاريوكي
1699. 파티 - حفلة
1700. 클럽 - ملهى
1701. 축제 - مهرجان
1702. 관람하다 - لمشاهدة
1703. 나는 전시회를 관람했다. - ذهبت إلى معرض
1704. 너는 영화를 관람한다. - ستذهب إلى السينما
1705. 그녀는 공연을 관람할 것이다. - ستذهب إلى حفلة موسيقية.
1706. 좋았나요? - هل كانت جيدة؟
1707. 네, 멋졌어요. - نعم، كان رائعاً
1708. 관광하다 - لمشاهدة معالم المدينة
1709. 나는 도시를 관광했다. - ذهبت لمشاهدة المعالم السياحية في المدينة.
1710. 너는 명소를 관광한다. - ستشاهد المعالم السياحية.
1711. 그들은 섬을 관광할 것이다. - ستشاهد المعالم السياحية في الجزيرة.

1712. 재밌었나요? - هل استمتعت؟
1713. 네, 정말 재밌었어요. - نعم، كان الأمر ممتعاً للغاية.
1714. 여행하다 - للسفر
1715. 나는 유럽을 여행했다. - سافرت حول أوروبا.
1716. 너는 지금 국내 여행을 한다. - أنت تسافر محلياً الآن.
1717. 그는 내일 아시아로 여행할 것이다. - سيسافر إلى آسيا غداً.
1718. 어디로 가고 싶어요? - إلى أين تريد الذهاب؟
1719. 제주도로 가고 싶어요. - أريد الذهاب إلى جزيرة جيجو
1720. 탐험하다 - لاستكشاف
1721. 나는 숲을 탐험했다. - لقد استكشفت الغابة.
1722. 너는 지금 동굴을 탐험한다. - استكشف الكهف الآن.
1723. 그들은 내일 사막을 탐험할 것이다. - سوف تستكشف الصحراء غداً
1724. 무엇을 찾고 있나요? - ما الذي تبحث عنه؟
1725. 보물을 찾고 있어요. - أبحث عن كنز
1726. 발표하다 - للنشر
1727. 나는 연구 결과를 발표했다. - لقد قدمت نتائج بحثي.
1728. 너는 지금 프로젝트를 발표한다. - ستقدم مشروعك الآن.
1729. 그녀는 내일 계획을 발표할 것이다. - ستقدم خططها غداً.
1730. 언제 발표해요? - متى ستقدم؟
1731. 오후 3시에 발표해요. - سأقدم في الساعة 3:00 مساءً.
1732. 공연하다 - لأقدم
1733. 나는 연극을 공연했다. - أؤدي مسرحية.
1734. 너는 지금 무대에서 공연한다. - أنت تؤدي على المسرح الآن.
1735. 우리는 내일 콘서트를 공연할 것이다. - سنقدم حفلة موسيقية غداً.
1736. 무슨 공연이에요? - ما نوع هذا الحفل؟
1737. 뮤지컬 공연이에요. - إنه عرض موسيقي
1738. 출연하다 - للظهور في
1739. 나는 TV 프로그램에 출연했다. - ظهرت في برنامج تلفزيوني.
1740. 너는 지금 영화에 출연한다. - أنت تمثل في فيلم الآن.
1741. 그는 내일 드라마에 출연할 것이다. - سيظهر في مسلسل تلفزيوني غداً.
1742. 어디에 나와요? - أين ستظهر؟
1743. TV에서 나와요. - أنا في التلفزيون
1744. 연주하다 - لأعزف
1745. 나는 피아노를 연주했다. - كنت أعزف على البيانو.

1746. 너는 지금 기타를 연주한다. - تعزف على الجيتار الآن.
1747. 그녀는 내일 바이올린을 연주할 것이다. - ستعزف على الكمان غداً.
1748. 어떤 악기를 다루나요? - ما الآلة التي تعزف عليها؟
1749. 바이올린을 다루요. - أعزف على الكمان.
1750. 노래하다 - الغناء
1751. 나는 친구 결혼식에서 노래했다. - لقد غنيت في حفل زفاف صديقي.
1752. 너는 지금 샤워실에서 노래한다. - أنت تغني في الحمام الآن.
1753. 우리는 내일 가라오케에서 노래할 것이다. - سنغني في الكاريوكي غداً
1754. 좋아하는 노래 있어요? - هل لديك أغنية مفضلة؟
1755. 네, 많아요. - نعم، لدي الكثير
1756. 춤추다 - للرقص
1757. 나는 파티에서 춤췄다. - رقصت في الحفلة.
1758. 너는 지금 클럽에서 춤춘다. - أنت ترقص في النادي الآن.
1759. 그들은 내일 축제에서 춤출 것이다. - سوف يرقصون في المهرجان غداً.
1760. 어떤 춤을 추나요? - ما نوع الرقص الذي تقومين به؟
1761. 힙합을 춰요. - أرقص الهيب هوب.
1762. 19. 명사 단어들 외우기, 필수 10개 동사의 단어들을 가지고 50문장 연습하기 - 19. احفظ الكلمات الاسمية، تدرب على 50 جملة بكلمات الأفعال العشرة الأساسية
1763. 풍경화 - منظر طبيعي
1764. 초상화 - صورة
1765. 벽화 - جدارية
1766. 바다 - المحيط
1767. 보고서 - تقرير
1768. 이메일 - بريد إلكتروني
1769. 계약서 - عقد
1770. 일기 - المذكرات
1771. 회의 내용 - تفاصيل الاجتماع
1772. 실험 결과 - نتيجة التجربة
1773. 사진 - صورة
1774. 컴퓨터 - كمبيوتر
1775. 문서 - مستند
1776. 데이터 - البيانات
1777. 클라우드 - سحابة
1778. 중요 문서 - مستند مهم

1779. 파일 - ملف
1780. 앱 - تطبيق
1781. 음악 - موسيقى
1782. 소프트웨어 - البرمجيات
1783. 소셜 미디어 - وسائل التواصل الاجتماعي
1784. 비디오 - فيديو
1785. 웹사이트 - موقع الويب
1786. 프로그램 - برنامج
1787. 게임 - لعبة
1788. 바이러스 - الفيروسات
1789. 악성 소프트웨어 - البرامج الضارة
1790. 오류 - خطأ
1791. 그리다 - للرسم
1792. 나는 풍경화를 그렸다. - لقد رسمت لوحة منظر طبيعي.
1793. 너는 지금 초상화를 그린다. - سترسم لوحة جدارية الآن.
1794. 그녀는 내일 벽화를 그릴 것이다. - سترسم لوحة جدارية غداً.
1795. 무엇을 그리고 싶어요? - ماذا تريد أن ترسم؟
1796. 바다를 그리고 싶어요. - أريد أن أرسم البحر
1797. 작성하다 - أن أكتب
1798. 나는 보고서를 작성했다. - أكتب تقريراً.
1799. 너는 지금 이메일을 작성한다. - ستكتب رسالة بريد إلكتروني الآن.
1800. 그는 내일 계약서를 작성할 것이다. - سيكتب العقد غداً.
1801. 언제 끝낼 수 있어요? - متى يمكنك الانتهاء؟
1802. 한 시간 안에 끝낼 수 있어요. - يمكنني الانتهاء منه خلال ساعة.
1803. 기록하다 - للتسجيل
1804. 나는 일기를 기록했다. - لقد سجلت مذكراتي.
1805. 너는 지금 회의 내용을 기록한다. - أنت تسجل الاجتماع الآن.
1806. 그들은 내일 실험 결과를 기록할 것이다. - سوف تسجل نتائج التجربة غداً.
1807. 기록 필요해요? - هل تحتاج إلى التسجيل؟
1808. 네, 필요해요. - نعم، أحتاج
1809. 저장하다 - للحفظ
1810. 나는 사진을 컴퓨터에 저장했다. - قمت بحفظ الصورة على جهاز الكمبيوتر الخاص ب
ي.
1811. 너는 지금 문서를 저장한다. - ستحفظ المستند الآن.

1812. 그녀는 내일 데이터를 클라우드에 저장할 것이다. - ستحفظ البيانات على السحابة غداً.
1813. 어디에 저장할까요? - أين ستحفظها؟
1814. 클라우드에 저장해요. - في السحابة
1815. 복사하다 - للنسخ
1816. 나는 중요 문서를 복사했다. - قمت بنسخ مستند مهم.
1817. 너는 지금 사진을 복사한다. - ستنسخ الصورة الآن.
1818. 그는 내일 파일을 복사할 것이다. - سوف ينسخ الملف غداً.
1819. 몇 부 복사해야 하나요? - كم عدد النسخ التي أحتاج إلى نسخها؟
1820. 3부 복사해 주세요. - يرجى عمل 3 نسخ.
1821. 삭제하다 - لحذف
1822. 나는 오래된 이메일을 삭제했다. - قمت بحذف بريد إلكتروني قديم.
1823. 너는 지금 불필요한 파일을 삭제한다. - ستحذف الملفات غير الضرورية الآن.
1824. 그녀는 내일 앱을 삭제할 것이다. - ستحذف التطبيق غداً.
1825. 지울까요? - هل أحذفه؟
1826. 네, 지워주세요. - نعم، يرجى حذفه.
1827. 다운로드하다 - للتحميل
1828. 나는 음악을 다운로드했다. - قمت بتحميل الموسيقى
1829. 너는 지금 앱을 다운로드한다. - قم بتحميل التطبيق الآن.
1830. 우리는 내일 소프트웨어를 다운로드할 것이다. - سنقوم بتحميل البرنامج غداً.
1831. 어떤 앱을 받을까요? - أي تطبيق يجب أن أحصل عليه؟
1832. 최신 버전 받아요. - أريد أحدث إصدار
1833. 업로드하다 - للتحميل
1834. 나는 사진을 소셜 미디어에 업로드했다. - لقد قمت بتحميل صورة على وسائل التواصل الاجتماعي.
1835. 너는 지금 비디오를 업로드한다. - تقوم بتحميل فيديو الآن.
1836. 그는 내일 문서를 웹사이트에 업로드할 것이다. - سيرفع المستند إلى الموقع الإلكتروني غداً.
1837. 지금 올릴까요? - هل تريد تحميله الآن؟
1838. 네, 올려주세요. - نعم، يرجى تحميله.
1839. 설치하다 - للتثبيت
1840. 나는 프로그램을 설치했다. - لقد قمت بتثبيت البرنامج.
1841. 너는 지금 게임을 설치한다. - ستقوم بتثبيت اللعبة الآن.
1842. 그녀는 내일 앱을 설치할 것이다. - ستقوم بتثبيت التطبيق غداً.

1843. 설치 도와드릴까요? - هل يمكنني مساعدتك في تثبيته؟
1844. 네, 부탁드려요. - نعم، من فضلك
1845. 제거하다 - لإزالة
1846. 나는 바이러스를 제거했다. - قمت بإزالة الفيروس.
1847. 너는 지금 악성 소프트웨어를 제거한다. - أزلت البرنامج الخبيث الآن.
1848. 그들은 내일 오류를 제거할 것이다. - سوف يزيلون الخطأ غداً.
1849. 제거 시작할까요? - هل نبدأ الإزالة؟
1850. 네, 시작해주세요. - نعم، من فضلك ابدأ.
1851. 20. 명사 단어들 외우기, 필수 10개 동사의 단어들을 가지고 50문장 연습하기 - 20. حفظ الكلمات الاسمية، والتدرب على 50 جملة بكلمات الأفعال العشرة الأساسية
1852. 시스템 - نظام
1853. 소프트웨어 - البرمجيات
1854. 앱 - تطبيق
1855. 휴대폰 - هاتف خلوي
1856. 노트북 - حاسوب محمول
1857. 전기차 - سيارة كهربائية
1858. 배터리 - بطارية
1859. 기기 - جهاز
1860. 시계 - ساعة
1861. 타이어 - إطار
1862. 필터 - فلتر
1863. 창문 - النافذة
1864. 문서 - مستند
1865. 오류 - خطأ
1866. 계획 - خطة
1867. 보고서 - تقرير
1868. 아이디어 - فكرة
1869. 작업 환경 - بيئة العمل
1870. 프로세스 - العملية
1871. 제품 - المنتج
1872. 데이터 - البيانات
1873. 파일 - ملف
1874. 건강 - الصحة
1875. 체력 - الصحة

1876. 신뢰 - الثقة
1877. 상처 - الجرح
1878. 마음 - العقل
1879. 관계 - العلاقة
1880. 업데이트하다 - للتحديث
1881. 나는 시스템을 업데이트했다. - قمت بتحديث النظام
1882. 너는 지금 소프트웨어를 업데이트한다. - قمت بتحديث البرنامج الآن.
1883. 그는 내일 앱을 업데이트할 것이다. - سيقوم بتحديث التطبيق غداً.
1884. 지금 업데이트해야 하나요? - هل يجب أن أقوم بتحديثه الآن؟
1885. 네, 해야 해요. - نعم، يجب عليك
1886. 충전하다 - للشحن
1887. 나는 휴대폰을 충전했다. - أشحن هاتفي المحمول.
1888. 너는 노트북을 충전한다. - ستشحن حاسوبك المحمول.
1889. 그는 전기차를 충전할 것이다. - سيشحن سيارته الكهربائية.
1890. 충전할까? - هل أشحنها؟
1891. 네, 해. - نعم، لنفعل ذلك.
1892. 방전하다 - للشحن
1893. 나는 배터리가 방전됐다. - لدي بطارية فارغة.
1894. 너는 기기가 방전된다. - ستقوم بشحن جهازك.
1895. 그녀는 시계가 방전될 것이다. - سوف تفرغ شحن ساعتها.
1896. 방전됐어? - هل هي فارغة؟
1897. 네, 됐어. - نعم، إنها فارغة
1898. 교체하다 - لاستبدالها
1899. 나는 타이어를 교체했다. - لقد غيرت الإطار.
1900. 너는 필터를 교체한다. - غيرت الفلتر
1901. 그들은 창문을 교체할 것이다. - سوف يستبدلون النوافذ
1902. 교체할까? - هل نستبدلها؟
1903. 네, 교체해. - نعم، استبدله
1904. 수정하다 - للتصحيح
1905. 나는 문서를 수정했다. - قمت بتصحيح المستند.
1906. 너는 오류를 수정한다. - صححت الخطأ.
1907. 그녀는 계획을 수정할 것이다. - ستقوم بمراجعة الخطة.
1908. 수정할까? - هل أصححها؟
1909. 네, 수정해. - نعم، صححها

1910. 보완하다 - لتكملة
1911. 나는 보고서를 보완했다. - استكملت التقرير.
1912. 너는 아이디어를 보완한다. - ستكمل الفكرة.
1913. 그는 시스템을 보완할 것이다. - سوف يكمل النظام.
1914. 보완할까? - هل نكمل؟
1915. 네, 보완해. - نعم، مكمل
1916. 개선하다 - لتحسين
1917. 나는 작업 환경을 개선했다. - قمت بتحسين بيئة العمل.
1918. 너는 프로세스를 개선한다. - ستحسن العملية.
1919. 그녀는 제품을 개선할 것이다. - ستحسن المنتج.
1920. 개선할까? - هل سنقوم بتحسينه؟
1921. 네, 개선해. - نعم، تحسينه.
1922. 복구하다 - لاسترداد
1923. 나는 데이터를 복구했다. - استعدت البيانات
1924. 너는 시스템을 복구한다. - ستستعيد النظام
1925. 그들은 파일을 복구할 것이다. - سوف تستعيد الملفات.
1926. 복구할까? - هل نستعيد؟
1927. 네, 복구해. - نعم، استرداد
1928. 회복하다 - لاسترداد
1929. 나는 건강을 회복했다. - استعدت صحتي
1930. 너는 체력을 회복한다. - تستعيد قوتك البدنية
1931. 그는 신뢰를 회복할 것이다. - سوف يستعيد ثقته.
1932. 회복할까? - هل نتعافى؟
1933. 네, 회복해. - نعم، يتعافى
1934. 치유하다 - للشفاء
1935. 나는 상처를 치유했다. - شفيت الجرح
1936. 너는 마음을 치유한다. - ستشفي القلب
1937. 그녀는 관계를 치유할 것이다. - ستشفي العلاقة
1938. 치유할까? - هل نشفى؟
1939. 네, 치유해. - نعم، تلتئم.
1940. 21. 명사 단어들 외우기, 필수 10개 동사의 단어들을 가지고 50문장 연습하기 - 21. احفظ الكلمات الاسمية، وتدرب على 50 جملة باستخدام الكلمات الفعلية العشر الأساسية
1941. 운동 - تمارين
1942. 프로그램 - برنامج

1943. 치료 - العلاج
1944. 재료 - المكون
1945. 색깔 - اللون
1946. 소스 - الصلصة
1947. 빵 - خبز
1948. 고기 - اللحم
1949. 케이크 - الكعك
1950. 야채 - الخضار
1951. 면 - المعكرونة
1952. 쌀 - أرز
1953. 계란 - بيض
1954. 감자 - البطاطا
1955. 브로콜리 - البروكلي
1956. 떡 - كعكة الأرز
1957. 생선 - السمك
1958. 만두 - الزلابية
1959. 유리 - زجاج
1960. 기록 - سجل
1961. 치킨 - دجاج
1962. 수프 - حساء
1963. 물 - ماء
1964. 밥 - أرز
1965. 차 - سيارة
1966. 국 - حساء
1967. 음료 - مشروب
1968. 재활하다 - إعادة التأهيل
1969. 나는 운동으로 재활했다. - أعدت التأهيل بالتمرين
1970. 너는 프로그램으로 재활한다. - أعيد التأهيل بالبرنامج
1971. 그는 치료로 재활할 것이다. - سيعاد تأهيله بالعلاج
1972. 재활할까? - هل نعيد التأهيل؟
1973. 네, 재활해. - نعم، إعادة التأهيل
1974. 섞다 - بالخلط
1975. 나는 재료를 섞었다. - خلطت المكونات.
1976. 너는 색깔을 섞는다. - ستخلط الألوان.

1977. 그녀는 소스를 섞을 것이다. - سوف تخلط الصلصة.
1978. 섞을까? - هل نخلط؟
1979. 네, 섞어. - نعم، اخلط
1980. 굽다 - لخبز
1981. 나는 빵을 굽었다. - أخبز الخبز.
1982. 너는 고기를 굽는다. - ستخبز اللحم.
1983. 그들은 케이크를 굽을 것이다. - سوف تخبز الكعكة.
1984. 굽을까? - هل نخبز؟
1985. 네, 굽자. - نعم، لنخبز
1986. 볶다 - للقلي.
1987. 나는 야채를 볶았다. - أقلي الخضار.
1988. 너는 면을 볶는다. - ستقلي المعكرونة.
1989. 그는 쌀을 볶을 것이다. - سوف يقلى الأرز.
1990. 볶을까? - هل نقلي؟
1991. 네, 볶아. - نعم، القلي السريع.
1992. 삶다 - أن تغلي
1993. 나는 계란을 삶았다. - سأسلق البيض.
1994. 너는 감자를 삶는다. - ستسلق البطاطا.
1995. 그녀는 브로콜리를 삶을 것이다. - ستسلق البروكلي.
1996. 삶을까? - هل نسلق؟
1997. 네, 삶아. - نعم، اسلقي
1998. 찌다 - للبخار
1999. 나는 떡을 찐다. - سأسلق كعك الأرز بالبخار.
2000. 너는 생선을 찐다. - ستسلق السمك على البخار
2001. 그들은 만두를 찔 것이다. - سيقومون بطبخ الزلابية على البخار.
2002. 찔까? - تُبخّر؟
2003. 네, 찌자. - نعم، لنطهوها على البخار
2004. 깨다 - للكسر
2005. 나는 유리를 깼다. - كسرت الزجاج
2006. 너는 계란을 깬다. - كسرت بيضة.
2007. 그녀는 기록을 깰 것이다. - ستكسر الرقم القياسي
2008. 깰까? - هل نكسر؟
2009. 네, 깨. - نعم، اكسر
2010. 튀기다 - للقلي

2011. 나는 감자를 튀겼다. - أقلي البطاطس
2012. 너는 치킨을 튀긴다. - ستقلى الدجاج
2013. 그는 생선을 튀길 것이다. - سوف يقلى السمك.
2014. 튀길까? - هل نقلي؟
2015. 네, 튀겨. - نعم، يقلى
2016. 데우다 - لتسخين
2017. 나는 수프를 데웠다. - سخن الحساء.
2018. 너는 물을 데운다. - سوف تسخن الماء.
2019. 그녀는 밥을 데울 것이다. - سوف تسخن الأرز.
2020. 데울까? - هل أسخنه؟
2021. 네, 데워. - نعم، سخّنه
2022. 식히다 - لتبريده
2023. 나는 차를 식혔다. - أبرد الشاي.
2024. 너는 국을 식힌다. - ستبرد الحساء.
2025. 그들은 음료를 식힐 것이다. - سوف تبرد الشراب.
2026. 식힐까? - هل أبرده؟
2027. 네, 식혀줘. - نعم، يرجى تبريده.
2028. 22. 명사 단어들 외우기, 필수 10개 동사의 단어들을 가지고 50문장 연습하기 - 22- احفظ الكلمات الاسمية، وتمرن على 50 جملة مع الكلمات الفعلية العشر الأساسية
2029. 물 - ماء
2030. 주스 - عصير
2031. 아이스크림 - آيس كريم
2032. 얼음 - ثلج
2033. 초콜릿 - الشوكولاتة
2034. 버터 - زبدة
2035. 밀가루 - طحين
2036. 반죽 - العجين
2037. 소스 - الصلصة
2038. 떡 - كعكة الأرز
2039. 만두 - الزلابية
2040. 쿠키 - الكعك
2041. 벽 - حائط
2042. 그림 - اللوحة
2043. 문 - باب

2044. 집 - منزل
2045. 건물 - بناء
2046. 사과 - الاعتذار
2047. 옷 - ملابس
2048. 선물 - الهدايا
2049. 잡초 - الأعشاب الضارة
2050. 번호 - رقم
2051. 당첨자 - فائز
2052. 책 - كتاب
2053. USB - يو إس بي
2054. 카드 - البطاقة
2055. 설탕 - سكر
2056. 소금 - ملح
2057. 향신료 - التوابل
2058. 얼리다 - للتجميد
2059. 나는 물을 얼렸다. - قمت بتجميد الماء.
2060. 너는 주스를 얼린다. - جمّدت العصير
2061. 그는 아이스크림을 얼릴 것이다. - سوف يجمد الآيس كريم.
2062. 얼릴까? - هل أجمّده؟
2063. 네, 얼려. - نعم، قم بتجميده.
2064. 녹이다 - لإذابة
2065. 나는 얼음을 녹였다. - أذيب الثلج.
2066. 너는 초콜릿을 녹인다. - ستذيب الشوكولاتة.
2067. 그녀는 버터를 녹일 것이다. - ستذيب الزبدة.
2068. 녹일까? - هل نذيبها؟
2069. 네, 녹여. - نعم، أذبها.
2070. 저미다 - لتقليب
2071. 나는 밀가루를 저었다. - سوف تقلب الدقيق.
2072. 너는 반죽을 저민다. - سوف تقلب العجين.
2073. 그는 소스를 저을 것이다. - سوف يقلب الصلصة.
2074. 저을까? - هل نقلب؟
2075. 네, 저어. - نعم، يقلب.
2076. 빚다 - لصنع
2077. 나는 떡을 빚었다. - سأصنع كعك الأرز.

2078. 너는 만두를 빚는다. - ستصنع الزلابية.
2079. 그녀는 쿠키를 빚을 것이다. - ستخبز الكعك.
2080. 빚을까? - هل نخبز؟
2081. 네, 빚어. - نعم، اخبز
2082. 칠하다 - للطلاء
2083. 나는 벽을 칠했다. - أرسم الحائط
2084. 너는 그림을 칠한다. - سترسم الصورة.
2085. 그들은 문을 칠할 것이다. - سوف يرسمون الباب.
2086. 칠할까? - هل نرسم؟
2087. 네, 칠해. - نعم، قم بالطلاء
2088. 철거하다 - لهدم
2089. 나는 오래된 집을 철거했다. - هدمت البيت القديم.
2090. 너는 벽을 철거한다. - تهدم الجدار.
2091. 그는 건물을 철거할 것이다. - سيهدم المبنى.
2092. 철거할까? - هل نهدمه؟
2093. 네, 철거해. - نعم، هدمه.
2094. 고르다 - لقطف
2095. 나는 사과를 골랐다. - أقطف تفاحة.
2096. 너는 옷을 고른다. - ستقطف الملابس.
2097. 그녀는 선물을 고를 것이다. - ستختار هدية.
2098. 고를까? - هل نختار؟
2099. 네, 골라. - نعم، تقطف
2100. 뽑다 - لقطف
2101. 나는 잡초를 뽑았다. - اقتلع الحشائش
2102. 너는 번호를 뽑는다. - ستسحب الأرقام
2103. 그들은 당첨자를 뽑을 것이다. - سوف يسحبون الفائز
2104. 뽑을까? - هل نسحب؟
2105. 네, 뽑아. - نعم، النتف
2106. 빼다 - لطرح
2107. 나는 책을 뺐다. - أطرح الكتاب
2108. 너는 USB를 뺀다. - ستطرح الفلاشة.
2109. 그는 카드를 뺄 것이다. - سيطرح البطاقة.
2110. 뺄까? - هل أطرح؟
2111. 네, 빼. - نعم، اطرح.

2112. 추가하다 - لأضيف
2113. 나는 설탕을 추가했다. - أضفت السكر.
2114. 너는 소금을 추가한다. - ستضيف الملح.
2115. 그녀는 향신료를 추가할 것이다. - ستضيف التوابل.
2116. 추가할까? - هل أضيفها؟
2117. 네, 추가해줘. - نعم، من فضلك أضفه.
2118. 23. 명사 단어들 외우기, 필수 10개 동사의 단어들을 가지고 50문장 연습하기 - 23- احفظ الكلمات الاسمية، وتمرن على 50 جملة مع الكلمات الفعلية العشر الأساسية
2119. 램프 - مصباح
2120. 플래시 - وميض
2121. 빛 - ضوء
2122. 목록 - قائمة
2123. 옵션 - الخيار
2124. 장점 - المزايا
2125. 가지 - نبات البيض
2126. 장단점 - الإيجابيات والسلبيات
2127. 결과 - النتيجة
2128. 자료 - البيانات
2129. 파일 - ملف
2130. 개 - كلب
2131. 요소 - عنصر
2132. 아이디어 - فكرة
2133. 기계 - الماكينة
2134. 문제 - مشكلة
2135. 시스템 - نظام
2136. 의자 - الكرسي
2137. 화면 - شاشة
2138. 테이블 - الطاولة
2139. 옷 - ملابس
2140. 종이 - ورق
2141. 지도 - خريطة
2142. 매트 - حصيرة
2143. 책 - كتاب
2144. 포스터 - ملصق

2145. 숨다 - اختبئ
2146. 나는 숨었다. - أنا أختبئ
2147. 너는 숨는다. - أنت تختبئ
2148. 그들은 숨을 것이다. - سيختبئون
2149. 숨을까? - هل نختبئ؟
2150. 네, 숨어. - نعم، اختبئوا
2151. 비추다 - لتضيء
2152. 나는 램프를 비췄다. - أضيء المصباح
2153. 너는 플래시를 비춘다. - أضيء المصباح
2154. 그는 빛을 비출 것이다. - سوف يضيء الضوء.
2155. 비출까? - هل أضيء؟
2156. 네, 비춰. - نعم، أضيء
2157. 나열하다 - سردت القائمة
2158. 나는 목록을 나열했다. - أنا أسرد القائمة.
2159. 너는 옵션을 나열한다. - تسرد الخيارات.
2160. 그녀는 장점을 나열할 것이다. - سوف تسرد المزايا.
2161. 나열할까? - هل ندرجها؟
2162. 네, 나열해. - نعم، أدرجها.
2163. 대조하다 - للتباين
2164. 나는 두 가지를 대조했다. - قارنت بين شيئين.
2165. 너는 장단점을 대조한다. - ستقارن بين الإيجابيات والسلبيات.
2166. 그는 결과를 대조할 것이다. - قارنت بين النتائج.
2167. 색깔 다른가? - هل الألوان مختلفة؟
2168. 예, 다르다. - نعم، إنهما مختلفان.
2169. 정렬하다 - تفرز
2170. 너는 자료를 정렬했다. - قمت بفرز المواد.
2171. 그는 목록을 정렬한다. - سيقوم بفرز القائمة.
2172. 그녀는 파일을 정렬할 것이다. - ستقوم بفرز الملفات.
2173. 순서 맞나요? - هل هي مرتبة؟
2174. 네, 맞아요. - نعم، إنها كذلك.
2175. 결합하다 - سيجمع بين
2176. 그는 두 개를 결합했다. - سيجمع بين شيئين.
2177. 그녀는 요소를 결합한다. - ستجمع بين العناصر.
2178. 우리는 아이디어를 결합할 것이다. - سنجمع بين الأفكار.

2179. 같이 할까요? - هل سنفعل ذلك معًا؟
2180. 좋아요. - لا بأس
2181. 분해하다 - لتفكيك
2182. 그녀는 기계를 분해했다. - ستقوم بتفكيك الآلة.
2183. 우리는 문제를 분해한다. - سنقوم بتفكيك المشكلة.
2184. 당신들은 시스템을 분해할 것이다. - ستقوم بتفكيك النظام.
2185. 어렵나요? - هل هو صعب؟
2186. 아니요. - لا، ليس صعباً
2187. 회전하다 - لتدوير
2188. 우리는 의자를 회전했다. - سنقوم بتدوير الكرسي.
2189. 당신들은 화면을 회전한다. - ستقوم بتدوير الشاشة.
2190. 그들은 테이블을 회전할 것이다. - ستقوم بتدوير الطاولة.
2191. 돌릴까요? - هل سنقوم بالتدوير؟
2192. 그래요. - نعم، سنفعل.
2193. 접다 - لطي
2194. 당신들은 옷을 접었다. - أنت تطوي الملابس.
2195. 그들은 종이를 접는다. - يطوون الورق.
2196. 나는 지도를 접을 것이다. - سأقوم بطي الخريطة
2197. 이걸 접어요? - هل تطوي هذه؟
2198. 네, 접어요. - نعم، أطويها.
2199. 펼치다 - أفتحها
2200. 그들은 매트를 펼쳤다. - يفتحون السجادة.
2201. 나는 책을 펼친다. - أفتح كتاباً.
2202. 너는 포스터를 펼칠 것이다. - ستفتح ملصقًا.
2203. 여기에 놓을까요? - هل أضعه هنا؟
2204. 네, 놓아줘 - نعم، ضعه هنا.
2205. 24. 명사 단어들 외우기, 필수 10개 동사의 단어들을 가지고 50문장 연습하기 - 24. احفظ الكلمات الاسمية، وتمرن على 50 جملة مع الكلمات الفعلية العشر الأساسية
2206. 깃발 - علم
2207. 스카프 - وشاح
2208. 카펫 - سجادة
2209. 신발끈 - رباط الحذاء
2210. 선물 - هدية
2211. 머리 - رأس

2212. 문제 - مشكلة
2213. 노트 - ملاحظة
2214. 수수께끼 - لغز
2215. 상자 - صندوق
2216. 책 - كتاب
2217. 블록 - كتلة
2218. 물 - ماء
2219. 쌀 - أرز
2220. 콩 - الفاصوليا
2221. 병 - حفلة
2222. 가방 - كيس
2223. 그릇 - وعاء
2224. 통 - وعاء
2225. 바구니 - سلة
2226. 컵 - كوب
2227. 씨앗 - بذرة
2228. 페인트 - طلاء
2229. 장애물 - عقبة
2230. 줄넘기 - حبل القفز
2231. 울타리 - سياج
2232. 말다 - التدحرج
2233. 나는 깃발을 말았다. - دحرجت علماً
2234. 너는 스카프를 말다. - دحرجت وشاحاً
2235. 그는 카펫을 말 것이다. - سوف يلف السجادة
2236. 도와줄까요? - هل تريدني أن أساعدك؟
2237. 네, 부탁해요. - نعم من فضلك
2238. 묶다 - لربط
2239. 너는 신발끈을 묶었다. - أنت تربط رباط حذائك.
2240. 그는 선물을 묶는다. - سيربط الهدية
2241. 그녀는 머리를 묶을 것이다. - سنربط شعرها
2242. 더 조여요? - شدها أكثر إحكاماً؟
2243. 예, 조여요. - نعم، شدها.
2244. 풀다 - لحل
2245. 그는 문제를 풀었다. - سيحل المشكلة

2246. 그녀는 노트를 푼다. - سوف تحل ملاحظاتها.
2247. 우리는 수수께끼를 풀 것이다. - سنحل اللغز.
2248. 어떻게 해요? - كيف نفعل ذلك؟
2249. 생각해봐요. - فكر في الأمر
2250. 쌓다 - لتكديس
2251. 그녀는 상자를 쌓았다. - لقد كدست الصناديق.
2252. 우리는 책을 쌓는다. - سنكدس الكتب.
2253. 당신들은 블록을 쌓을 것이다. - سترصّ المكعبات.
2254. 높게 쌓을까요? - هل نرصها عالياً؟
2255. 조심해요. - كن حذراً
2256. 쏟다 - لصب
2257. 우리는 물을 쏟았다. - نحن نسكب الماء.
2258. 당신들은 쌀을 쏟는다. - سنسكب الأرز.
2259. 그들은 콩을 쏟을 것이다. - ستسكب الفاصوليا
2260. 다 쏟았어요? - هل سكبته كله؟
2261. 다 쏟았어요. - سكبته كله
2262. 채우다 - لتملأ
2263. 당신들은 병을 채웠다. - أنت تملأ الزجاجة.
2264. 그들은 가방을 채운다. - سوف تملأ الكيس
2265. 나는 그릇을 채울 것이다. - سأملأ الوعاء
2266. 가득할까요? - هل ستمتلئ؟
2267. 가득해요. - ممتلئ
2268. 비우다 - أفرغوا
2269. 그들은 통을 비웠다. - أفرغوا البرميل.
2270. 나는 바구니를 비운다. - سأفرغ السلة.
2271. 너는 컵을 비울 것이다. - سوف تفرغ الكأس.
2272. 이것도 비울까요? - هل نفرغ هذا أيضاً؟
2273. 네, 비워요. - نعم، أفرغه
2274. 뿌리다 - لزرع
2275. 나는 씨앗을 뿌렸다. - أنا أبذر البذور.
2276. 너는 물을 뿌린다. - سوف ترش الماء.
2277. 그는 페인트를 뿌릴 것이다. - سوف يرش الطلاء.
2278. 여기에요? - هنا؟
2279. 여기에요. - هنا

2280. 건너뛰다 - لتخطي
2281. 너는 장애물을 건너뛰었다. - سوف تتخطى العقبة.
2282. 그는 줄넘기를 한다. - سوف يقفز الحبل
2283. 그녀는 울타리를 건너뛸 것이다. - ستتخطى السياج
2284. 저기로 갈까요? - هل نذهب إلى هناك؟
2285. 저기로 가요. - لنذهب إلى هناك
2286. 기울이다 - لإمالة
2287. 나는 병을 기울였다. - أميل الزجاجة
2288. 너는 컵을 기울인다. - سوف تميل الكأس.
2289. 그는 그릇을 기울일 것이다. - أمِل الزجاجة.
2290. 컵을 기울여? - أمِل الكأس؟
2291. 예, 기울여줘. - نعم، أمِله.
2292. 25. 명사 단어들 외우기, 필수 10개 동사의 단어들을 가지고 50문장 연습하기 - 25- احفظ الكلمات الاسمية، وتمرن على 50 جملة باستخدام الكلمات الفعلية العشر الأساسية
2293. 버튼 - زر
2294. 스위치 - التبديل
2295. 페달 - دواسة
2296. 스티커 - ملصق
2297. 라벨 - ملصق
2298. 포스터 - ملصق
2299. 사진 - صورة
2300. 메모 - مذكرة
2301. 공지 - إشعار
2302. 선 - سطر
2303. 원 - واحد
2304. 사각형 - المربع
2305. 글자 - رسالة
2306. 오류 - خطأ
2307. 데이터 - البيانات
2308. 이름 - الاسم
2309. 주소 - العنوان
2310. 번호 - الرقم
2311. 비용 - المصروفات
2312. 합계 - المجموع

2313. 예산 - الميزانية
2314. 별 - نجمة
2315. 사과 - اعتذار
2316. 페이지 - الصفحة
2317. 결과 - النتيجة
2318. 날씨 - الطقس
2319. 승자 - منتصر
2320. 프로젝트 - المشروع
2321. 누르다 - للضغط
2322. 나는 버튼을 눌렀다. - ضغطت على الزر
2323. 너는 스위치를 누른다. - ستضغط على الزر
2324. 그녀는 페달을 누를 것이다. - ستضغط على الدواسة
2325. 스위치 누를까? - هل أضغط على المفتاح؟
2326. 네, 눌러. - نعم، اضغط عليه
2327. 떼다 - لخلع
2328. 나는 스티커를 뗐다. - أنزع الملصق.
2329. 너는 라벨을 뗀다. - انزع الملصق
2330. 우리는 포스터를 뗄 것이다. - سننزع الملصق
2331. 라벨 떼어도 돼? - هل يمكنني تقشير الملصق؟
2332. 그래, 떼. - نعم، قشر
2333. 붙이다 - للصق
2334. 나는 사진을 붙였다. - ألصق الصورة.
2335. 너는 메모를 붙인다. - أنت تلصق الملاحظات.
2336. 당신들은 공지를 붙일 것이다. - ستلصق ملاحظة.
2337. 메모 붙일까? - هل ألصق ملاحظة؟
2338. 예, 붙여. - نعم، ألصق
2339. 긋다 - رسم خط
2340. 나는 선을 그었다. - سأرسم خطاً.
2341. 너는 원을 그린다. - سترسم دائرة.
2342. 그들은 사각형을 그을 것이다. - سترسم مربعاً.
2343. 선 긋기 좋아? - هل تحب رسم الخطوط؟
2344. 네, 좋아. - نعم، جيد.
2345. 지우다 - لمحو
2346. 나는 글자를 지웠다. - لقد محوت الحروف.

2347. 너는 오류를 지운다. - ستمحو الخطأ.
2348. 그는 데이터를 지울 것이다. - سيمحو البيانات.
2349. 오류 지울까? - هل أمحو الخطأ؟
2350. 그래, 지워. - نعم، امسح
2351. 적다 - أكتب
2352. 나는 이름을 적었다. - أكتب الاسم.
2353. 너는 주소를 적는다. - ستكتب العنوان.
2354. 그녀는 번호를 적을 것이다. - ستكتب الرقم.
2355. 주소 적어 줄래? - هل يمكنك كتابة العنوان؟
2356. 좋아, 적어. - حسناً، اكتبه
2357. 계산하다 - لحساب
2358. 나는 비용을 계산했다. - قمت بحساب التكلفة.
2359. 너는 합계를 계산한다. - ستحسب المجموع.
2360. 우리는 예산을 계산할 것이다. - سنحسب الميزانية.
2361. 합계 계산할까? - هل نحسب الإجمالي؟
2362. 네, 계산해. - نعم، لنحسب.
2363. 세다 - لنحسب
2364. 나는 별을 셌다. - أعد النجوم.
2365. 너는 사과를 센다. - عدّ التفاح
2366. 당신들은 페이지를 셀 것이다. - عدت الصفحات.
2367. 사과 몇 개야? - كم تفاحة؟
2368. 지금 세. - عدّ الآن
2369. 추측하다 - للتخمين
2370. 나는 결과를 추측했다. - خمنت النتيجة.
2371. 너는 날씨를 추측한다. - خمن أنت الطقس
2372. 그들은 승자를 추측할 것이다. - سيخمنون الفائز.
2373. 날씨 어때? - كيف هو الطقس؟
2374. 비 올까 봐. - أعتقد أنها ستمطر
2375. 가정하다 - لنفترض
2376. 나는 그가 올 것이라고 가정했다. - افترضت أنه سيأتي.
2377. 너는 그녀가 승리할 것이라고 가정한다. - افترضت أنها ستفوز.
2378. 우리는 프로젝트가 성공할 것이라고 가정할 것이다. - سنفترض أن المشروع سيكون ناجحاً.
2379. 그녀가 승리할까? - هل ستفوز؟

2380. 아마 그럴것이다. - ستفوز على الأرجح.
2381. 26. 명사 단어들 외우기, 필수 10개 동사의 단어들을 가지고 50문장 연습하기 - 26. احفظ الكلمات الاسمية، وتدرب على 50 جملة مع الكلمات الفعلية العشر المطلوبة
2382. 상황 - الموقف
2383. 의도 - النية
2384. 결과 - النتيجة
2385. 계획 - الخطة
2386. 날짜 - التاريخ
2387. 장소 - الموقع
2388. 요청 - الطلب
2389. 제안 - العرض
2390. 계약 - العقد
2391. 의견 - الرأي
2392. 변경사항 - التغييرات
2393. 조언 - المشورة
2394. 문제 - مشكلة
2395. 프로젝트 - المشروع
2396. 해결책 - الحل
2397. 주제 - الموضوع
2398. 모드 - الوضع
2399. 파일 - ملف
2400. 형식 - نموذج
2401. 데이터 - البيانات
2402. 이슈 - المشكلة
2403. 포인트 - نقطة
2404. 질문 - سؤال
2405. 호출 - الاتصال
2406. 온도 - درجة الحرارة
2407. 볼륨 - الحجم
2408. 속도 - السرعة
2409. 판단하다 - للحكم
2410. 나는 상황을 판단했다. - حكمت على الموقف
2411. 너는 그의 의도를 판단한다. - تحكم على نواياه
2412. 그녀는 결과를 판단할 것이다. - ستحكم على النتيجة.

2413. 옳은 거야? - ?هل هذا صحيح؟
2414. 판단해 봐. - القاضي
2415. 확정하다 - لوضع اللمسات الأخيرة
2416. 나는 계획을 확정했다. - سوف تضع اللمسات الأخيرة على الخطة
2417. 너는 날짜를 확정한다. - سوف تضع اللمسات الأخيرة على التاريخ.
2418. 그들은 장소를 확정할 것이다. - ستضع اللمسات الأخيرة على المكان.
2419. 날짜 확정됐어? - هل تم الانتهاء من الموعد؟
2420. 예, 됐어. - نعم، تم تحديده
2421. 승인하다 - للموافقة
2422. 나는 요청을 승인했다. - أوافق على الطلب
2423. 너는 제안을 승인한다. - توافق على الطلب
2424. 우리는 계약을 승인할 것이다. - سنوافق على العقد
2425. 제안 승인할까? - هل نوافق على الاقتراح؟
2426. 네, 승인해. - نعم، نوافق عليه
2427. 반영하다 - للعكس
2428. 나는 의견을 반영했다. - لقد عكست التعليقات.
2429. 너는 변경사항을 반영한다. - سوف تعكس التغييرات.
2430. 그는 조언을 반영할 것이다. - سيأخذ النصيحة بعين الاعتبار.
2431. 의견 반영됐어? - هل عكست؟
2432. 예, 반영됐어. - نعم، انعكست.
2433. 접근하다 - للمقاربة
2434. 나는 문제에 접근했다. - اقتربت من المشكلة
2435. 너는 프로젝트에 접근한다. - اقتربت من المشروع
2436. 그녀는 해결책에 접근할 것이다. - اقتربت من الحل.
2437. 해결책 찾았어? - هل وجدت الحل؟
2438. 찾는 중이야. - أنا أبحث عنه
2439. 전환하다 - للتبديل
2440. 나는 주제를 전환했다. - قمت بتبديل المواضيع.
2441. 너는 모드를 전환한다. - قمت بتبديل الأوضاع.
2442. 우리는 계획을 전환할 것이다. - سنقوم بتبديل الخطط.
2443. 모드 바꿀까? - هل نبدل الأوضاع؟
2444. 네, 바꿔. - نعم، تبديل
2445. 변환하다 - للتحويل
2446. 나는 파일을 변환했다. - قمت بتحويل الملف.

2447. 너는 형식을 변환한다. - قمت بتحويل تنسيق.
2448. 그들은 데이터를 변환할 것이다. - ستقوم بتحويل البيانات.
2449. 형식 맞춰줄래? - هل يمكنك تهيئته؟
2450. 좋아, 맞출게. - حسناً، سأقوم بتنسيقه
2451. 조명하다 - لإلقاء الضوء
2452. 나는 이슈를 조명했다. - أضيء نقطة
2453. 너는 포인트를 조명한다. - سوف تضيء نقطة.
2454. 그녀는 주제를 조명할 것이다. - سوف تضيء الموضوع.
2455. 주제 뭘까? - ما هو الموضوع؟
2456. 곧 알려줄게. - سأخبرك قريباً
2457. 응답하다 - للرد
2458. 나는 질문에 응답했다. - أجبت على السؤال.
2459. 너는 요청에 응답한다. - أجبت على الطلب.
2460. 우리는 호출에 응답할 것이다. - سنستجيب للطلب.
2461. 답변 줄 수 있어? - هل يمكنك الإجابة؟
2462. 네, 할 수 있어. - نعم، أستطيع
2463. 조절하다 - لتنظيم
2464. 나는 온도를 조절했다. - قمت بضبط درجة الحرارة.
2465. 너는 볼륨을 조절한다. - قمت بضبط مستوى الصوت.
2466. 그들은 속도를 조절할 것이다. - ستضبط السرعة
2467. 볼륨 낮출까? - هل تريدني أن أخفض الصوت؟
2468. 네, 낮춰 줘. - نعم، من فضلك اخفضه.
2469. 27. 명사 단어들 외우기, 필수 10개 동사의 단어들을 가지고 50문장 연습하기 - 27. احفظ الكلمات الاسمية، تدرب على 50 جملة مع 10 كلمات فعلية أساسية
2470. 시스템 - نظام
2471. 드론 - طائرة بدون طيار
2472. 로봇 - روبوت
2473. 프로젝트 - مشروع
2474. 팀 - فريق
2475. 회사 - الشركة
2476. 가게 - المتجر
2477. 사이트 - الموقع
2478. 카페 - مقهى
2479. 주문 - الطلب

2480. 신청 - التطبيق
2481. 문제 - مشكلة
2482. 기술 - التكنولوجيا
2483. 능력 - القدرة
2484. 경험 - الخبرة
2485. 지식 - المعرفة
2486. 사업 - الأعمال
2487. 영역 - مجال العمل
2488. 시장 - السوق
2489. 비용 - النفقات
2490. 규모 - المقياس
2491. 지출 - النفقات
2492. 매출 - المبيعات
2493. 노력 - الجهد
2494. 효율 - الكفاءة
2495. 제어하다 - للتحكم
2496. 나는 시스템을 제어했다. - تحكمت في النظام
2497. 너는 드론을 제어한다. - تحكمت في الطائرة بدون طيار
2498. 우리는 로봇을 제어할 것이다. - سنتحكم في الروبوت.
2499. 드론 조종해 봤어? - هل قمت بالتحليق بطائرة بدون طيار من قبل؟
2500. 아니, 안 해봤어. - لا، لم أفعل
2501. 관리하다 - لإدارة
2502. 나는 프로젝트를 관리했다. - أنا أدير المشروع
2503. 너는 팀을 관리한다. - ستدير الفريق
2504. 그는 회사를 관리할 것이다. - سوف يدير الشركة.
2505. 팀 잘 돼가? - كيف حال الفريق؟
2506. 네, 잘 돼. - نعم، يسير على ما يرام.
2507. 운영하다 - لإدارة
2508. 나는 가게를 운영했다. - أنا أدير المتجر
2509. 너는 사이트를 운영한다. - ستدير الموقع.
2510. 그녀는 카페를 운영할 것이다. - ستدير المقهى.
2511. 사이트 잘 운영돼? - هل يسير الموقع بشكل جيد؟
2512. 예, 잘 돼. - نعم، إنه يسير بشكل جيد.
2513. 처리하다 - لمعالجة

2514. 나는 주문을 처리했다. - لقد عالجت الطلب.
2515. 너는 신청을 처리한다. - لقد عالجت الطلب
2516. 우리는 문제를 처리할 것이다. - سنهتم بالمشكلة.
2517. 신청 처리됐어? - هل عالجت الطلب؟
2518. 네, 처리됐어. - نعم، تمت معالجته
2519. 처리하다 - لمعالجة
2520. 나는 주문을 처리했다. - لقد عالجت الطلب
2521. 너는 신청을 처리한다. - لقد عالجت الطلب
2522. 그는 문제를 처리할 것이다. - سيعالج المشكلة
2523. 신청 처리됐어? - هل عالجت الطلب؟
2524. 됐어. - تم ذلك
2525. 발전하다 - للتقدم
2526. 그녀는 기술을 발전시켰다. - طورت مهاراتها.
2527. 우리는 능력을 발전시킨다. - نحن نطور قدراتنا.
2528. 당신들은 시스템을 발전시킬 것이다. - سوف تطور النظام.
2529. 기술 좋아졌니? - هل طورت مهاراتك؟
2530. 네, 좋아. - نعم، هذا جيد.
2531. 성장하다 - نمت
2532. 그들은 빠르게 성장했다. - نمت بسرعة.
2533. 나는 경험을 성장시킨다. - ستنمو خبرتي.
2534. 너는 지식을 성장시킬 것이다. - سوف تنمو في المعرفة.
2535. 경험 많아졌어? - هل نمت خبرتك؟
2536. 많아. - لدي الكثير
2537. 확장하다 - توسعت
2538. 나는 사업을 확장했다. - قمت بتوسيع نطاق عملي.
2539. 너는 영역을 확장한다. - سوف توسع منطقتك.
2540. 그는 시장을 확장할 것이다. - سوف توسع السوق.
2541. 시장 크니? - هل السوق كبير؟
2542. 네, 크다. - نعم، إنه كبير.
2543. 축소하다 - لتقليص
2544. 그녀는 비용을 축소했다. - لقد قلصت تكاليفها.
2545. 우리는 규모를 축소한다. - سنقوم بتقليص حجمها.
2546. 당신들은 지출을 축소할 것이다. - ستقلص نفقاتك.
2547. 비용 줄었어? - هل قلصت التكاليف؟

2548. 네, 줄었어. - نعم، لقد خفضت.
2549. 증가하다 - إلى زيادة
2550. 그들은 매출을 증가시켰다. - زادت المبيعات.
2551. 나는 노력을 증가시킨다. - قمت بزيادة الجهد.
2552. 너는 효율을 증가시킬 것이다. - ستزيد الكفاءة.
2553. 매출 올랐어? - هل ارتفعت المبيعات؟
2554. 네, 올랐어. - نعم، لقد ارتفعت.
2555. 28. 명사 단어들 외우기, 필수 10개 동사의 단어들을 가지고 50문장 연습하기 - 28. احفظ الكلمات الاسمية، وتمرن على 50 جملة مع الكلمات الفعلية العشر الأساسية
2556. 오류 - خطأ
2557. 리스크 - المخاطرة
2558. 부채 - مروحة
2559. 앱 - تطبيق
2560. 소프트웨어 - البرمجيات
2561. 기술 - التكنولوجيا
2562. 기계 - الآلة
2563. 아이디어 - فكرة
2564. 제품 - منتج
2565. 예술작품 - قطعة فنية
2566. 콘텐츠 - المحتويات
2567. 비전 - الرؤية
2568. 해결책 - الحل
2569. 정보 - المعلومات
2570. 답 - الإجابة
2571. 우주 - الكون
2572. 신세계 - عالم جديد
2573. 바다 - المحيط
2574. 시장 - السوق
2575. 사건 - الحدث
2576. 현상 - ظاهرة
2577. 도움 - المساعدة
2578. 지원 - الدعم
2579. 협력 - التعاون
2580. 계획 - الخطة

2581. 전략 - الاستراتيجية
2582. 제안 - المقترح
2583. 조건 - الشرط
2584. 요청 - طلب
2585. 감소하다 - لتقليل
2586. 나는 오류를 감소시켰다. - قللت من الأخطاء
2587. 너는 리스크를 감소시킨다. - خفضت المخاطر
2588. 그는 부채를 감소시킬 것이다. - سيقلل الدين
2589. 리스크 적어졌어? - مخاطرة أقل؟
2590. 적어. - أقل
2591. 개발하다 - تطوير
2592. 그녀는 앱을 개발했다. - طورت تطبيقاً
2593. 우리는 소프트웨어를 개발한다. - سنقوم بتطوير برنامج.
2594. 당신들은 기술을 개발할 것이다. - أنتم ستطورون التكنولوجيا.
2595. 앱 나왔어? - هل خرج التطبيق؟
2596. 나왔어. - لقد خرج
2597. 발명하다 - اخترعوا
2598. 그들은 기계를 발명했다. - اخترعوا آلة
2599. 나는 아이디어를 발명한다. - سأخترع فكرة.
2600. 너는 제품을 발명할 것이다. - ستخترع منتجاً.
2601. 기계 새로운 거야? - هل الآلة جديدة؟
2602. 새로워. - جديدة
2603. 창조하다 - ابتكر
2604. 나는 예술작품을 창조했다. - أقوم بإنشاء عمل فني.
2605. 너는 콘텐츠를 창조한다. - ستنشئ محتوى.
2606. 그는 비전을 창조할 것이다. - سيخلق رؤية.
2607. 콘텐츠 재밌어? - هل المحتوى ممتع؟
2608. 재밌어. - إنه ممتع
2609. 찾아내다 - لمعرفة ذلك
2610. 그녀는 해결책을 찾아냈다. - وجدت حلاً.
2611. 우리는 정보를 찾아낸다. - نجد المعلومات.
2612. 당신들은 답을 찾아낼 것이다. - ستجد الإجابة.
2613. 정보 찾았어? - هل وجدت المعلومات؟
2614. 찾았어. - عثرت عليها

2615. 탐사하다 - لاستكشاف
2616. 그들은 우주를 탐사했다. - استكشفوا الكون.
2617. 나는 신세계를 탐사한다. - استكشفت عوالم جديدة.
2618. 너는 바다를 탐사할 것이다. - سوف تستكشف المحيط.
2619. 우주 멋져? - هل الفضاء رائع؟
2620. 멋져. - إنه رائع
2621. 조사하다 - استكشفت
2622. 나는 시장을 조사했다. - أنا أحقق في السوق.
2623. 너는 사건을 조사한다. - سوف تحقق في القضية
2624. 그는 현상을 조사할 것이다. - سيحقق في الظاهرة.
2625. 사건 해결됐어? - هل تم حل القضية؟
2626. 해결돼. - تم حلها
2627. 청하다 - طلب
2628. 그녀는 도움을 청했다. - لقد طلبت المساعدة.
2629. 우리는 지원을 청한다. - نحن نطلب المساعدة.
2630. 당신들은 협력을 청할 것이다. - سيُطلب منك التعاون.
2631. 도움 필요해? - هل تحتاج إلى المساعدة؟
2632. 필요해. - أحتاجها
2633. 제안하다 - لاقتراح
2634. 그들은 계획을 제안했다. - اقترحوا خطة
2635. 나는 아이디어를 제안한다. - أنا أقترح فكرة
2636. 너는 전략을 제안할 것이다. - سوف تقترح خطة.
2637. 아이디어 있어? - هل لديك فكرة؟
2638. 있어. - لدي
2639. 승낙하다 - أقبل
2640. 나는 제안을 승낙했다. - أقبل الاقتراح.
2641. 너는 조건을 승낙한다. - ستقبل الشروط.
2642. 그는 요청을 승낙할 것이다. - سيقبل الطلب.
2643. 조건 괜찮아? - هل الشروط مقبولة؟
2644. 괜찮아. - أنا موافق
2645. 29. 명사 단어들 외우기, 필수 10개 동사의 단어들을 가지고 50문장 연습하기 - 29. احفظ الكلمات الاسمية، وتدرب على 50 جملة مع الكلمات الفعلية العشر المطلوبة
2646. 문제 - مشكلة
2647. 주제 - الفاعل

2648. 해결책 - الحل
2649. 의견 - رأي
2650. 친구 - صديق
2651. 여행 - السفر
2652. 부모님 - الآباء والأمهات
2653. 조언 - نصيحة
2654. 위험 - خطر
2655. 소식 - الأخبار
2656. 정보 - معلومات
2657. 변화 - تغيير
2658. 사랑 - حب
2659. 마음 - العقل
2660. 진심 - الإخلاص
2661. 문서 - مستند
2662. 이미지 - صورة
2663. 자료 - البيانات
2664. 표 - رسم بياني
2665. 보고서 - تقرير
2666. 그래프 - رسم بياني
2667. 부분 - وظيفة بدوام جزئي
2668. 문장 - جملة
2669. 영상 - فيديو
2670. 장면 - مشهد
2671. 답 - إجابة
2672. 장소 - الموقع
2673. 주소 - العنوان
2674. 토론하다 - للمناقشة
2675. 그는 어제 문제에 대해 토론했다. - ناقش المشكلة بالأمس
2676. 그녀는 지금 중요한 주제를 토론한다. - تناقش مواضيع مهمة الآن.
2677. 우리는 내일 해결책을 토론할 것이다. - سنناقش الحل غداً.
2678. 의견 있어? - هل لديك رأي؟
2679. 네, 있어. - نعم، لدي رأي
2680. 설득하다 - إقناع
2681. 그녀는 친구를 여행 가기로 설득했다. - أقنعت صديقتها بالذهاب في الرحلة.

2682. 나는 지금 부모님을 설득한다. - أنا أقنع والديّ الآن.
2683. 너는 내일 그들을 설득할 것이다. - ستقنعهم غداً.
2684. 설득됐어? - مقتنعة؟
2685. 응, 됐어. - نعم، أنا مقتنعة
2686. 조언하다 - بالنصيحة
2687. 그들은 나에게 좋은 조언을 해주었다. - لقد قدموا لي نصيحة جيدة.
2688. 나는 지금 친구에게 조언한다. - أنصح صديقي الآن.
2689. 너는 내일 조언을 할 것이다. - ستقدم النصيحة غداً.
2690. 조언 필요해? - هل تحتاج إلى نصيحة؟
2691. 필요해, 고마워. - أحتاجها، شكراً
2692. 경고하다 - للتحذير
2693. 그녀는 위험에 대해 경고했다. - لقد حذرته من الخطر.
2694. 우리는 지금 위험을 경고한다. - نحذر من الخطر الآن.
2695. 당신들은 내일 그들을 경고할 것이다. - سوف تحذرهم غداً
2696. 경고 들었어? - هل سمعت التحذير؟
2697. 네, 들었어. - نعم، سمعت
2698. 알리다 - للإبلاغ
2699. 그는 어제 소식을 알렸다. - لقد أبلغ الخبر بالأمس.
2700. 그녀는 지금 정보를 알린다. - لقد أبلغت المعلومات الآن.
2701. 우리는 내일 변화를 알릴 것이다. - سنعلن التغيير غداً.
2702. 소식 알아? - هل تعرف الخبر؟
2703. 아니, 몰라. - لا، لا أعلم
2704. 고백하다 - أن تعترف
2705. 그녀는 그에게 사랑을 고백했다. - لقد اعترفت بحبها له.
2706. 나는 지금 마음을 고백한다. - أعترف بقلبي الآن
2707. 너는 내일 진심을 고백할 것이다. - ستعترف بقلبك غداً
2708. 고백할 거야? - هل ستعترفين؟
2709. 응, 할 거야. - نعم، سأفعل
2710. 붙여넣다 - للصق
2711. 그는 문서에 이미지를 붙여넣었다. - قام بلصق الصورة في المستند.
2712. 그녀는 지금 자료에 표를 붙여넣는다. - إنها تلصق جدولاً في المستند الآن.
2713. 우리는 내일 보고서에 그래프를 붙여넣을 것이다. - سنلصق الرسم البياني في التق
رير غداً.
2714. 완성됐어? - هل انتهيت؟

2715. 거의 다 됐어. - أوشكت على الانتهاء.
2716. 잘라내다 - لقص
2717. 그들은 불필요한 부분을 잘라냈다. - لقد قطعوا الأجزاء غير الضرورية.
2718. 나는 지금 문서에서 문장을 잘라낸다. - سأقوم بقص الجمل من المستند الآن.
2719. 너는 내일 영상에서 장면을 잘라낼 것이다. - سوف تقطع المشاهد من الفيديو غداً.
2720. 줄일 필요 있어? - هل تحتاج إلى قص أي شيء؟
2721. 응, 있어. - نعم، أحتاج
2722. 검색하다 - للبحث
2723. 그녀는 정보를 검색했다. - لقد بحثت عن معلومات.
2724. 나는 지금 자료를 검색한다. - أنا أبحث عن مادة الآن.
2725. 너는 내일 답을 검색할 것이다. - ستبحث عن إجابات غداً.
2726. 정보 찾고 있어? - هل تبحث عن معلومات؟
2727. 찾고 있어. - أبحث عنها
2728. 찾아보다 - أبحث عن
2729. 그는 옛 친구를 찾아보았다. - يبحث عن صديقه القديم.
2730. 그녀는 지금 문서를 찾아본다. - إنها تبحث عن الوثيقة الآن.
2731. 우리는 내일 그 장소를 찾아볼 것이다. - سنبحث عن المكان غداً
2732. 주소 찾았어? - هل وجدت العنوان؟
2733. 아직 못 찾았어. - لا، لم أجده بعد.
2734. 30. 명사 단어들 외우기, 필수 10개 동사의 단어들을 가지고 50문장 연습하기 - 30. احفظ الكلمات الاسمية، تدرب على 50 جملة مع 10 كلمات فعلية أساسية
2735. 리더 - القائد
2736. 메뉴 - القائمة
2737. 색상 - اللون
2738. 프로젝트 - مشروع
2739. 계획 - خطة
2740. 아이디어 - الفكرة
2741. 스케줄 - الجدول الزمني
2742. 예약 - الحجز
2743. 보안 - الأمان
2744. 비밀번호 - كلمة المرور
2745. 규칙 - القاعدة
2746. 입장 - المدخل
2747. 영향력 - التأثير

2748. 제한 - الحد
2749. 프로세스 - العملية
2750. 시스템 - النظام
2751. 웹사이트 - الموقع الإلكتروني
2752. 기능 - الوظيفة
2753. 계정 - الحساب
2754. 서비스 - الخدمة
2755. 알림 - الإنذار
2756. 옵션 - خيار
2757. 컴퓨터 - كمبيوتر
2758. 인터넷 - الإنترنت
2759. 기기 - جهاز
2760. 부분 - وظيفة بدوام جزئي
2761. 요소 - العنصر
2762. 구성 - التكوين
2763. 선택하다 - للاختيار
2764. 그들은 새 리더를 선택했다. - اختاروا قارئاً جديداً.
2765. 나는 지금 메뉴를 선택한다. - اخترت القائمة الآن.
2766. 너는 내일 색상을 선택할 것이다. - ستختار لونًا غدًا.
2767. 쉽게 고를 수 있어? - هل الاختيار سهل؟
2768. 네, 쉬워. - نعم، إنه سهل.
2769. 구상하다 - أن تتصور
2770. 그녀는 새 프로젝트를 구상했다. - لقد تصورت مشروعاً جديداً.
2771. 나는 지금 계획을 구상한다. - أتصور خطة الآن.
2772. 우리는 내일 아이디어를 구상할 것이다. - سنضع تصوراً غداً.
2773. 아이디어 있어? - هل لديك أي أفكار؟
2774. 응, 많아. - نعم، لدي الكثير.
2775. 변경하다 - للتغيير
2776. 그는 계획을 변경했다. - لقد غيّر خططه.
2777. 그녀는 지금 스케줄을 변경한다. - لقد غيرت جدولها الآن.
2778. 당신들은 내일 예약을 변경할 것이다. - ستغير الموعد غداً
2779. 날짜 바꿀래? - هل تريد تغيير الموعد؟
2780. 그래, 바꿀래. - نعم، سأغيره
2781. 강화하다 - لتشديد

2782. 그들은 보안을 강화했다. - لقد زادوا من الحماية
2783. 나는 지금 비밀번호를 강화한다. - أنا أقوم بتشديد كلمة المرور الآن
2784. 너는 내일 규칙을 강화할 것이다. - ستقوم بتشديد القواعد غداً
2785. 보안 더 필요해? - هل تحتاج إلى مزيد من الأمان؟
2786. 네, 필요해. - نعم، أحتاجها.
2787. 약화하다 - لإضعاف
2788. 그녀는 입장을 약화시켰다. - لقد أضعفت موقفها.
2789. 우리는 지금 영향력을 약화시킨다. - سنضعف نفوذنا الآن.
2790. 당신들은 내일 제한을 약화시킬 것이다. - سوف تضعف القيود غداً
2791. 영향 줄어들었어? - أضعف نفوذنا؟
2792. 응, 줄었어. - نعم، لقد ضعفت.
2793. 최적화하다 - لتحسين
2794. 그는 프로세스를 최적화했다. - قام بتحسين العملية.
2795. 그녀는 지금 시스템을 최적화한다. - قامت بتحسين النظام الآن.
2796. 우리는 내일 웹사이트를 최적화할 것이다. - سنقوم بتحسين الموقع الإلكتروني غداً.
2797. 성능 좋아졌어? - هل الأداء أفضل؟
2798. 많이 좋아졌어. - إنه أفضل بكثير
2799. 활성화하다 - لتفعيل
2800. 그들은 기능을 활성화했다. - لقد قاموا بتفعيل الميزة.
2801. 나는 지금 계정을 활성화한다. - أنا أقوم بتفعيل الحساب الآن.
2802. 너는 내일 서비스를 활성화할 것이다. - ستقوم بتفعيل الخدمة غداً.
2803. 작동하나요? - هل تعمل؟
2804. 응, 잘 돼. - نعم، إنها تعمل.
2805. 비활성화하다 - لتعطيل
2806. 그녀는 알림을 비활성화했다. - لقد ألغيت تفعيل الإشعارات.
2807. 우리는 지금 옵션을 비활성화한다. - سنقوم بتعطيل الخيار الآن.
2808. 당신들은 내일 기능을 비활성화할 것이다. - ستقومون بتعطيل الميزة غداً.
2809. 더 이상 안 나와? - لن تخرج بعد الآن؟
2810. 아니, 안 나와. - لا، لن يحدث ذلك
2811. 연결하다 - للاتصال
2812. 나는 컴퓨터를 연결했다. - لقد قمت بتوصيل حاسوبي
2813. 너는 인터넷을 연결한다. - قمت بتوصيل الإنترنت.
2814. 그는 기기를 연결할 것이다. - سيقوم بتوصيل الجهاز.
2815. 연결 됐어? - هل أنت متصل؟

2816. 됐어. - تم.
2817. 분리하다 - للفصل
2818. 그녀는 두 부분을 분리했다. - تفصل بين الجزأين.
2819. 우리는 요소들을 분리한다. - نفصل العناصر.
2820. 당신들은 구성을 분리할 것이다. - ستفصل التركيب.
2821. 분라해야 해? - هل يجب أن نفصل؟
2822. 해야 해. - يجب عليك.
2823. 31. 명사 단어들 외우기, 필수 10개 동사의 단어들을 가지고 50문장 연습하기 - 31- احفظ الكلمات الاسمية، وتمرن على 50 جملة مع الكلمات الفعلية العشر الأساسية
2824. 가구 - الأثاث
2825. 모델 - نموذج
2826. 장난감 - لعبة
2827. 기계 - آلة
2828. 구조 - الهيكل
2829. 시스템 - النظام
2830. 선물 - هدية
2831. 상품 - سلع
2832. 박스 - صندوق
2833. 편지 - رسالة
2834. 패키지 - الطرد
2835. 상자 - صندوق
2836. 볼륨 - الحجم
2837. 뚜껑 - الغطاء
2838. 핸들 - المقبض
2839. 페이지 - الصفحة
2840. 채널 - القناة
2841. 장 - الصفحة
2842. 종이 - ورق
2843. 천 - قماش
2844. 나무 - الشجرة
2845. 국물 - حساء
2846. 음료 - مشروب
2847. 소스 - صلصة
2848. 요리 - الطبخ

2849. 스무디 - العصير
2850. 케이크 - الكعك
2851. 목욕 - الاستحمام
2852. 온천 - المنتجع الصحي
2853. 조립하다 - التجميع
2854. 그들은 가구를 조립했다. - قاموا بتجميع الأثاث.
2855. 나는 모델을 조립한다. - قمت بتجميع النموذج.
2856. 너는 장난감을 조립할 것이다. - ستقوم بتجميع اللعبة.
2857. 도와줄까? - هل تريدني أن أساعدك؟
2858. 좋아. - حسناً.
2859. 해체하다 - لتفكيك
2860. 그녀는 기계를 해체했다. - لقد فككت الآلة.
2861. 우리는 구조를 해체한다. - سنقوم بتفكيك الهيكل.
2862. 당신들은 시스템을 해체할 것이다. - ستقوم بتفكيك النظام.
2863. 해체 필요해? - هل تحتاج إلى تفكيك؟
2864. 필요해. - أحتاج
2865. 포장하다 - لتغليف
2866. 나는 선물을 포장했다. - سأغلف الهدية.
2867. 너는 상품을 포장한다. - سوف تحزم البضاعة.
2868. 그는 박스를 포장할 것이다. - سيقوم بتغليف الصناديق
2869. 끝났어? - هل انتهيت؟
2870. 아직. - لم أنتهي بعد
2871. 개봉하다 - لفتح
2872. 그녀는 편지를 개봉했다. - فتحت الرسالة.
2873. 우리는 패키지를 개봉한다. - سنقوم بتفريغ الطرد.
2874. 당신들은 상자를 개봉할 것이다. - ستفتح الصندوق
2875. 열어볼까? - هل نفتحه؟
2876. 열어봐. - افتحه
2877. 돌리다 - لتحويل
2878. 그들은 볼륨을 돌렸다. - أديروا الصوت.
2879. 나는 뚜껑을 돌린다. - أدير الغطاء
2880. 너는 핸들을 돌릴 것이다. - سوف تدير المقبض.
2881. 돌려야 돼? - هل يجب أن أديره؟
2882. 응, 돼. - نعم، يمكنك

2883. 넘기다 - أن تقلب
2884. 그녀는 페이지를 넘겼다. - قلبت الصفحة.
2885. 우리는 채널을 넘긴다. - ندير القناة.
2886. 당신들은 장을 넘길 것이다. - ستقلب الفصل.
2887. 넘길까? - هل نقلب الصفحة؟
2888. 넘겨. - نقلب
2889. 자르다 - لقص
2890. 나는 종이를 자르다. - أقطع الورقة
2891. 너는 천을 자른다. - ستقطع القماش
2892. 그는 나무를 자를 것이다. - سيقطع الخشب.
2893. 자를까? - هل نقطع؟
2894. 자르자. - لنقطع
2895. 저다 - لتحريك
2896. 그녀는 국물을 저었다. - حركت المرق.
2897. 우리는 음료를 젓는다. - نحرك الشراب.
2898. 당신들은 소스를 저을 것이다. - ستقلبون المرق.
2899. 더 저을까? - هل نقلب أكثر؟
2900. 응, 저어. - نعم، حركوا
2901. 맛보다 - للتذوق
2902. 그들은 새 요리를 맛보았다. - تذوقوا الطبق الجديد.
2903. 나는 스무디를 맛본다. - سأتذوق العصير.
2904. 너는 케이크를 맛볼 것이다. - سوف تتذوق الكعكة.
2905. 맛있어? - هل هو لذيذ؟
2906. 맛있어. - إنه لذيذ
2907. 목욕하다 - للاستحمام
2908. 그녀는 긴 목욕을 했다. - أخذت حماماً طويلاً.
2909. 우리는 온천에서 목욕한다. - نستحم في الينابيع الساخنة.
2910. 당신들은 집에서 목욕할 것이다. - سوف تستحم في المنزل.
2911. 뜨거워? - هل هو ساخن؟
2912. 적당해. - إنه مناسب تماماً.
2913. 32. 명사 단어들 외우기, 필수 10개 동사의 단어들을 가지고 50문장 연습하기 - 32. احفظ الكلمات الاسمية، وتدرب على 50 جملة بكلمات الأفعال العشرة الأساسية
2914. 샤워 - الاستحمام
2915. 드레스 - اللباس

2916. 유니폼 - الزي الرسمي
2917. 옷 - الملابس
2918. 잠옷 - البيجامة
2919. 신발 - أحذية
2920. 코트 - معطف
2921. 파티복 - ملابس الحفلات
2922. 운동복 - ملابس رياضية
2923. 머리 - الرأس
2924. 고양이 - قطة
2925. 말 - كلمة
2926. 방 - غرفة
2927. 트리 - شجرة
2928. 집 - منزل
2929. 문서 - مستند
2930. 보고서 - تقرير
2931. 이메일 - البريد الإلكتروني
2932. 그림 - رسم
2933. 스케치 - رسم تخطيطي
2934. 만화 - كتاب هزلي
2935. 길 - الطريق
2936. 눈길 - خط الرؤية
2937. 정글 - الغابة
2938. 샤워하다 - الاستحمام
2939. 나는 아침에 샤워했다. - استحممت في الصباح
2940. 너는 지금 샤워한다. - استحم الآن.
2941. 그는 저녁에 샤워할 것이다. - سوف يستحم في المساء.
2942. 빨리 할까? - هلا فعلنا ذلك بسرعة؟
2943. 빨리 해. - افعلها بسرعة
2944. 입다 - لترتدي
2945. 그녀는 드레스를 입었다. - ترتدي الثوب.
2946. 우리는 유니폼을 입는다. - نرتدي الزي الرسمي.
2947. 당신들은 새 옷을 입을 것이다. - سترتدون ملابس جديدة.
2948. 예뻐? - هل هو جميل؟
2949. 예뻐. - إنه جميل

2950. 벗다 - لخلع
2951. 그들은 잠옷을 벗었다. - خلعوا ملابس النوم.
2952. 나는 신발을 벗는다. - سأخلع حذائي.
2953. 너는 코트를 벗을 것이다. - ستخلعين معطفك
2954. 춥지 않아? - ألا تشعرين بالبرد؟
2955. 괜찮아. - أنا بخير
2956. 갈아입다 - للتغيير
2957. 그녀는 파티복으로 갈아입었다. - غيرت ملابسها إلى ملابس الحفلة.
2958. 우리는 운동복으로 갈아입는다. - سنغير إلى ملابسنا الرياضية.
2959. 당신들은 편안한 옷으로 갈아입을 것이다. - ستغير إلى ملابس مريحة.
2960. 빨리 할 수 있어? - هل يمكنك فعل ذلك بسرعة؟
2961. 할 수 있어. - يمكنني القيام بذلك.
2962. 빗다 - أن أمشط
2963. 나는 머리를 빗었다. - أمشط شعري.
2964. 너는 고양이를 빗는다. - ستمشطين القطة
2965. 그는 말을 빗을 것이다. - سوف يمشط الحصان.
2966. 도와줄까? - هل تريدني أن أساعدك؟
2967. 좋아. - حسناً
2968. 꾸미다 - لتزيين
2969. 그녀는 방을 꾸몄다. - لقد زينت غرفتها
2970. 우리는 트리를 꾸민다. - سنزين الشجرة.
2971. 당신들은 집을 꾸밀 것이다. - سوف تزين المنزل.
2972. 예쁘게 할까? - هل نجعله جميلاً؟
2973. 그래, 예쁘게. - نعم، تزيينه
2974. 단장하다 - للتزيين
2975. 그들은 축제에 맞춰 단장했다. - لقد تأنقوا من أجل المهرجان.
2976. 나는 면접에 맞춰 단장한다. - سوف أتأنق لمقابلة عمل.
2977. 너는 결혼식에 맞춰 단장할 것이다. - ستتأنقين من أجل الزفاف.
2978. 준비 됐어? - هل أنتِ مستعدة؟
2979. 됐어. - أنا مستعدة
2980. 교정하다 - للتدقيق اللغوي
2981. 그녀는 문서를 교정했다. - قامت بتدقيق المستند.
2982. 우리는 보고서를 교정한다. - نحن نصحح التقرير لغوياً
2983. 당신들은 이메일을 교정할 것이다. - أنتم يا رفاق ستدققون البريد الإلكتروني.

2984. 오류 있어? - هل من أخطاء؟
2985. 없어. - لا يوجد
2986. 채색하다 - للتلوين
2987. 나는 그림에 채색했다. - قمت بتلوين الصورة.
2988. 너는 스케치를 채색한다. - ستقوم بتلوين الرسم.
2989. 그는 만화를 채색할 것이다. - سيقوم بتلوين الرسم الكرتوني.
2990. 끝났어? - هل انتهيت؟
2991. 거의. - أوشكت على الانتهاء
2992. 헤치다 - للتحوط
2993. 그녀는 길을 헤쳤다. - لقد تحوطت طريقها.
2994. 우리는 눈길을 헤친다. - نحن نحرث خلال الثلج.
2995. 당신들은 정글을 헤칠 것이다. - سوف تنجح في الغابة
2996. 힘들어? - صعبة؟
2997. 좀 힘들어. - إنها صعبة بعض الشيء
2998. 33. 명사 단어들 외우기, 필수 10개 동사의 단어들을 가지고 50문장 연습하기 - 33. احفظ الكلمات الاسمية، وتدرب على 50 جملة بكلمات الأفعال العشرة الأساسية
2999. 팬케이크 - فطيرة
3000. 책장 - رف الكتب
3001. 매트 - حصيرة
3002. 공원 - حديقة
3003. 해변 - الشاطئ
3004. 산길 - الممر الجبلي
3005. 줄넘기 - حبل القفز
3006. 장애물 - عقبة
3007. 역사 - التاريخ
3008. 수학 - الرياضيات
3009. 과학 - العلوم
3010. 기술 - التكنولوجيا
3011. 레시피 - الوصفة
3012. 노래 - الغناء
3013. 시 - المدينة
3014. 공식 - رسمي
3015. 단어 - كلمة
3016. 시장 - السوق

3017. 문화 - الثقافة
3018. 생태계 - النظام البيئي
3019. 우주 - الكون
3020. 인간 마음 - العقل البشري
3021. 심해 - أعماق البحار
3022. 방법 - الطريقة
3023. 화학 반응 - التفاعل الكيميائي
3024. 생물학적 실험 - تجربة بيولوجية
3025. 제품 - المنتج
3026. 능력 - القدرة
3027. 뒤집다 - على التقليب
3028. 그들은 팬케이크를 뒤집었다. - قلبت الفطائر
3029. 나는 책장을 뒤집는다. - أقلب رف الكتب
3030. 너는 매트를 뒤집을 것이다. - سوف تقلب الحصيرة.
3031. 잘 됐어? - هل سار الأمر على ما يرام؟
3032. 잘 됐어. - سار الأمر بشكل جيد
3033. 뛰다 - ركضت
3034. 그녀는 공원을 뛰었다. - ركضت في الحديقة.
3035. 우리는 해변을 뛴다. - ركضنا على الشاطئ.
3036. 당신들은 산길을 뛸 것이다. - ستركضون على الممرات الجبلية.
3037. 피곤해? - هل أنت متعب؟
3038. 아니, 괜찮아. - لا، أنا بخير
3039. 점프하다 - للقفز
3040. 나는 높이 점프했다. - قفزت عالياً
3041. 너는 줄넘기를 점프한다. - سوف تقفز الحبل
3042. 그는 장애물을 점프할 것이다. - سوف يقفز العقبة.
3043. 할 수 있어? - هل تستطيع فعلها؟
3044. 할 수 있어. - أستطيع أن أفعلها
3045. 공부하다 - للدراسة
3046. 그녀는 역사를 공부했다. - درست التاريخ.
3047. 우리는 수학을 공부한다. - نحن ندرس الرياضيات.
3048. 당신들은 과학을 공부할 것이다. - ستدرسون العلوم.
3049. 어려워? - هل هي صعبة؟
3050. 조금 어려워. - صعبة قليلاً

3051. 익히다 - لإتقان
3052. 그들은 새로운 기술을 익혔다. - أتقنوا مهارة جديدة.
3053. 나는 레시피를 익힌다. - أتقن وصفة.
3054. 너는 노래를 익힐 것이다. - سوف تتقن الأغنية.
3055. 쉬워? - هل هي سهلة؟
3056. 쉬워. - إنها سهلة
3057. 암기하다 - أن تحفظ
3058. 그녀는 시를 암기했다. - لقد حفظت القصيدة.
3059. 우리는 공식을 암기한다. - نحن نحفظ الصيغ.
3060. 당신들은 단어를 암기할 것이다. - سوف تحفظ الكلمات.
3061. 외웠어? - هل حفظتها؟
3062. 외웠어. - لقد حفظتها
3063. 연구하다 - للدراسة
3064. 나는 시장을 연구했다. - درست السوق.
3065. 너는 문화를 연구한다. - ستدرس الثقافة
3066. 그는 생태계를 연구할 것이다. - ستدرس النظام البيئي.
3067. 발견했어? - هل وجدته؟
3068. 발견했어. - وجدته
3069. 탐구하다 - استكشفت
3070. 그녀는 우주를 탐구했다. - استكشفت الكون.
3071. 우리는 인간 마음을 탐구한다. - سنستكشف العقل البشري.
3072. 당신들은 심해를 탐구할 것이다. - سوف تستكشف أعماق البحار.
3073. 무엇을 탐구해? - استكشاف ماذا؟
3074. 심해를 탐구해. - استكشاف أعماق البحار
3075. 실험하다 - لتجربة
3076. 나는 새로운 방법을 실험했다. - جربت طريقة جديدة.
3077. 너는 화학 반응을 실험한다. - ستجرب تفاعلات كيميائية.
3078. 그는 생물학적 실험을 할 것이다. - سوف يقوم بتجربة بيولوجية.
3079. 성공했어? - هل نجحت؟
3080. 네, 성공했어. - نعم، لقد نجحت.
3081. 시험하다 - لاختبار
3082. 그들은 제품을 시험했다. - لقد اختبروا المنتج.
3083. 나는 내 능력을 시험한다. - اختبرت قدراتي.
3084. 너는 새 기술을 시험할 것이다. - سوف تختبر مهاراتك الجديدة.

3085. 어때? - كيف يسير الأمر؟
3086. 잘 작동해. - يعمل بشكل جيد.
3087. 34. 명사 단어들 외우기, 필수 10개 동사의 단어들을 가지고 50문장 연습하기 - 34. احفظ الكلمات الاسمية، تدرب على 50 جملة مع 10 كلمات فعلية أساسية
3088. 친구 - صديق
3089. 대화 - المحادثة
3090. 주제 - الموضوع
3091. 세계 평화 - السلام العالمي
3092. 팀 - فريق
3093. 가족 - العائلة
3094. 다국어 - متعدد اللغات
3095. 질문 - سؤال
3096. 퀴즈 - سؤال
3097. 인터뷰 질문 - أسئلة المقابلة
3098. 사건 - الحدث
3099. 독립 기념일 - الرابع
3100. 업적 - الإنجازات
3101. 졸업 - التخرج
3102. 승진 - الترقية
3103. 생일 - عيد ميلاد
3104. 영웅 - بطل
3105. 역사적 사건 - حادثة تاريخية
3106. 인물 - شخصية
3107. 사람 - شخص
3108. 학생 - طالب
3109. 노력 - مجهود
3110. 성취 - الإنجاز
3111. 성공 - النجاح
3112. 실수 - خطأ
3113. 부정적 행동 - السلوك السلبي
3114. 불공정 - غير عادل
3115. 대화하다 - للمعاكسة
3116. 그녀는 친구와 깊은 대화를 했다. - أجرت محادثة عميقة مع صديقتها.
3117. 우리는 중요한 주제에 대해 대화한다. - نتحدث عن مواضيع مهمة.

3118. 당신들은 세계 평화에 대해 대화할 것이다. - ستتحدث عن السلام العالمي.
3119. 흥미로워? - مثير للاهتمام؟
3120. 매우 흥미로워. - مثير جداً للاهتمام
3121. 소통하다 - للتواصل
3122. 나는 팀과 효과적으로 소통했다. - تواصلت بشكل فعال مع فريقي.
3123. 너는 가족과 소통한다. - تواصلت مع عائلتك.
3124. 그는 다국어로 소통할 것이다. - سوف يتواصل بلغات متعددة.
3125. 쉬워? - هل هذا سهل؟
3126. 노력이 필요해. - يتطلب الأمر جهداً
3127. 답하다 - للإجابة
3128. 그들은 내 질문에 답했다. - أجابوا على سؤالي.
3129. 나는 퀴즈에 답한다. - سأجيب على الاختبار.
3130. 너는 인터뷰 질문에 답할 것이다. - ستجيب على أسئلة المقابلة.
3131. 준비됐어? - هل أنت مستعد؟
3132. 예, 준비됐어. - نعم، أنا مستعد
3133. 기념하다 - لإحياء ذكرى
3134. 그녀는 중요한 사건을 기념했다. - أحيت ذكرى حدث مهم.
3135. 우리는 독립 기념일을 기념한다. - سنحتفل بعيد الاستقلال.
3136. 당신들은 업적을 기념할 것이다. - سوف تحتفل بإنجاز
3137. 언제야? - متى؟
3138. 내일이야. - غداً
3139. 경축하다 - للاحتفال
3140. 나는 졸업을 경축했다. - سأحتفل بتخرجي.
3141. 너는 승진을 경축한다. - ستحتفل بترقيتك.
3142. 그는 생일을 경축할 것이다. - سيحتفل بعيد ميلاده.
3143. 파티 할 거야? - هل ستحتفل؟
3144. 그래, 파티할 거야. - نعم، سنحتفل.
3145. 추모하다 - لإحياء ذكرى
3146. 그녀는 영웅을 추모했다. - لقد أحيت ذكرى البطل.
3147. 우리는 역사적 사건을 추모한다. - نحن نخلد ذكرى الأحداث التاريخية.
3148. 당신들은 위대한 인물을 추모할 것이다. - سوف تخلد ذكرى شخص عظيم
3149. 슬픈 날이야? - هل هو يوم حزين؟
3150. 네, 매우 슬퍼. - نعم، حزين جداً
3151. 위로하다 - لمواساة

3152. 나는 친구를 위로했다. - لقد واسيت صديقي.
3153. 너는 슬픈 이를 위로한다. - أنت تواسي الشخص الحزين
3154. 그는 가족을 위로할 것이다. - سوف يواسي عائلته.
3155. 괜찮아졌어? - هل تشعر بتحسن؟
3156. 조금 나아졌어. - أشعر بتحسن
3157. 격려하다 - لتشجيع
3158. 그들은 서로를 격려했다. - شجعوا بعضهم البعض.
3159. 나는 너를 격려한다. - أنا أشجعك
3160. 너는 팀을 격려할 것이다. - سوف تشجع الفريق.
3161. 힘낼래? - هل ستشجع؟
3162. 네, 힘낼게! - نعم، سأشجعك!
3163. 칭찬하다 - للثناء
3164. 그녀는 학생의 노력을 칭찬했다. - أشادت بمجهود الطالب.
3165. 우리는 성취를 칭찬한다. - سنثني على الإنجازات.
3166. 당신들은 성공을 칭찬할 것이다. - سوف تثني على نجاحك.
3167. 잘했어? - هل قمت بعمل جيد؟
3168. 너무 잘했어! - لقد أبليت بلاءً حسناً!
3169. 비난하다 - أن تنتقد
3170. 나는 실수를 비난했다. - سوف تلوم الخطأ
3171. 너는 부정적 행동을 비난한다. - سوف تدين السلوك السلبي.
3172. 그는 불공정을 비난할 것이다. - سوف يدين الظلم.
3173. 그게 맞아? - هل هذا صحيح؟
3174. 아니, 잘못됐어. - لا، هذا خطأ.
3175. 35. 명사 단어들 외우기, 필수 10개 동사의 단어들을 가지고 50문장 연습하기 - 35- احفظ الكلمات الاسمية، وتمرن على 50 جملة مع الكلمات الفعلية العشر الأساسية
3176. 정책 - السياسة
3177. 아이디어 - فكرة
3178. 계획 - خطة
3179. 동료 - زميل
3180. 리더 - قائد
3181. 파트너 - شريك
3182. 경고 - تحذير
3183. 조언 - نصيحة
3184. 위험 - الخطر

3185. 변경사항 - التغييرات
3186. 결정 - قرار
3187. 결과 - النتيجة
3188. 회의 일정 - الجدول الزمني للاجتماع
3189. 이벤트 - الحدث
3190. 변경 - التغيير
3191. 데이터 - البيانات
3192. 시스템 - النظام
3193. 기계 - الماكينة
3194. 스케줄 - الجدول الزمني
3195. 전략 - الاستراتيجية
3196. 규칙 - القاعدة
3197. 방침 - السياسة
3198. 기회 - الفرصة
3199. 자원 - الموارد
3200. 정보 - المعلومات
3201. 계약 - العقد
3202. 멤버십 - العضوية
3203. 라이선스 - التراخيص
3204. 비판하다 - الانتقاد
3205. 그들은 정책을 비판했다. - انتقدوا السياسة
3206. 나는 아이디어를 비판한다. - انتقدوا الفكرة
3207. 너는 계획을 비판할 것이다. - انتقدت الخطة
3208. 개선 필요해? - هل تحتاج إلى تحسين؟
3209. 네, 필요해. - نعم، تحتاج إلى ذلك.
3210. 신뢰하다 - أن تثق
3211. 그녀는 동료를 신뢰했다. - لقد وثقت بزميلها في العمل.
3212. 우리는 리더를 신뢰한다. - نحن نثق بقادتنا.
3213. 당신들은 파트너를 신뢰할 것이다. - سوف تثق بشريكك.
3214. 믿을 수 있어? - هل يمكنك الوثوق بهم؟
3215. 물론이야. - بالطبع
3216. 주의하다 - للإصغاء
3217. 나는 경고를 주의했다. - لقد أصغيت للتحذير
3218. 너는 조언을 주의한다. - استجب للنصيحة

3219. 그는 위험을 주의할 것이다. - سوف يحذر من الخطر.
3220. 조심해야 해? - هل يجب أن أكون حذراً؟
3221. 예, 조심해. - نعم، كن حذراً
3222. 통보하다 - للإخطار
3223. 그들은 변경사항을 통보했다. - أبلغوا بالتغيير.
3224. 나는 결정을 통보한다. - سأقوم بإبلاغ القرار.
3225. 너는 결과를 통보할 것이다. - سوف تبلغ النتيجة.
3226. 알려줄 거야? - هل ستبلغني؟
3227. 네, 알려줄게. - نعم، سأبلغك.
3228. 공지하다 - للإعلان
3229. 그녀는 회의 일정을 공지했다. - لقد أعطت إشعارًا بالاجتماع.
3230. 우리는 이벤트를 공지한다. - سنعلن عن الحدث.
3231. 당신들은 변경을 공지할 것이다. - ستعلن عن التغيير.
3232. 언제 시작해? - متى سيبدأ؟
3233. 내일 시작해. - سنبدأ غداً.
3234. 조작하다 - للتلاعب
3235. 나는 데이터를 조작했다. - تلاعبت بالبيانات
3236. 너는 시스템을 조작한다. - تلاعبت بالنظام
3237. 그는 기계를 조작할 것이다. - سيقوم بتشغيل الآلة.
3238. 쉬워? - هل هو سهل؟
3239. 아니, 어려워. - لا، إنه صعب
3240. 조정하다 - للتنسيق
3241. 그들은 계획을 조정했다. - قاموا بتنسيق خططهم.
3242. 나는 스케줄을 조정한다. - سأقوم بتعديل الجدول الزمني.
3243. 너는 전략을 조정할 것이다. - سوف تعدل خطتك.
3244. 변경됐어? - هل تغيرت؟
3245. 네, 변경됐어. - نعم، لقد تغيرت
3246. 적용하다 - لتطبيق
3247. 그녀는 규칙을 적용했다. - طبقت القاعدة.
3248. 우리는 정책을 적용한다. - سنطبق السياسة.
3249. 당신들은 방침을 적용할 것이다. - ستطبق السياسة.
3250. 필요해? - هل تحتاجها؟
3251. 네, 필요해. - نعم، أحتاجها
3252. 활용하다 - للاستفادة

3253. 나는 기회를 활용했다. - استغلت الفرصة
3254. 너는 자원을 활용한다. - سوف تستفيد من الموارد.
3255. 그는 정보를 활용할 것이다. - سوف يستفيد من المعلومات.
3256. 유용해? - مفيدة؟
3257. 매우 유용해. - مفيد جداً
3258. 갱신하다 - لتجديد
3259. 그들은 계약을 갱신했다. - لقد جددوا العقد.
3260. 나는 멤버십을 갱신한다. - لقد جددت عضويتي.
3261. 너는 라이선스를 갱신할 것이다. - سوف تجدد رخصتك.
3262. 필요한 거야? - هل تحتاجها؟
3263. 예, 필요해. - نعم، أحتاجها.
3264. 36. 명사 단어들 외우기, 필수 10개 동사의 단어들을 가지고 50문장 연습하기 - 36- احفظ الكلمات الاسمية، وتمرن على 50 جملة مع الكلمات الفعلية العشر الأساسية
3265. 소프트웨어 - البرمجيات
3266. 시스템 - نظام
3267. 하드웨어 - الأجهزة
3268. 파일 - ملف
3269. 아이콘 - أيقونة
3270. 이미지 - صورة
3271. 그룹 - المجموعة
3272. 경로 - مسار
3273. 계획 - خطة
3274. 위험 - الخطر
3275. 루틴(습관) - العادة)الروتين(
3276. 지루함 - الملل
3277. 문제 - المشاكل
3278. 책임 - المسؤولية
3279. 현장 - الموقع
3280. 도둑 - لص
3281. 꿈 - الحلم
3282. 목표 - الهدف
3283. 고양이 - قطة
3284. 행복 - السعادة
3285. 성공 - النجاح

3286. 순간 - لحظة
3287. 기회 - فرصة
3288. 장면 - المشهد
3289. 변화 - التغيير
3290. 상황 - الموقف
3291. 필요 - ضروري
3292. 업그레이드하다 - للترقية
3293. 그녀는 소프트웨어를 업그레이드했다. - قامت بترقية برنامجها.
3294. 우리는 시스템을 업그레이드한다. - سنقوم بترقية النظام.
3295. 당신들은 하드웨어를 업그레이드할 것이다. - ستقومون بترقية الأجهزة.
3296. 더 좋아질까? - هل سيكون أفضل؟
3297. 분명히 그래. - أنا متأكد من ذلك
3298. 드래그하다 - لسحب
3299. 나는 파일을 드래그했다. - قمت بسحب ملف
3300. 너는 아이콘을 드래그한다. - سحبت أيقونة
3301. 그는 이미지를 드래그할 것이다. - سيسحب الصور.
3302. 쉬운 일이야? - هل هذا سهل؟
3303. 네, 매우 쉬워. - نعم، سهل جداً.
3304. 이탈하다 - للمغادرة
3305. 그들은 그룹에서 이탈했다. - انحرفوا عن المجموعة.
3306. 나는 경로에서 이탈한다. - انحرفت عن المسار.
3307. 너는 계획에서 이탈할 것이다. - ستنحرف عن الخطة.
3308. 계획 변경해? - تغيير الخطة؟
3309. 네, 변경해. - نعم، تغييرها.
3310. 탈출하다 - للهروب
3311. 그녀는 위험에서 탈출했다. - هربت من الخطر.
3312. 우리는 루틴에서 탈출한다. - ستهرب من الروتين
3313. 당신들은 지루함에서 탈출할 것이다. - ستهرب من الملل.
3314. 벗어날 수 있어? - هل يمكنك الهروب؟
3315. 예, 벗어날 수 있어. - نعم، يمكنك الهروب.
3316. 도망치다 - أن تهرب من
3317. 나는 문제에서 도망쳤다. - أهرب من المشاكل
3318. 너는 책임에서 도망친다. - ستهرب من المسؤولية
3319. 그는 현장에서 도망칠 것이다. - ستهرب من المشهد

3320. 두려워? - هل أنت خائف؟

3321. 아니, 두렵지 않아. - لا، لست خائفاً

3322. 추격하다 - للمطاردة

3323. 그들은 도둑을 추격했다. - طاردوا اللص.

3324. 나는 꿈을 추격한다. - أنا أطارد الأحلام

3325. 너는 목표를 추격할 것이다. - ستطارد هدفك

3326. 따라잡을 수 있어? - هل يمكنك اللحاق به؟

3327. 네, 할 수 있어. - نعم، أستطيع

3328. 쫓다 - مطاردة

3329. 그녀는 고양이를 쫓았다. - طاردت القطة

3330. 우리는 행복을 쫓는다. - نحن نطارد السعادة.

3331. 당신들은 성공을 쫓을 것이다. - ستطارد النجاح.

3332. 성공할까? - هل ستنجح؟

3333. 네, 분명히 성공해. - نعم، ستنجح بالتأكيد.

3334. 포착하다 - أن تغتنم

3335. 나는 순간을 포착했다. - اغتنمت الفرصة

3336. 너는 기회를 포착한다. - ستغتنم الفرصة

3337. 그는 장면을 포착할 것이다. - سوف يلتقط المشهد.

3338. 멋진 사진이야? - هل هذه صورة جميلة؟

3339. 네, 정말 멋져. - نعم، إنها جميلة حقاً.

3340. 감지하다 - للإحساس

3341. 나는 변화를 감지했다. - أحسست بتغير

3342. 너는 위험을 감지한다. - ستشعر بالخطر.

3343. 그는 기회를 감지할 것이다. - سوف يستشعر فرصة.

3344. 뭔가 느껴져? - هل تشعر بشيء ما؟

3345. 네, 뭔가 느껴져. - نعم، أشعر بشيء ما

3346. 인지하다 - تستشعر

3347. 그녀는 문제를 인지했다. - أدركت مشكلة

3348. 우리는 상황을 인지한다. - نحن ندرك الموقف.

3349. 당신들은 필요를 인지할 것이다. - سوف تدرك الحاجة.

3350. 알고 있어? - هل تدرك؟

3351. 네, 알고 있어. - نعم، أدرك.

3352. 37. 명사 단어들 외우기, 필수 10개 동사의 단어들을 가지고 50문장 연습하기 - 37. احفظ الكلمات الاسمية، وتدرب على 50 جملة مع الكلمات الفعلية العشر الأساسية

3353. 핵심 - الأساسية
3354. 진실 - الحقيقة
3355. 해결책 - الحل
3356. 발표 - العرض التقديمي
3357. 기타 - إلخ
3358. 스피치(말) - كلمات(الكلام)
3359. 영어 - الإنجليزية
3360. 코딩 - الترميز
3361. 요리 - الطبخ
3362. 게임 - الألعاب
3363. 악기 - الآلات
3364. 기술 - التكنولوجيا
3365. 환경 - البيئة
3366. 변화 - التغيير
3367. 도전 - التحدي
3368. 규칙 - القاعدة
3369. 조건 - الشرط
3370. 기준 - المعيار
3371. 칼 - سكين
3372. 배트 - مضرب
3373. 막대기 - قضيب
3374. 공 - كرة
3375. 종이비행기 - طائرة ورقية
3376. 주사위 - نرد
3377. 손 - يد
3378. 기회 - فرصة
3379. 아기 - طفل رضيع
3380. 강아지 - جرو
3381. 책 - كتاب
3382. 파악하다 - للإمساك
3383. 우리는 핵심을 파악했다. - نحن نستوعب الجوهر
3384. 당신들은 진실을 파악한다. - أنتم تستوعبون الحقيقة
3385. 그들은 해결책을 파악할 것이다. - ستفهمون الحل
3386. 이해했어? - هل تفهمون؟

3387. 네, 이해했어. - نعم، أفهم
3388. 연습하다 - للتدرب
3389. 나는 발표를 연습했다. - تدربت على عرضي التقديمي
3390. 너는 기타를 연습한다. - تدربت على الجيتار
3391. 그는 스피치를 연습할 것이다. - يتدرب على خطابه.
3392. 열심히 하고 있니? - هل تتدرب بجد؟
3393. 응, 열심히 해. - نعم، أنا أتدرب بجد.
3394. 숙달하다 - لإتقان
3395. 그녀는 영어를 숙달했다. - لقد أتقنت اللغة الإنجليزية.
3396. 우리는 코딩을 숙달한다. - نحن نتقن البرمجة.
3397. 당신들은 요리를 숙달할 것이다. - أنتم تتقنون الطبخ
3398. 잘하게 됐어? - هل أتقنتها؟
3399. 네, 잘하게 됐어. - نعم، لقد أتقنتها.
3400. 마스터하다 - أتقنته
3401. 우리는 게임을 마스터했다. - نحن نتقن اللعبة.
3402. 당신들은 악기를 마스터한다. - أتقنت آلة موسيقية
3403. 그들은 기술을 마스터할 것이다. - تتقن مهارة.
3404. 전문가야? - هل أنت خبير؟
3405. 네, 전문가야. - نعم، إنهم خبراء
3406. 적응하다 - للتكيف
3407. 나는 새 환경에 적응했다. - تكيفت مع البيئة الجديدة.
3408. 너는 변화에 적응한다. - تكيفت مع التغيير
3409. 그는 도전에 적응할 것이다. - سوف يتكيف مع التحدي.
3410. 괜찮아지고 있어? - هل تتحسن؟
3411. 네, 괜찮아지고 있어. - نعم، أنا أتحسن
3412. 순응하다 - تتكيف
3413. 그녀는 규칙에 순응했다. - تتوافق مع القواعد.
3414. 우리는 조건에 순응한다. - نحن نتوافق مع الشروط.
3415. 당신들은 기준에 순응할 것이다. - سوف تتوافق مع المعايير.
3416. 쉽게 따라가? - هل تتبع بسهولة؟
3417. 응, 쉽게 따라가. - نعم، أتبع بسهولة.
3418. 휘두르다 - أن أستخدم
3419. 나는 칼을 휘둘렀다. - أنا أستخدم السيف.
3420. 너는 배트를 휘두른다. - ستلوح بالعصا

3421. 그는 막대기를 휘두를 것이다. - سوف يلوح بالعصا.
3422. 잘 할 수 있어? - هل يمكنك القيام بذلك بشكل جيد؟
3423. 네, 잘 할 수 있어. - نعم، أستطيع أن أفعل ذلك بشكل جيد.
3424. 던지다 - أن ترمي
3425. 그녀는 공을 던졌다. - رمت الكرة.
3426. 우리는 종이비행기를 던진다. - سنرمي الطائرات الورقية.
3427. 당신들은 주사위를 던질 것이다. - سترمي النرد.
3428. 멀리 갈까? - هل ستذهب بعيداً؟
3429. 응, 멀리 갈 거야. - نعم، ستذهب بعيداً.
3430. 잡다 - لالتقاط
3431. 그는 공을 잡았다. - أمسك الكرة.
3432. 너는 손을 잡는다. - ستمسك باليد
3433. 그녀는 기회를 잡을 것이다. - سوف تستغل الفرصة.
3434. 공 잡을래? - هل ستمسك الكرة؟
3435. 네, 잡을게. - نعم، سألتقطها
3436. 눕히다 - أن تستلقي
3437. 나는 아기를 눕혔다. - أضع الطفل أرضاً
3438. 우리는 강아지를 눕힌다. - سنضع الجرو أرضاً
3439. 당신들은 책을 눕힐 것이다. - ستضعين الكتاب أرضاً
3440. 아기 재울래? - هل تريدين وضع الطفل في السرير؟
3441. 네, 지금 할게. - نعم، سأفعل ذلك الآن.
3442. 38. 명사 단어들 외우기, 필수 10개 동사의 단어들을 가지고 50문장 연습하기 - 38- احفظ الكلمات الاسمية وتدرب على 50 جملة مع الكلمات الفعلية العشر الأساسية
3443. 인형 - دمية
3444. 모형 - نموذج
3445. 자전거 - دراجة
3446. 음식 - طعام
3447. 책 - كتاب
3448. 차 - سيارة
3449. 창문 - نافذة
3450. 문 - باب
3451. 상자 - صندوق
3452. 가방 - حقيبة
3453. 불 - حريق

3454. 컴퓨터 - كمبيوتر
3455. 텔레비전 - تلفاز
3456. 라디오 - راديو
3457. 등 - إلخ.
3458. 엔진 - المحرك
3459. 방 - غرفة
3460. 길 - الطريق
3461. 화면 - الشاشة
3462. 눈 - العين
3463. 그림 - اللوحة
3464. 감정 - العاطفة
3465. 실력 - المهارة
3466. 성과 - النتيجة
3467. 세우다 - لإعداد
3468. 그녀는 인형을 세웠다. - قامت بإعداد الدمية.
3469. 그들은 모형을 세운다. - قاموا بإعداد نموذج.
3470. 나는 자전거를 세울 것이다. - سأقوم بإعداد دراجة.
3471. 모형 세울까? - هل ننصب نموذجاً؟
3472. 좋아, 세우자. - حسناً، لننصبها.
3473. 덮다 - لتغطية
3474. 우리는 음식을 덮었다. - غطينا الطعام.
3475. 당신은 책을 덮는다. - ستغطي الكتاب.
3476. 그들은 차를 덮을 것이다. - ستغطي السيارة.
3477. 이불 덮을래? - هل تريد تغطية اللحاف؟
3478. 아니, 괜찮아. - لا، لا بأس
3479. 열다 - لفتح
3480. 그녀는 창문을 열었다. - فتحت النافذة
3481. 나는 문을 연다. - أفتح الباب
3482. 우리는 상자를 열 것이다. - سنفتح الصندوق
3483. 문 열까? - هل أفتح الباب؟
3484. 네, 열어줘. - نعم، افتحه لي
3485. 닫다 - أغلق
3486. 그는 책을 닫았다. - أغلق الكتاب
3487. 그녀는 상자를 닫는다. - أغلقت الصندوق.

3488. 너는 가방을 닫을 것이다. - ستغلق الحقيبة
3489. 창문 닫을래? - هل ستغلق النافذة؟
3490. 네, 닫을게. - نعم، سأغلقها.
3491. 켜다 - لتشغيل
3492. 우리는 불을 켰다. - أشعلنا الضوء.
3493. 당신들은 컴퓨터를 켠다. - ستشغلون الحاسوب
3494. 그들은 텔레비전을 켤 것이다. - سيشغلون التلفاز
3495. 불 켤까? - هل نشغل الضوء؟
3496. 좋아, 켜자. - حسناً، لنشغله
3497. 끄다 - لإطفاء
3498. 나는 라디오를 껐다. - أطفأت الراديو.
3499. 그녀는 등을 끈다. - أطفأت الأنوار.
3500. 그는 차의 엔진을 끌 것이다. - سيطفئ محرك السيارة.
3501. 등 끌래? - هل تريد إطفاء الأنوار؟
3502. 네, 끌게. - نعم، سأطفئه.
3503. 밝히다 - أن تضيء
3504. 그녀는 방을 밝혔다. - لقد أضاءت الغرفة.
3505. 우리는 등을 밝힌다. - سنضيء الأنوار.
3506. 당신들은 길을 밝힐 것이다. - سوف تضيء الطريق.
3507. 더 밝게 할까? - هل نجعلها أكثر إشراقا؟
3508. 그래, 좋아. - نعم، حسناً
3509. 어둡게 하다 - أظلم
3510. 그는 화면을 어둡게 했다. - أظلم الشاشة.
3511. 너는 방을 어둡게 한다. - ستقوم بتعتيم الغرفة.
3512. 그녀는 불빛을 어둡게 할 것이다. - ستقوم بتعتيم الأضواء.
3513. 조명 낮출까? - هل تريدني أن أخفت الأضواء؟
3514. 네, 부탁해. - نعم، من فضلك
3515. 가리다 - لتغطية
3516. 나는 눈을 가렸다. - أغطي عيني.
3517. 우리는 창문을 가린다. - سنغطي النوافذ.
3518. 그들은 그림을 가릴 것이다. - سوف يغطون اللوحة.
3519. 이걸로 가릴까? - هل نغطيها بهذا؟
3520. 좋아, 그게 좋겠어. - حسناً، سيكون ذلك جيداً
3521. 보이다 - لإظهار

3522. 그녀는 감정을 보였다. - إنها تُظهر العاطفة.
3523. 그는 실력을 보인다. - يُظهر المهارة.
3524. 너는 성과를 보일 것이다. - سوف تظهر الأداء.
3525. 잘 보였어? - هل أبدو جيداً؟
3526. 응, 완벽해. - نعم، إنه مثالي.
3527. 39. 명사 단어들 외우기, 필수 10개 동사의 단어들을 가지고 50문장 연습하기 - 39. احفظ الكلمات الاسمية، تدرب على 50 جملة بكلمات الأفعال العشرة الأساسية
3528. 요리 - الطبخ
3529. 음료 - مشروب
3530. 디저트 - الحلوى
3531. 천 - قماش
3532. 표면 - السطح
3533. 소재 - الخامة
3534. 마음 - العقل
3535. 주제 - الموضوع
3536. 문제 - المشكلة
3537. 피아노 - البيانو
3538. 드럼 - طبل
3539. 기타 - إلخ
3540. 문 - باب
3541. 탁자 - الطاولة
3542. 어깨 - الكتف
3543. 벌레 - حشرة
3544. 머리 - الرأس
3545. 등 - إلخ.
3546. 눈 - العين
3547. 손 - اليد
3548. 팔 - ثمانية
3549. 창문 - النافذة
3550. 거울 - مرآة
3551. 바닥 - أرضية
3552. 마당 - الفناء
3553. 길 - طريق
3554. 침대 - سرير

3555. 소파 - أريكة
3556. 해먹 - أرجوحة شبكية
3557. 맛보다 - للتذوق
3558. 우리는 새로운 요리를 맛보았다. - تذوقنا طبقًا جديدًا
3559. 당신들은 음료를 맛본다. - تذوقنا مشروباً
3560. 그들은 디저트를 맛볼 것이다. - سوف يتذوقون الحلوى.
3561. 맛 좀 볼래? - هل ترغب في التذوق؟
3562. 네, 감사해. - نعم، شكراً لك
3563. 만지다 - للمس
3564. 그는 부드러운 천을 만졌다. - لمس القماش الناعم.
3565. 그녀는 표면을 만진다. - تلمس السطح.
3566. 나는 새로운 소재를 만질 것이다. - سأقوم بلمس مادة جديدة.
3567. 이거 만져도 돼? - هل يمكنني لمس هذا؟
3568. 네, 괜찮아. - نعم، لا بأس
3569. 건드리다 - للمس
3570. 나는 그의 마음을 건드렸다. - لمست قلبه.
3571. 우리는 주제를 건드린다. - سنتطرق إلى موضوع ما.
3572. 당신들은 문제를 건드릴 것이다. - سوف تلمس الموضوع.
3573. 이걸 건드려도 될까? - هل يمكنني لمس هذا؟
3574. 아니, 말아줘. - لا، أرجوك لا تفعل
3575. 치다 - أن تضرب
3576. 그녀는 피아노를 쳤다. - تعزف على البيانو.
3577. 그는 드럼을 친다. - يعزف على الطبول.
3578. 너는 기타를 칠 것이다. - ستعزف على الجيتار.
3579. 음악 칠까? - هل نعزف الموسيقى؟
3580. 좋아, 시작해. - حسناً، هيا
3581. 두드리다 - لتطرق
3582. 그녀는 문을 두드렸다. - طرقت على الباب.
3583. 우리는 탁자를 두드린다. - سنطرق على الطاولة.
3584. 그들은 어깨를 두드릴 것이다. - سوف يطرقون على كتفك.
3585. 더 두드려 볼까? - هل نطرق أكثر؟
3586. 아니, 됐어. - لا، شكراً
3587. 긁다 - للخدش
3588. 나는 벌레 물린 곳을 긁었다. - خدشت لدغة الحشرة.

3589. 그는 머리를 긁는다. - حَكَّ رأسه
3590. 그녀는 등을 긁을 것이다. - سوف تحك ظهرها.
3591. 여기 긁어줄까? - هل تريدني أن أحك هنا؟
3592. 네, 부탁해. - نعم من فضلك
3593. 문지르다 - أن تفرك
3594. 그녀는 눈을 문지렀다. - تفرك عينيها.
3595. 우리는 손을 문지른다. - نحن نفرك اليدين.
3596. 너는 팔을 문지를 것이다. - سوف تفرك ذراعك.
3597. 더 문지를까? - هل نفرك أكثر؟
3598. 아니, 괜찮아. - لا، لا بأس
3599. 닦다 - للمسح
3600. 그는 창문을 닦았다. - يمسح النافذة.
3601. 그녀는 거울을 닦는다. - تمسح المرآة.
3602. 우리는 바닥을 닦을 것이다. - سنمسح الأرضية.
3603. 이제 닦을까? - هل نمسح الآن؟
3604. 좋아, 해줘. - حسناً، قم بذلك
3605. 쓸다 - تكنس
3606. 나는 바닥을 쓸었다. - لقد كنست الأرضية
3607. 당신들은 마당을 쓴다. - أنتم اكنسوا الساحة.
3608. 그들은 길을 쓸 것이다. - سوف يكنسوا الطريق.
3609. 계속 쓸까? - هل أستمر في الكنس؟
3610. 네, 계속해. - نعم، استمر
3611. 눕다 - استلقيت
3612. 그녀는 침대에 누웠다. - تستلقي على السرير.
3613. 너는 소파에 눕는다. - ستستلقي على الأريكة.
3614. 그는 해먹에 누울 것이다. - ستستلقي على الأرجوحة الشبكية.
3615. 이제 누울까? - هل نستلقي الآن؟
3616. 응, 편해. - نعم، أنا مرتاح.
3617. 40. 명사 단어들 외우기, 필수 10개 동사의 단어들을 가지고 50문장 연습하기 - 40. احفظ الكلمات الاسمية، تدرب على 50 جملة بكلمات الأفعال العشرة الأساسية
3618. 새벽 - الفجر
3619. 잠 - نام
3620. 꿈 - حلم
3621. 손 - يد

3622. 얼굴 - وجه
3623. 발 - القدم
3624. 물 - ماء
3625. 샤워 - الاستحمام
3626. 아이 - طفل
3627. 친구 - صديق
3628. 사람 - شخص
3629. 기금 - صندوق
3630. 옷 - الملابس
3631. 돈 - نقود
3632. 책 - كتاب
3633. 장난감 - لعبة
3634. 컴퓨터 - كمبيوتر
3635. 프로젝트 - مشروع
3636. 학생 - طالب
3637. 이벤트 - حدث
3638. 깨다 - الاستيقاظ
3639. 우리는 새벽에 깼다. - استيقظنا عند الفجر
3640. 그는 잠에서 깬다. - استيقظ من نومه
3641. 그녀는 꿈에서 깰 것이다. - تستيقظ من حلمها
3642. 벌써 깼어? - هل استيقظت بالفعل؟
3643. 아니, 아직이야. - لا، ليس بعد
3644. 잠들다 - أن ينام
3645. 그는 빠르게 잠들었다. - ينام بسرعة.
3646. 그녀는 조용히 잠든다. - تنام بهدوء.
3647. 우리는 일찍 잠들 것이다. - سنذهب للنوم مبكراً.
3648. 잘 수 있을까? - هل تستطيع النوم؟
3649. 응, 잘 수 있어. - نعم، أستطيع النوم.
3650. 씻다 - للاغتسال
3651. 나는 얼굴을 씻었다. - غسلت وجهي.
3652. 당신들은 손을 씻는다. - أنت تغسل يديك.
3653. 그들은 발을 씻을 것이다. - سوف يغسلون أقدامهم.
3654. 손 씻었어? - هل غسلت يديك؟
3655. 네, 씻었어. - نعم، غسلتهما.

3656. 목욕하다 - استحممت
3657. 그녀는 긴 목욕을 했다. - أخذت حماماً طويلاً.
3658. 우리는 따뜻한 물에 목욕한다. - نستحم بالماء الدافئ.
3659. 너는 편안하게 목욕할 것이다. - سوف تأخذ حماماً مريحاً.
3660. 목욕할 시간이야? - هل حان وقت الاستحمام؟
3661. 그래, 지금이야. - نعم، إنه الآن.
3662. 샤워하다 - الاستحمام
3663. 그는 아침에 샤워했다. - استحم في الصباح.
3664. 그녀는 빠르게 샤워한다. - تستحم بسرعة.
3665. 우리는 저녁에 샤워할 것이다. - سنستحم في المساء.
3666. 샤워 해야 하나? - هل يجب أن أستحم؟
3667. 응, 해야 해. - نعم، عليّ ذلك.
3668. 달래다 - لتهدئة
3669. 나는 울고 있는 아이를 달랬다. - قمت بتهدئة الطفل الباكي.
3670. 그는 친구를 달랜다. - سوف يواسي صديقه.
3671. 그녀는 슬픈 사람을 달랠 것이다. - سوف تهدئ الشخص الحزين.
3672. 조금 달랠까? - هل أهدئها؟
3673. 네, 부탁해. - نعم من فضلك
3674. 미소짓다 - أن تبتسم
3675. 그녀는 따뜻하게 미소지었다. - ابتسمت بحرارة.
3676. 우리는 서로에게 미소짓는다. - نبتسم لبعضنا البعض.
3677. 너는 행복을 느끼며 미소질 것이다. - تبتسم بسعادة.
3678. 미소질래? - هل تبتسم؟
3679. 응, 물론이지. - نعم بالطبع
3680. 기부하다 - للتبرع
3681. 그녀는 기금을 기부했다. - تبرعت بالأموال.
3682. 우리는 옷을 기부한다. - نحن نتبرع بالملابس.
3683. 당신들은 돈을 기부할 것이다. - ستتبرعون بالمال.
3684. 기부 할래? - هل تريد التبرع؟
3685. 네, 할래. - نعم، سأتبرع
3686. 기증하다 - للتبرع
3687. 나는 책을 기증했다. - سأتبرع بالكتب
3688. 너는 장난감을 기증한다. - سوف تتبرع بلعبة
3689. 그는 컴퓨터를 기증할 것이다. - سيتبرع بحاسوبه.

3690. 책 줄까? - هل أعطيه الكتاب؟
3691. 네, 줘. - نعم، أعطه.
3692. 후원하다 - لرعاية
3693. 그들은 프로젝트를 후원했다. - يرعى المشروع.
3694. 나는 학생을 후원한다. - سأرعى طالباً.
3695. 너는 이벤트를 후원할 것이다. - سوف ترعى حدثاً.
3696. 후원할래? - هل تريد أن ترعى؟
3697. 네, 할래. - نعم، سأفعل.
3698. 41. 명사 단어들 외우기, 필수 10개 동사의 단어들을 가지고 50문장 연습하기 - 41- احفظ الكلمات الاسمية، وتدرب على 50 جملة مع الكلمات الفعلية العشر الأساسية
3699. 친구 - صديق
3700. 팀 - فريق
3701. 프로그램 - برنامج
3702. 동료 - زميل
3703. 파트너 - شريك
3704. 조직 - مجموعة
3705. 목표 - الهدف
3706. 커뮤니티 - المجتمع
3707. 회의 - الاجتماع
3708. 워크숍(공동 연수) - تدريب مشترك (ورشة عمل)
3709. 세미나 - حلقة دراسية
3710. 파티 - حفلة
3711. 모임 - فصل دراسي
3712. 이벤트 - فعالية
3713. 프로젝트 - مشروع
3714. 논의 - جدال
3715. 결정 - قرار
3716. 분쟁 - النزاع
3717. 협상 - التفاوض
3718. 문제해결 - حل المشاكل
3719. 대화 - المحادثة
3720. 논쟁 - الجدال
3721. 계획 - خطة
3722. 작업 - العمل

3723. 집중 - التركيز
3724. 싸움 - الشجار
3725. 오해 - سوء الفهم
3726. 지원하다 - الدعم
3727. 그녀는 친구를 지원했다. - دعمت صديقتها
3728. 우리는 팀을 지원한다. - نحن ندعم الفريق
3729. 당신들은 프로그램을 지원할 것이다. - ستدعم البرنامج.
3730. 도울까? - هل تريد المساعدة؟
3731. 네, 도와줘. - نعم، ساعدني
3732. 협력하다 - تعاونت
3733. 나는 동료와 협력했다. - تعاونت مع زميل في العمل.
3734. 너는 파트너와 협력한다. - ستتعاون مع زميلك.
3735. 그는 조직과 협력할 것이다. - سوف يتعاون مع المنظمة.
3736. 같이 할래? - هل تريد الانضمام إلينا؟
3737. 네, 할래. - نعم، سأتعاون
3738. 협동하다 - للتعاون
3739. 그들은 공동의 목표를 위해 협동했다. - تعاونوا من أجل هدف مشترك.
3740. 나는 팀과 협동한다. - سأتعاون مع الفريق.
3741. 너는 커뮤니티와 협동할 것이다. - سوف تتعاون مع المجتمع.
3742. 협력할까? - هل سنتعاون؟
3743. 네, 해. - نعم، سأتعاون
3744. 참석하다 - أن تحضر
3745. 그녀는 회의에 참석했다. - ستحضر الاجتماع.
3746. 우리는 워크숍에 참석한다. - سنحضر ورشة العمل.
3747. 당신들은 세미나에 참석할 것이다. - ستحضر الندوة.
3748. 갈까? - هل نذهب؟
3749. 네, 가자. - نعم، لنذهب.
3750. 불참하다 - أن تغيب
3751. 나는 파티에 불참했다. - لم أحضر الحفلة.
3752. 너는 모임에 불참한다. - ستغيب عن الاجتماع.
3753. 그는 이벤트에 불참할 것이다. - سيغيب عن الحدث.
3754. 안 갈래? - ألا تريدين الذهاب؟
3755. 네, 안 갈래. - لا، لن أذهب
3756. 관여하다 - للمشاركة في

3757. 그들은 프로젝트에 관여했다. - يشاركون في المشروع.
3758. 나는 논의에 관여한다. - سأشارك في المناقشة.
3759. 너는 결정에 관여할 것이다. - ستشارك في القرار.
3760. 참여할래? - هل ستشارك؟
3761. 네, 할래. - نعم، سأشارك
3762. 개입하다 - التدخل
3763. 그녀는 분쟁에 개입했다. - تدخلت في النزاع.
3764. 우리는 협상에 개입한다. - سنتدخل في التفاوض.
3765. 당신들은 문제해결에 개입할 것이다. - سوف تتدخل في المشكلة.
3766. 도울까? - هل أساعدك؟
3767. 네, 도와줘. - نعم، ساعدني
3768. 참견하다 - للتدخل
3769. 나는 그들의 대화에 참견했다. - تدخلت في محادثتهم.
3770. 너는 논쟁에 참견한다. - ستتدخل في الجدال
3771. 그는 계획에 참견할 것이다. - سوف يتدخل في الخطة.
3772. 끼어들까? - هل أقاطع؟
3773. 아니, 말아줘. - لا، أرجوك لا تفعل
3774. 방해하다 - أن تقاطع
3775. 그들은 작업을 방해했다. - قاطعوا العمل.
3776. 나는 집중을 방해한다. - أنا مصدر إلهاء
3777. 너는 회의를 방해할 것이다. - سوف تعطل الاجتماع.
3778. 멈출까? - هلا توقفنا؟
3779. 네, 멈춰. - نعم، توقف
3780. 저지하다 - لإحباط
3781. 그녀는 계획을 저지했다. - لقد أحبطت الخطة.
3782. 우리는 싸움을 저지한다. - سنوقف الشجار
3783. 당신들은 오해를 저지할 것이다. - سوف نوقف سوء التفاهم
3784. 막을까? - توقف؟
3785. 네, 막아. - نعم، توقف.
3786. 42. 명사 단어들 외우기, 필수 10개 동사의 단어들을 가지고 50문장 연습하기 - 42- احفظ الكلمات الاسمية، وتمرن على 50 جملة مع الكلمات الفعلية العشر الأساسية
3787. 길 - الطريق
3788. 진입 - أدخل
3789. 문제 - مشكلة

3790. 출구 - خروج
3791. 소리 - صوت
3792. 소음 - ضوضاء
3793. 광고 - الإعلانات
3794. 속도 - السرعة
3795. 사용 - الاستخدام
3796. 접근 - الوصول
3797. 시간 - ساعة
3798. 조건 - الحالة
3799. 선택 - تحديد
3800. 가능성 - إمكانية
3801. 규칙 - القاعدة
3802. 행동 - الإجراء
3803. 자유 - الحرية
3804. 감정 - الانفعال
3805. 충동 - الاندفاع
3806. 성장 - النمو
3807. 정보 - المعلومات
3808. 사실 - في الواقع
3809. 증거 - دليل
3810. 패턴 - النمط
3811. 위험 - الخطر
3812. 기회 - الفرصة
3813. 상황 - الموقف
3814. 개념 - المفهوم
3815. 진실 - الحقيقة
3816. 중요성 - الأهمية
3817. 가치 - القيمة
3818. 막다 - لسد
3819. 그는 길을 막았다. - سدّ الطريق
3820. 그녀는 진입을 막는다. - سدت المدخل
3821. 우리는 문제를 막을 것이다. - سنوقف المشكلة.
3822. 출구 막혔나요? - هل المخرج مسدود؟
3823. 네, 막혔어요. - نعم، إنه مسدود.

3824. 차단하다 - لسد
3825. 그녀는 소리를 차단했다. - لقد سدت الصوت.
3826. 우리는 소음을 차단한다. - سنحجب الضوضاء.
3827. 당신들은 광고를 차단할 것이다. - سوف تحجب الإعلانات.
3828. 소음 차단 됐나요? - هل تم حجب الضوضاء؟
3829. 네, 됐어요. - نعم، نحن بخير.
3830. 제한하다 - للحد من
3831. 그는 속도를 제한했다. - لقد حد من سرعته.
3832. 그녀는 사용을 제한한다. - إنها تحد من استخدامها.
3833. 우리는 접근을 제한할 것이다. - سنقوم بتقييد الوصول.
3834. 시간 제한 있나요? - هل هناك حد زمني؟
3835. 네, 있어요. - نعم، يوجد.
3836. 제약하다 - لتقييد
3837. 그녀는 조건을 제약했다. - إنها تقيد الشروط.
3838. 우리는 선택을 제약한다. - نحن نقيد الاختيار.
3839. 당신들은 가능성을 제약할 것이다. - هل تقيد الاحتمالات.
3840. 조건 제약 있나요? - هل تقيد الشروط؟
3841. 네, 있어요. - نعم، هناك
3842. 구속하다 - تقييد
3843. 그는 규칙을 구속했다. - تقيد القواعد.
3844. 그녀는 행동을 구속한다. - تقيد السلوك.
3845. 우리는 자유를 구속할 것이다. - نحن نقيد الحرية.
3846. 자유 구속됐나요? - تقييد الحرية؟
3847. 네, 됐어요. - نعم، هذه هي
3848. 억제하다 - قيدت
3849. 그녀는 감정을 억제했다. - إنها تقيد عواطفها.
3850. 우리는 충동을 억제한다. - سنكبح اندفاعاتها.
3851. 당신들은 성장을 억제할 것이다. - سوف تكبح نموك.
3852. 감정 억제되나요? - هل تكبح مشاعرك؟
3853. 네, 되요. - نعم، إنها كذلك.
3854. 검증하다 - للتحقق
3855. 그는 정보를 검증했다. - لقد تحقق من المعلومات.
3856. 그녀는 사실을 검증한다. - تتحقق من الحقائق.
3857. 우리는 증거를 검증할 것이다. - سوف نتحقق من الأدلة.

3858. 사실 검증됐나요? - هل تحققت من الحقائق؟
3859. 네, 됐어요. - نعم، لا بأس
3860. 식별하다 - لتحديد
3861. 그녀는 패턴을 식별했다. - لقد حددت النمط
3862. 우리는 위험을 식별한다. - سنحدد المخاطر.
3863. 당신들은 기회를 식별할 것이다. - ستحددون الفرص
3864. 위험 식별됐나요? - تحديد المخاطر؟
3865. 네, 됐어요. - نعم، نحن جيدون
3866. 이해하다 - لفهم
3867. 그는 문제를 이해했다. - يفهم المشكلة
3868. 그녀는 상황을 이해한다. - تتفهم الموقف.
3869. 우리는 개념을 이해할 것이다. - سوف نفهم المفهوم.
3870. 상황 이해돼요? - هل تفهم الموقف؟
3871. 네, 이해돼요. - نعم، أفهم
3872. 깨닫다 - أن تدرك
3873. 그녀는 진실을 깨달았다. - لقد أدركت الحقيقة.
3874. 우리는 중요성을 깨닫는다. - سندرك الأهمية.
3875. 당신들은 가치를 깨달을 것이다. - ستدرك القيمة.
3876. 진실 깨달았나요? - هل أدركت الحقيقة؟
3877. 네, 깨달았어요. - نعم، أدركتها.
3878. 43. 명사 단어들 외우기, 필수 10개 동사의 단어들을 가지고 50문장 연습하기 - 43- احفظ الكلمات الاسمية، وتدرب على 50 جملة بكلمات الأفعال العشرة الأساسية
3879. 변화 - التغيير
3880. 실수 - خطأ
3881. 기회 - الفرصة
3882. 규칙 - القاعدة
3883. 세부사항 - التفاصيل
3884. 절차 - الإجراء
3885. 기술 - التكنولوجيا
3886. 발표 - العرض التقديمي
3887. 공연 - العرض
3888. 언어 - اللغة
3889. 전략 - الاستراتيجية
3890. 게임 - لعبة

3891. 악기 - الآلة
3892. 분야 - الحقل
3893. 집 - المنزل
3894. 프로젝트 - مشروع
3895. 시스템 - النظام
3896. 팀 - الفريق
3897. 네트워크 - الشبكة
3898. 관계 - العلاقة
3899. 영상 - فيديو
3900. 콘텐츠 - المحتويات
3901. 제품 - المنتج
3902. 물건 - شيء
3903. 아이디어 - فكرة
3904. 에너지 - الطاقة
3905. 기계 - الآلة
3906. 시설 - منشأة
3907. 알아차리다 - لملاحظة
3908. 그는 변화를 알아차렸다. - لاحظ التغيير
3909. 그녀는 실수를 알아차린다. - لاحظت الأخطاء
3910. 우리는 기회를 알아차릴 것이다. - سوف ندرك الفرصة.
3911. 실수 알아차렸나요? - هل لاحظت الخطأ؟
3912. 네, 알아차렸어요. - نعم، لاحظته.
3913. 숙지하다 - أن تكون على دراية
3914. 그녀는 규칙을 숙지했다. - لقد تعرفت على القواعد.
3915. 우리는 세부사항을 숙지한다. - سوف نتعرف على التفاصيل.
3916. 당신들은 절차를 숙지할 것이다. - سوف تتعرف على الإجراءات.
3917. 규칙 숙지됐나요? - هل تعرف القواعد؟
3918. 네, 숙지됐어요. - نعم، أعرفها.
3919. 연습하다 - للتدرب
3920. 그는 기술을 연습했다. - لقد تدرب على الأسلوب.
3921. 그녀는 발표를 연습한다. - تدربت على العرض التقديمي.
3922. 우리는 공연을 연습할 것이다. - سنتدرب على الأداء.
3923. 발표 연습했나요? - هل تدربت على العرض التقديمي؟
3924. 네, 연습했어요. - نعم، لقد تدربنا.

3925. 숙달하다 - أتقنت
3926. 그녀는 언어를 숙달했다. - لقد أتقنت اللغة.
3927. 우리는 기술을 숙달한다. - نحن نتقن المهارة.
3928. 당신들은 전략을 숙달할 것이다. - سوف تتقن الاستراتيجية.
3929. 기술 숙달됐나요? - هل أتقنت المهارة؟
3930. 네, 숙달됐어요. - نعم، لقد أتقنتها.
3931. 마스터하다 - أتقنت
3932. 그는 게임을 마스터했다. - أتقن اللعبة.
3933. 그녀는 악기를 마스터한다. - أتقنت الآلة
3934. 우리는 분야를 마스터할 것이다. - أتقنت الانضباط.
3935. 악기 마스터했나요? - هل أتقنت الآلة؟
3936. 네, 마스터했어요. - نعم، أتقنتها.
3937. 설계하다 - صممت
3938. 그녀는 집을 설계했다. - لقد صممت المنزل.
3939. 우리는 프로젝트를 설계한다. - سنقوم بتصميم مشروع.
3940. 당신들은 시스템을 설계할 것이다. - ستقوم بتصميم نظام.
3941. 프로젝트 설계됐나요? - هل المشروع مصمم؟
3942. 네, 설계됐어요. - نعم، تم تصميمه.
3943. 구축하다 - للبناء
3944. 그는 팀을 구축했다. - يبني فريقاً
3945. 그녀는 네트워크를 구축한다. - ستبني شبكة.
3946. 우리는 관계를 구축할 것이다. - سنبني علاقة.
3947. 네트워크 구축됐나요? - هل الشبكة مبنية؟
3948. 네, 구축됐어요. - نعم، لقد بُنيت
3949. 제작하다 - للإنتاج
3950. 그녀는 영상을 제작했다. - أنتجت فيديو.
3951. 우리는 콘텐츠를 제작한다. - سنقوم بإنتاج محتوى.
3952. 당신들은 제품을 제작할 것이다. - ستقومون ببناء منتج.
3953. 콘텐츠 제작됐나요? - هل تم بناء المحتوى؟
3954. 네, 제작됐어요. - نعم، تم إنتاجه.
3955. 생산하다 - أنتج
3956. 그는 물건을 생산했다. - أنتج أشياء.
3957. 그녀는 아이디어를 생산한다. - تنتج الأفكار.
3958. 우리는 에너지를 생산할 것이다. - نحن ننتج الطاقة.

3959. 아이디어 생산되나요? - هل تنتج الأفكار؟
3960. 네, 생산돼요. - نعم، يتم إنتاجها.
3961. 보수하다 - لإصلاح
3962. 그녀는 집을 보수했다. - هي تصلح المنزل.
3963. 우리는 기계를 보수한다. - سنقوم بإصلاح الآلات.
3964. 당신들은 시설을 보수할 것이다. - ستقوم بإصلاح المنشأة.
3965. 기계 보수됐나요? - هل تم إصلاح الماكينة؟
3966. 네, 보수됐어요. - نعم، تم إصلاحها.
3967. 44. 명사 단어들 외우기, 필수 10개 동사의 단어들을 가지고 50문장 연습하기 - 44- احفظ الكلمات الاسمية، وتمرن على 50 جملة باستخدام 10 كلمات فعلية أساسية
3968. 차 - سيارة
3969. 장비 - معدات
3970. 시스템 - نظام
3971. 창문 - النافذة
3972. 바닥 - أرضية
3973. 가구 - أثاث
3974. 마당 - الفناء
3975. 방 - غرفة
3976. 거리 - المسافة
3977. 테이블 - طاولة
3978. 유리 - زجاج
3979. 집 - منزل
3980. 축제 - مهرجان
3981. 풍경 - مشهد
3982. 아이디어 - فكرة
3983. 디자인 - تصميم
3984. 옷 - ملابس
3985. 웹사이트 - الموقع الإلكتروني
3986. 앱 - تطبيق
3987. 나무 - الشجرة
3988. 돌 - صخرة
3989. 얼음 - جليد
3990. 시 - المدينة
3991. 음악 - موسيقى

3992. 이야기 - قصة
3993. 산 - جبل
3994. 계단 - سلالم
3995. 봉우리 - القمم
3996. 정비하다 - للصيانة
3997. 그는 차를 정비했다. - قام بصيانة سيارته
3998. 그녀는 장비를 정비한다. - قامت بصيانة المعدات
3999. 우리는 시스템을 정비할 것이다. - سنقوم بإصلاح النظام.
4000. 장비 정비됐나요? - هل تمت صيانة المعدات؟
4001. 네, 정비됐어요. - نعم، تمت صيانته
4002. 닦다 - للمسح
4003. 그녀는 창문을 닦았다. - غسلت النوافذ.
4004. 우리는 바닥을 닦는다. - نمسح الأرضية.
4005. 당신들은 가구를 닦을 것이다. - قمتم بتلميع الأثاث
4006. 바닥 닦았나요? - هل مسحت الأرضية؟
4007. 네, 닦았어요. - نعم، مسحتها.
4008. 쓸다 - كنست
4009. 그는 마당을 쓸었다. - كنس الفناء.
4010. 그녀는 방을 쓴다. - تكنس الغرفة.
4011. 우리는 거리를 쓸 것이다. - سنكنس الشارع.
4012. 방 쓸었나요? - هل كنست الغرفة؟
4013. 네, 쓸었어요. - نعم، كَنَسْتُها.
4014. 문지르다 - لفرك
4015. 그녀는 테이블을 문지렀다. - لقد فركت الطاولة.
4016. 우리는 유리를 문지른다. - قمنا بفرك الزجاج.
4017. 당신들은 바닥을 문지를 것이다. - قمتم بفرك الأرضية.
4018. 유리 문지렀나요? - هل فركت الزجاج؟
4019. 네, 문지렀어요. - نعم، فركته.
4020. 장식하다 - لتزيين
4021. 그녀는 방을 장식했다. - لقد زينت الغرفة.
4022. 우리는 집을 장식한다. - نقوم بتزيين المنزل.
4023. 당신들은 축제를 장식할 것이다. - سوف تزين المهرجان.
4024. 장식 좋아해? - هل تحب التزيين؟
4025. 네, 좋아해. - نعم، أحب ذلك.

4026. 스케치하다 - رسم
4027. 그는 풍경을 스케치했다. - رسم المناظر الطبيعية.
4028. 우리는 아이디어를 스케치한다. - نرسم الأفكار.
4029. 그들은 새로운 디자인을 스케치할 것이다. - سيقومون برسم تصميم جديد.
4030. 그림 그리기 좋아해? - هل تحب الرسم؟
4031. 응, 좋아해. - نعم، أحب ذلك.
4032. 디자인하다 - التصميم
4033. 그녀는 옷을 디자인했다. - لقد صممت الملابس.
4034. 우리는 웹사이트를 디자인한다. - نحن نصمم المواقع الإلكترونية.
4035. 당신들은 새로운 앱을 디자인할 것이다. - ستقومون بتصميم تطبيق جديد.
4036. 디자인 재밌어? - هل التصميم ممتع؟
4037. 네, 재밌어. - نعم، إنه ممتع.
4038. 조각하다 - للنحت
4039. 그는 나무를 조각했다. - ينحت الخشب.
4040. 우리는 돌을 조각한다. - نحن ننحت الحجر.
4041. 그들은 얼음을 조각할 것이다. - ينحتون الثلج.
4042. 조각하기 어려워? - هل النحت صعب؟
4043. 아니, 쉬워. - لا، إنه سهل
4044. 창작하다 - أن تخلق
4045. 그녀는 시를 창작했다. - تخلق قصيدة.
4046. 우리는 음악을 창작한다. - نحن نخلق موسيقى.
4047. 당신들은 이야기를 창작할 것이다. - سوف تخلق قصة.
4048. 창작 즐거워? - هل تستمتع بالخلق؟
4049. 응, 즐거워. - نعم، أستمتع بذلك.
4050. 오르다 - أن تتسلق
4051. 그는 산을 올랐다. - تسلق الجبل.
4052. 우리는 계단을 오른다. - سنتسلق السلالم.
4053. 그들은 높은 봉우리를 오를 것이다. - سوف يتسلقون قمة عالية.
4054. 등산 좋아해? - هل تحب التسلق؟
4055. 네, 좋아해. - نعم، أحب ذلك.
4056. 45. 명사 단어들 외우기, 필수 10개 동사의 단어들을 가지고 50문장 연습하기 - 45. احفظ الكلمات الاسمية، وتدرب على 50 جملة باستخدام 10 كلمات فعلية أساسية
4057. 영어 실력 - مهارة اللغة الإنجليزية
4058. 기술 - التكنولوجيا

4059. 통신 - التواصل
4060. 계획 - التخطيط
4061. 방향 - الاتجاه
4062. 생각 - التفكير
4063. 디자인 - التصميم
4064. 구조 - الهيكلية
4065. 아이디어 - الفكرة
4066. 부품 - الجزء
4067. 재료 - المكون
4068. 시스템 - النظام
4069. 일정 - الجدول الزمني
4070. 프로젝트 - المشروع
4071. 알람 - الإنذار
4072. 규칙 - قاعدة
4073. 비밀번호 - كلمة السر
4074. 기기 - جهاز
4075. 컴퓨터 - كمبيوتر
4076. 설정 - الإعدادات
4077. 데이터 - البيانات
4078. 기계 - الجهاز
4079. 프로그램 - البرنامج
4080. 장치 - الجهاز
4081. 앱 - التطبيق
4082. 기능 - الوظيفة
4083. 향상하다 - لتحسين
4084. 그녀는 영어 실력을 향상시켰다. - قامت بتحسين لغتها الإنجليزية.
4085. 우리는 기술을 향상시킨다. - نحسّن مهاراتنا.
4086. 당신들은 통신을 향상시킬 것이다. - ستقوم بتحسين مهاراتك في التواصل.
4087. 실력 늘었어? - هل حسّنت مهاراتك؟
4088. 응, 늘었어. - نعم، لقد تحسنت.
4089. 변화하다 - للتغيير
4090. 나는 계획을 변화했다. - لقد غيرت خططي.
4091. 너는 방향을 변화한다. - ستغير اتجاهك
4092. 그는 생각을 변화할 것이다. - سيغير رأيه.

4093. 계획 바꿀래? - هل تريد تغيير خططك؟
4094. 네, 바꿀래. - نعم، أريد أن أغير
4095. 변형하다 - لتحويل
4096. 그녀는 디자인을 변형했다. - ستقوم بتحويل التصميم.
4097. 우리는 구조를 변형한다. - سنقوم بتحويل الهيكل.
4098. 당신들은 아이디어를 변형할 것이다. - ستحول الفكرة.
4099. 디자인 바뀌었어? - هل غيرت التصميم؟
4100. 네, 바뀌었어. - نعم، لقد تغير.
4101. 대체하다 - استبدلت
4102. 그들은 부품을 대체했다. - استبدلت الأجزاء.
4103. 나는 재료를 대체한다. - استبدلت المادة.
4104. 너는 시스템을 대체할 것이다. - سوف تستبدل النظام.
4105. 부품 바꿀까? - هل سنستبدل الأجزاء؟
4106. 네, 바꿀까. - نعم، سأستبدلها.
4107. 조율하다 - لتنسيق
4108. 그녀는 계획을 조율했다. - لقد نسقت الخطة.
4109. 우리는 일정을 조율한다. - سنقوم بتنسيق الجدول الزمني.
4110. 당신들은 프로젝트를 조율할 것이다. - ستقوم بتنسيق المشروع.
4111. 일정 맞출 수 있어? - هل يمكنك الالتزام بالجدول الزمني؟
4112. 네, 맞출 수 있어. - نعم، يمكنني ذلك.
4113. 설정하다 - لإعداد
4114. 그들은 시스템을 설정했다. - قاموا بإعداد النظام.
4115. 나는 알람을 설정한다. - أنا أضبط المنبه
4116. 너는 규칙을 설정할 것이다. - أنت من يضبط النظام
4117. 알람 켤까? - هل أشغل المنبه؟
4118. 네, 켤까. - نعم، لنقم بتشغيله
4119. 재설정하다 - لإعادة ضبط
4120. 그녀는 비밀번호를 재설정했다. - لقد أعادت تعيين كلمة المرور الخاصة بها.
4121. 우리는 기기를 재설정한다. - سنعيد ضبط الجهاز.
4122. 당신들은 계획을 재설정할 것이다. - ستقومون بإعادة ضبط الخطة.
4123. 다시 시작할까? - هل نبدأ من جديد؟
4124. 네, 시작할까. - نعم، لنبدأ
4125. 초기화하다 - لبدء التهيئة
4126. 그들은 컴퓨터를 초기화했다. - قاموا بإعادة ضبط الكمبيوتر.

4127. 나는 설정을 초기화한다. - سأقوم بتهيئة الإعدادات.
4128. 너는 데이터를 초기화할 것이다. - ستقوم بتهيئة بياناتك.
4129. 전부 지울까? - هل تريد مسح كل شيء؟
4130. 네, 지울까. - نعم، لنمسحه.
4131. 가동하다 - لبدء التشغيل
4132. 그녀는 기계를 가동했다. - لقد بدأت تشغيل الجهاز.
4133. 우리는 시스템을 가동한다. - سنقوم بتشغيل النظام.
4134. 당신들은 프로그램을 가동할 것이다. - ستقوم بتشغيل البرنامج.
4135. 시작할 시간이야? - هل حان وقت البدء؟
4136. 네, 시작할 시간이야. - نعم، حان وقت التشغيل
4137. 작동하다 - لتشغيل
4138. 그들은 장치를 작동했다. - سيقومون بتشغيل الجهاز.
4139. 나는 앱을 작동한다. - سأقوم بتشغيل التطبيق.
4140. 너는 기능을 작동할 것이다. - ستقوم بتشغيل الميزة.
4141. 잘 되고 있어? - كيف يسير الأمر؟
4142. 네, 잘 되고 있어. - نعم، تسير بشكل جيد.
4143. 46. 명사 단어들 외우기, 필수 10개 동사의 단어들을 가지고 50문장 연습하기 - 46- حفظ الكلمات الاسمية، والتدرب على 50 جملة مع الكلمات الفعلية العشر الأساسية
4144. 공부 - الدراسة
4145. 작업 - العمل
4146. 프로그램 - برنامج
4147. 프로젝트 - مشروع
4148. 회의 - اجتماع
4149. 시스템 - النظام
4150. 연습 - الممارسة
4151. 논의 - الجدال
4152. 계획 - خطة
4153. 대화 - المحادثة
4154. 이야기 - القصة
4155. 이벤트 - حدث
4156. 아이디어 - فكرة
4157. 전략 - استراتيجية
4158. 꿈 - الحلم
4159. 목표 - الهدف

4160. 작품 - العمل
4161. 보고서 - تقرير
4162. 과제 - المهمة
4163. 준비 - التحضير
4164. 과정 - العملية
4165. 재개하다 - لاستئناف
4166. 그녀는 공부를 재개했다. - استأنفت دراستها.
4167. 우리는 작업을 재개한다. - سنستأنف عملنا.
4168. 당신들은 프로그램을 재개할 것이다. - سوف تستأنف البرنامج.
4169. 다시 시작할까? - هل نستأنف؟
4170. 네, 시작하자. - نعم، لنبدأ.
4171. 재시작하다 - لإعادة التشغيل
4172. 그는 프로젝트를 재시작했다. - استأنف المشروع.
4173. 우리는 회의를 재시작한다. - سنعيد تشغيل الاجتماع.
4174. 당신들은 시스템을 재시작할 것이다. - أنتم يا رفاق ستعيدون تشغيل النظام.
4175. 다시 할 준비 됐어? - هل أنت مستعد للقيام بذلك مرة أخرى؟
4176. 네, 준비 됐어. - نعم، أنا مستعد.
4177. 계속하다 - للمتابعة
4178. 그녀는 연습을 계속했다. - واصلت التدريب.
4179. 우리는 논의를 계속한다. - سنواصل المناقشة.
4180. 당신들은 계획을 계속할 것이다. - ستواصلون الخطة.
4181. 계속 진행해도 돼? - هل يمكننا المتابعة؟
4182. 네, 계속해. - نعم، تابعوا
4183. 이어가다 - للمتابعة
4184. 그들은 회의를 이어갔다. - واصلوا الاجتماع.
4185. 우리는 프로젝트를 이어간다. - سنواصل المشروع.
4186. 당신들은 대화를 이어갈 것이다. - ستواصل المحادثة.
4187. 더 할 말 있어? - أي شيء آخر؟
4188. 아니, 괜찮아. - لا، شكراً لك
4189. 진행하다 - للمتابعة
4190. 그녀는 계획을 진행했다. - ستواصل الخطة.
4191. 우리는 작업을 진행한다. - سنمضي قدماً في المهمة.
4192. 당신들은 프로그램을 진행할 것이다. - سوف تمضي قدما في البرنامج.
4193. 잘 되고 있어? - كيف تسير الأمور؟

4194. 네, 잘 되고 있어. - نعم، تسير بشكل جيد.
4195. 전개하다 - أن تتكشف
4196. 그는 이야기를 전개했다. - لقد طور القصة.
4197. 우리는 계획을 전개한다. - سنقوم بتطوير خطة.
4198. 당신들은 이벤트를 전개할 것이다. - ستكشف عن حدث.
4199. 어떻게 될까? - كيف ستسير الأمور؟
4200. 잘 될 거야. - سينجح
4201. 구현하다 - تنفيذ
4202. 그녀는 아이디어를 구현했다. - ستنفذ الفكرة.
4203. 우리는 전략을 구현한다. - سننفذ الاستراتيجية.
4204. 당신들은 시스템을 구현할 것이다. - ستنفذ النظام.
4205. 실행 가능해? - هل يمكنك القيام بذلك؟
4206. 네, 가능해. - نعم، هذا ممكن.
4207. 실현하다 - تحقيق
4208. 그들은 꿈을 실현했다. - أدركوا حلمهم.
4209. 우리는 목표를 실현한다. - نحن ندرك أهدافنا.
4210. 당신들은 계획을 실현할 것이다. - ستحققون خططكم.
4211. 꿈 이뤄질까? - هل ستتحقق أحلامي؟
4212. 네, 이뤄질 거야. - نعم، ستتحقق.
4213. 완성하다 - لإكمال
4214. 그녀는 작품을 완성했다. - ستنهي عملها.
4215. 우리는 보고서를 완성한다. - سننهي التقرير.
4216. 당신들은 프로젝트를 완성할 것이다. - سوف تنهي المشروع.
4217. 다 됐어? - هل انتهيت؟
4218. 네, 다 됐어. - نعم، لقد انتهيت
4219. 완료하다 - أكمل
4220. 그는 과제를 완료했다. - أكمل المهمة.
4221. 우리는 준비를 완료한다. - سنكمل التحضيرات.
4222. 당신들은 과정을 완료할 것이다. - سوف تكمل الدورة.
4223. 끝났어? - هل انتهيت؟
4224. 네, 끝났어. - نعم، لقد انتهيت.
4225. 47. 명사 단어들 외우기, 필수 10개 동사의 단어들을 가지고 50문장 연습하기 - 47- احفظ الكلمات الاسمية، وتدرب على 50 جملة بكلمات الأفعال العشرة الأساسية
4226. 회의 - الاجتماع

4227. 세션(시간, 기간) - (الجلسة)الوقت، المدة
4228. 서비스 - الخدمة
4229. 프로젝트 - مشروع
4230. 논의 - الجدال
4231. 작업 - عمل
4232. 연구 - بحث
4233. 프로그램 - برنامج
4234. 기계 - الماكينة
4235. 계획 - خطة
4236. 프로세스(처리기) - (العملية)المعالج
4237. 활동 - النشاط
4238. 결정 - القرار
4239. 발표 - العرض التقديمي
4240. 공부 - الدراسة
4241. 노래 - الغناء
4242. 게임 - لعبة
4243. 기록 - تسجيل
4244. 사진 - صورة
4245. 문서 - مستند
4246. 경험 - الخبرة
4247. 지식 - المعرفة
4248. 자원 - الموارد
4249. 종료하다 - (إنهاء)إنهاء
4250. 그들은 회의를 종료했다. - أنهوا الاجتماع.
4251. 우리는 세션을 종료한다. - نحن ننهي الجلسة.
4252. 당신들은 서비스를 종료할 것이다. - سنقوم بإنهاء الخدمة.
4253. 이제 끝낼까? - هل ننهيها الآن؟
4254. 네, 끝내자. - نعم، دعونا ننهي
4255. 마무리하다 - لوضع اللمسات الأخيرة
4256. 그녀는 프로젝트를 마무리했다. - لقد أنهت المشروع.
4257. 우리는 논의를 마무리한다. - نحن ننهي مناقشتنا.
4258. 당신들은 작업을 마무리할 것이다. - سوف تنهون عملكم.
4259. 모두 정리됐어? - هل كل شيء منظم؟
4260. 네, 정리됐어. - نعم، إنه منظم.

4261. 개시하다 - للبدء
4262. 그는 연구를 개시했다. - افتتح الدراسة.
4263. 우리는 회의를 개시한다. - سنفتتح الاجتماع.
4264. 당신들은 프로그램을 개시할 것이다. - سوف تبدأ البرنامج.
4265. 시작해도 괜찮아? - هل نحن جاهزون للبدء؟
4266. 네, 시작해. - نعم، ابدأ
4267. 발동하다 - لتفعيل
4268. 그녀는 기계를 발동했다. - لقد فعّلت الآلة
4269. 우리는 계획을 발동한다. - سنقوم بتشغيل البرنامج
4270. 당신들은 프로세스를 발동할 것이다. - ستقوم بتفعيل العملية
4271. 작동할까? - هل ستعمل؟
4272. 네, 작동할 거야. - نعم، ستعمل
4273. 정지하다 - لإيقاف
4274. 그들은 작업을 정지했다. - أوقفوا المهمة.
4275. 우리는 활동을 정지한다. - سنقوم بإيقاف النشاط.
4276. 당신들은 프로젝트를 정지할 것이다. - سنوقف المشروع
4277. 멈출 시간이야? - هل حان وقت التوقف؟
4278. 네, 멈출 시간이야. - نعم، حان وقت التوقف.
4279. 보류하다 - للتوقف
4280. 그녀는 결정을 보류했다. - لقد أوقفت قرارها.
4281. 우리는 계획을 보류한다. - سنضع الخطة قيد الانتظار.
4282. 당신들은 발표를 보류할 것이다. - ستضع العرض التقديمي قيد الانتظار.
4283. 조금 기다릴까? - هل ننتظر؟
4284. 네, 기다리겠습니다. - نعم، سننتظر.
4285. 중단하다 - للمقاطعة
4286. 나는 공부를 중단했다. - لقد قاطعت دراستي
4287. 너는 노래를 중단한다. - سوف تتوقف عن الغناء.
4288. 그는 게임을 중단할 것이다. - سيتوقف عن اللعب
4289. 멈출까? - هل سيتوقف؟
4290. 아니, 안 멈출 거야. - لا، لن أتوقف
4291. 중지하다 - سيتوقف
4292. 그녀는 작업을 중지했다. - ستتوقف عن العمل.
4293. 우리는 회의를 중지한다. - سنلغي الاجتماع
4294. 당신들은 프로젝트를 중지할 것이다. - سوف نوقف المشروع

4295. 중지할까? - هل سنتوقف؟
4296. 아니, 안 할 거야. - لا، لن نتوقف
4297. 보관하다 - للحفاظ على
4298. 그들은 기록을 보관했다. - احتفظوا بالسجلات.
4299. 나는 사진을 보관한다. - أحتفظ بالصور.
4300. 너는 문서를 보관할 것이다. - ستحتفظ بالوثائق.
4301. 보관해둘까? - هل أحتفظ بها؟
4302. 아니, 안 해도 돼. - لا، ليس عليك ذلك.
4303. 축적하다 - لتجميع
4304. 그녀는 경험을 축적했다. - راكمت الخبرة.
4305. 우리는 지식을 축적한다. - نحن نراكم المعرفة.
4306. 당신들은 자원을 축적할 것이다. - ستراكم الموارد.
4307. 축적할까? - هل علينا أن نراكم؟
4308. 아니, 필요 없어. - لا، لسنا بحاجة إلى ذلك.
4309. 48. 명사 단어들 외우기, 필수 10개 동사의 단어들을 가지고 50문장 연습하기 - 48. احفظ الكلمات الاسمية، تدرب على 50 جملة بكلمات الأفعال العشرة الأساسية
4310. 용기 - الشجاعة
4311. 능력 - القدرة
4312. 진심 - الإخلاص
4313. 구덩이 - الحفرة
4314. 정원 - الحديقة
4315. 채널 - القناة
4316. 휴식 - الراحة
4317. 휴가 - الإجازة
4318. 창문 - النافذة
4319. 장난감 - لعبة
4320. 장벽 - حاجز
4321. 저녁 - عشاء
4322. 식사 - وجبة
4323. 평화 - السلام
4324. 변화 - التغيير
4325. 음식 - الطعام
4326. 책 - كتاب
4327. 우산 - مظلة

4328. 기회 - الفرصة
4329. 쓰레기 - القمامة
4330. 선물 - هدية
4331. 위험 - خطر
4332. 논쟁 - جدال
4333. 책임 - المسؤولية
4334. 보이다 - إظهار
4335. 나는 용기를 보였다. - أظهر الشجاعة
4336. 너는 능력을 보인다. - إظهار الكفاءة
4337. 그는 진심을 보일 것이다. - سيُظهر الإخلاص
4338. 보여줄까? - هل أظهره أنا؟
4339. 아니, 괜찮아. - لا، لا بأس
4340. 소리치다 - أن تصرخ
4341. 그녀는 기쁨을 소리쳤다. - تصرخ فرحاً
4342. 우리는 승리를 소리친다. - سنصرخ بالنصر
4343. 당신들은 이름을 소리칠 것이다. - سوف تصرخ باسمك
4344. 소리쳐도 돼? - هل يمكنني أن أصرخ؟
4345. 아니, 조용히 해. - لا، اصمتي
4346. 파다 - لحفر
4347. 그들은 구덩이를 팠다. - حفروا حفرة
4348. 나는 정원을 파낸다. - سأحفر حديقة.
4349. 너는 채널을 파낼 것이다. - سوف تحفر قناة.
4350. 계속 파도 될까? - هل أواصل الحفر؟
4351. 아니, 그만 파. - لا، توقف عن الحفر
4352. 쉬다 - لتستريح
4353. 그녀는 잠시 쉬었다. - استرحت لبعض الوقت.
4354. 우리는 휴식을 취한다. - سنأخذ استراحة.
4355. 당신들은 휴가를 취할 것이다. - سنأخذ استراحة.
4356. 잠깐 쉴까? - هل نأخذ استراحة؟
4357. 아니, 계속할게. - لا، سأستمر
4358. 부수다 - لكسر
4359. 그는 창문을 부쉈다. - لقد كسر النافذة.
4360. 그녀는 장난감을 부수고 있다. - إنها تحطم ألعابها.
4361. 우리는 장벽을 부술 것이다. - سنكسر الحاجز.

4362. 부술까요? - هل نكسره؟
4363. 그래, 부셔요. - نعم، لنكسره.
4364. 요리하다 - لنطبخ
4365. 나는 저녁을 요리했다. - أنا أطبخ العشاء
4366. 너는 요리하고 있다. - أنت تطبخ
4367. 그는 식사를 요리할 것이다. - سوف يطبخ الوجبة.
4368. 뭐 요리할까? - ماذا سأطبخ؟
4369. 간단한 거로 해. - شيء بسيط
4370. 원하다 - تريد
4371. 그녀는 휴식을 원했다. - تريد أن ترتاح
4372. 우리는 평화를 원한다. - نريد السلام
4373. 당신들은 변화를 원할 것이다. - تريد التغيير
4374. 무엇을 원해요? - ماذا تريد؟
4375. 조용한 시간이요. - بعض الوقت الهادئ
4376. 가져오다 - لجلب
4377. 그들은 음식을 가져왔다. - أحضروا الطعام
4378. 나는 책을 가져온다. - أحضرت كتاباً
4379. 너는 우산을 가져올 것이다. - ستحضر المظلة
4380. 가져올까요? - هل أحضرها؟
4381. 네, 부탁해요. - نعم من فضلك
4382. 가져가다 - خذيها
4383. 그녀는 기회를 가져갔다. - لقد انتهزت الفرصة
4384. 우리는 쓰레기를 가져간다. - سنأخذ القمامة.
4385. 당신들은 선물을 가져갈 것이다. - ستأخذ الهدية
4386. 가져갈게요? - ستأخذها؟
4387. 좋아요, 가져가세요. - حسناً، خذها
4388. 회피하다 - لتجنب
4389. 나는 위험을 회피했다. - أنا أتجنب الخطر
4390. 너는 논쟁을 회피하고 있다. - أنت تتجنب الجدال
4391. 그는 책임을 회피할 것이다. - سوف يتجنب المسؤولية
4392. 회피해야 하나요? - هل يجب أن أتجنب؟
4393. 아니요, 마주해요. - لا، واجه الأمر.
4394. 49. 명사 단어들 외우기, 필수 10개 동사의 단어들을 가지고 50문장 연습하기 - 49. احفظ الكلمات الاسمية، تدرب على 50 جملة بكلمات الأفعال العشرة الأساسية

4395. 기쁨 - المتعة
4396. 어려움 - صعوبة
4397. 성공 - النجاح
4398. 추위 - البرد
4399. 성취감 - الإنجاز
4400. 도움 - المساعدة
4401. 지원 - الدعم
4402. 협력 - التعاون
4403. 결과 - النتيجة
4404. 여행 - السفر
4405. 실패 - الفشل
4406. 어둠 - الظلام
4407. 위험 - خطر
4408. 문제 - مشكلة
4409. 슬픔 - الحزن
4410. 과학 - العلم
4411. 예술 - الفن
4412. 취미 - هواية
4413. 주말 - عطلة نهاية الأسبوع
4414. 선생님 - مدرس
4415. 부모님 - الآباء
4416. 리더 - القائد
4417. 상황 - الوضع
4418. 경험하다 - للتجربة
4419. 그녀는 기쁨을 경험했다. - اختبرت الفرح.
4420. 우리는 어려움을 경험하고 있다. - نحن نختبر الصعوبات.
4421. 당신들은 성공을 경험할 것이다. - ستختبر النجاح.
4422. 경험해 볼래요? - هل تريد أن تختبرها؟
4423. 예, 해보고 싶어요. - نعم، أود أن أجربها.
4424. 느끼다 - أن تشعر
4425. 그는 기쁨을 느꼈다. - شعر بالبهجة.
4426. 나는 추위를 느낀다. - أشعر بالبرد.
4427. 너는 성취감을 느낄 것이다. - ستشعر بالإنجاز.
4428. 행복해요? - هل أنت سعيد؟

4429. 네, 매우 그래요. - نعم، كثيراً.
4430. 약속하다 - الوعد
4431. 그녀는 도움을 약속했다. - وعدت بالمساعدة.
4432. 우리는 지원을 약속한다. - نحن نعد بالدعم.
4433. 당신들은 협력을 약속할 것이다. - تعد بالتعاون
4434. 늦지 않겠죠? - لن تتأخر، أليس كذلك؟
4435. 아니요, 시간 맞출게요. - لا، سأكون في الوقت المحدد
4436. 기대하다 - أن تتوقع
4437. 그들은 좋은 결과를 기대했다. - توقعوا نتيجة جيدة.
4438. 나는 여행을 기대한다. - أتوقع السفر.
4439. 너는 성공을 기대할 것이다. - تتوقع النجاح
4440. 설레나요? - هل أنت متحمس؟
4441. 네, 정말로요. - نعم، حقاً.
4442. 두려워하다 - أن أكون خائفاً
4443. 나는 실패를 두려워했다. - أخاف من الفشل
4444. 너는 어둠을 두려워한다. - أنت خائف من الظلام
4445. 그는 위험을 두려워할 것이다. - خائف من المخاطرة
4446. 겁나나요? - هل أنت خائف؟
4447. 조금요, 괜찮아요. - قليلاً، لكن لا بأس
4448. 웃어대다 - أن تضحك على المشكلة
4449. 그녀는 문제를 웃어넘겼다. - لقد ضحكت على المشكلة
4450. 우리는 슬픔을 웃어낸다. - نحن نضحك على أحزاننا
4451. 당신들은 어려움을 웃어넘길 것이다. - سوف تضحك على صعوباتك
4452. 웃을 수 있어요? - هل يمكنك الضحك؟
4453. 네, 물론이죠. - نعم بالطبع
4454. 관심가지다 - أن تكون مهتماً بـ
4455. 그는 과학에 관심을 가졌다. - كان مهتماً بالعلم.
4456. 나는 예술에 관심을 가진다. - أنا مهتم بالفن.
4457. 너는 새 취미에 관심을 가질 것이다. - ستكون مهتمًا بهواية جديدة.
4458. 관심 있어요? - هل أنت مهتم؟
4459. 네, 많이요. - نعم، كثيراً.
4460. 휴식하다 - للاسترخاء
4461. 그들은 주말에 휴식했다. - ارتاحوا في عطلة نهاية الأسبوع.
4462. 나는 지금 휴식한다. - أنا أستريح الآن.

4463. 너는 여행 후 휴식할 것이다. - سوف تستريح بعد الرحلة.
4464. 쉬고 싶어요? - هل تريدين الراحة؟
4465. 예, 필요해요. - نعم، أحتاجها.
4466. 존경하다 - لتكريم
4467. 나는 선생님을 존경했다. - أنا أحترم أستاذي.
4468. 너는 부모님을 존경한다. - أنت تحترم والديك.
4469. 그는 리더를 존경할 것이다. - سوف يحترم القائد.
4470. 존경해요? - هل تحترم؟
4471. 네, 존경해요. - نعم، أحترمهم
4472. 절망하다 - لليأس
4473. 그녀는 실패에 절망했다. - لقد يئست من الفشل.
4474. 우리는 상황을 절망한다. - يئست من الوضع.
4475. 당신들은 결과에 절망할 것이다. - سوف تيأس من النتيجة.
4476. 희망이 있어? - هل هناك أمل؟
4477. 네, 여전히 있어. - نعم، لا يزال هناك أمل.
4478. 50. 명사 단어들 외우기, 필수 10개 동사의 단어들을 가지고 50문장 연습하기 - 50- احفظ الكلمات الاسمية، وتمرن على 50 جملة مع الكلمات الفعلية العشر الأساسية
4479. 대회 - المنافسة
4480. 경기 - لعبة
4481. 시합 - مباراة
4482. 도전 - التحدي
4483. 시험 - اختبار
4484. 어린 시절 - الطفولة
4485. 추억 - الذاكرة
4486. 순간 - لحظة
4487. 도움 - المساعدة
4488. 정보 - المعلومات
4489. 지원 - الدعم
4490. 조심 - الحذر
4491. 성실 - الإخلاص
4492. 주의 - الحذر
4493. 사업 - الأعمال
4494. 집 - منزل
4495. 작업 - العمل

4496. 자격 - المؤهلات
4497. 기술 - التكنولوجيا
4498. 능력 - القدرة
4499. 강좌 - المحاضرات
4500. 프로그램 - البرنامج
4501. 관계 - العلاقة
4502. 건강 - الصحة
4503. 균형 - التوازن
4504. 전통 - التقاليد
4505. 환경 - البيئة
4506. 문화 - الثقافة
4507. 승리하다 - الفوز
4508. 그는 대회에서 승리했다. - فاز بالمباراة
4509. 나는 경기를 승리한다. - فزت بالمباراة
4510. 너는 시합을 승리할 것이다. - ستفوز بالمباراة
4511. 기분 좋아요? - هل تشعر بشعور جيد؟
4512. 네, 매우 좋아요. - نعم، أشعر بشعور جيد جداً.
4513. 패배하다 - الخسارة
4514. 그들은 경기에서 패배했다. - خسرت المباراة.
4515. 나는 도전에서 패배한다. - خسرت التحدي.
4516. 너는 시험에서 패배할 것이다. - ستخسر الاختبار.
4517. 괜찮아요? - هل أنت بخير؟
4518. 네, 괜찮아요. - نعم، أنا بخير
4519. 회상하다 - أن أتذكر
4520. 나는 어린 시절을 회상했다. - أنا أتذكر طفولتي.
4521. 너는 좋은 추억을 회상한다. - ستتذكر الذكريات الجميلة.
4522. 그는 행복한 순간을 회상할 것이다. - سوف يتذكر اللحظات السعيدة.
4523. 추억 나눌래? - هل تريد أن تتذكر؟
4524. 네, 좋아요. - نعم، أود ذلك.
4525. 구하다 - أن تطلب المساعدة
4526. 그녀는 도움을 구했다. - لقد طلبت المساعدة.
4527. 우리는 정보를 구한다. - نحن نسعى للحصول على معلومات.
4528. 당신들은 지원을 구할 것이다. - ستطلب المساعدة
4529. 도와줄까요? - هل أساعدك؟

4530. 네, 부탁해요. - نعم، من فضلك
4531. 당부하다 - طلب
4532. 그는 조심을 당부했다. - أطلب الحذر
4533. 나는 성실을 당부한다. - أطلب الإخلاص.
4534. 너는 주의를 당부할 것이다. - ستطلب الحذر
4535. 약속해요? - هل تعدني؟
4536. 네, 약속해요. - نعم، أعدك
4537. 계약하다 - للتعاقد
4538. 그들은 사업에 계약했다. - تعاقدوا على العمل.
4539. 나는 집을 계약한다. - أتعاقد على منزل.
4540. 너는 작업을 계약할 것이다. - سوف تتعاقد على عمل
4541. 성공할까요? - هل ستنجح؟
4542. 네, 분명해요. - نعم، أنا متأكد
4543. 인증하다 - للتصديق
4544. 그녀는 자격을 인증했다. - تصادق على مؤهلاتها.
4545. 우리는 기술을 인증한다. - نحن نصادق على المهارات.
4546. 당신들은 능력을 인증할 것이다. - سوف تصادق على مهاراتك.
4547. 준비됐나요? - هل أنتِ مستعدة؟
4548. 네, 완벽해요. - نعم، ممتاز
4549. 등록하다 - للتسجيل
4550. 나는 강좌에 등록했다. - أنا مسجل في دورة
4551. 너는 대회에 등록한다. - ستسجل في المسابقة
4552. 그는 프로그램에 등록할 것이다. - سوف يسجل في البرنامج.
4553. 참여할래? - هل تريد الانضمام؟
4554. 네, 신나요. - نعم، أنا متحمس
4555. 유지하다 - للحفاظ على
4556. 그들은 관계를 유지했다. - حافظوا على علاقتهم.
4557. 나는 건강을 유지한다. - سأحافظ على صحتي.
4558. 너는 균형을 유지할 것이다. - ستحافظ على التوازن.
4559. 쉽나요? - هل هذا سهل؟
4560. 네, 쉬어요. - نعم، إنه سهل
4561. 보존하다 - الحفاظ على
4562. 그녀는 전통을 보존했다. - حافظت على التقاليد.
4563. 우리는 환경을 보존한다. - سنحافظ على البيئة.

4564. 당신들은 문화를 보존할 것이다. - ستحافظ على الثقافة.
4565. 중요하죠? - إنه أمر مهم، أليس كذلك؟
4566. 네, 매우 중요해요. - نعم، إنه مهم جداً.
4567. 51. 명사 단어들 외우기, 필수 10개 동사의 단어들을 가지고 50문장 연습하기 - 51- احفظ الكلمات الاسمية، وتدرب على 50 جملة مع الكلمات الفعلية العشر الأساسية
4568. 차 - سيارة
4569. 옷 - ملابس
4570. 신발 - حذاء
4571. 자동차 - سيارة
4572. 방 - غرفة
4573. 집 - منزل
4574. 제품 - المنتج
4575. 앱 - تطبيق
4576. 게임 - لعبة
4577. 계획 - خطة
4578. 정보 - المعلومات
4579. 사실 - في الواقع
4580. 편지 - الرسالة
4581. 상품 - السلع
4582. 초대장 - دعوة
4583. 신호 - إشارة
4584. 데이터 - البيانات
4585. 메시지 - رسالة
4586. 뉴스 - الأخبار
4587. 프로그램 - برنامج
4588. 쇼 - عرض
4589. 영화 - فيلم
4590. 음악 - موسيقى
4591. 콘서트 - حفلة موسيقية
4592. 조건 - حالة
4593. 계약 - عقد
4594. 가격 - السعر
4595. 목표 - الهدف
4596. 방침 - السياسة

4597. 세척하다 - للغسيل
4598. 그는 차를 세척했다. - غسل السيارة
4599. 나는 옷을 세척한다. - أغسل ملابسي
4600. 너는 신발을 세척할 것이다. - سوف تغسل حذائك.
4601. 깨끗해졌나요? - هل هما نظيفان؟
4602. 네, 반짝반짝해요. - نعم، إنهما لامعة.
4603. 개조하다 - قام بتجديد
4604. 그는 자동차를 개조했다. - قام بتجديد السيارة.
4605. 나는 방을 개조한다. - سأجدد الغرفة.
4606. 너는 집을 개조할 것이다. - سوف تجدد المنزل.
4607. 새로워 보이나요? - هل يبدو جديداً؟
4608. 네, 완전히 달라요. - نعم، إنه مختلف تماماً.
4609. 출시하다 - للإطلاق
4610. 그녀는 새 제품을 출시했다. - أطلقت منتجاً جديداً.
4611. 우리는 앱을 출시한다. - سنطلق تطبيقاً.
4612. 당신들은 게임을 출시할 것이다. - ستطلقون لعبة.
4613. 관심 있어요? - هل أنت مهتم؟
4614. 네, 궁금해요. - نعم، أنا مهتم.
4615. 비밀하다 - أن نكون سريين
4616. 그들은 계획을 비밀했다. - أبقوا خططهم سرية
4617. 나는 정보를 비밀한다. - أبقي المعلومات سرية.
4618. 너는 사실을 비밀할 것이다. - ستحافظ على سرية الحقيقة.
4619. 알고 싶어요? - هل تريد أن تعرف؟
4620. 아니요, 괜찮아요. - لا، شكراً لك
4621. 발송하다 - لإرسال
4622. 그녀는 편지를 발송했다. - لقد شحنت الرسالة
4623. 우리는 상품을 발송한다. - نحن نشحن البضاعة
4624. 당신들은 초대장을 발송할 것이다. - أنتم يا رفاق سترسلون الدعوات
4625. 받았어요? - هل استلمتها؟
4626. 네, 잘 받았어요. - نعم، استلمتها بشكل جيد.
4627. 송출하다 - لإرسال
4628. 그는 신호를 송출했다. - لقد أرسل إشارة.
4629. 나는 데이터를 송출한다. - سأرسل بيانات.
4630. 너는 메시지를 송출할 것이다. - سوف تبث رسالة.

4631. 작동하나요? - هل يعمل؟
4632. 네, 잘 되요. - نعم، إنه يعمل.
4633. 방송하다 - للبث
4634. 그들은 뉴스를 방송했다. - أذيع الأخبار
4635. 나는 프로그램을 방송한다. - سأذيع برنامجاً
4636. 너는 쇼를 방송할 것이다. - ستذيع برنامجاً.
4637. 볼래요? - هل تريد المشاهدة؟
4638. 네, 흥미로워요. - نعم، إنه مثير للاهتمام.
4639. 스트리밍하다 - لبث
4640. 그녀는 영화를 스트리밍했다. - لقد بثت فيلمًا.
4641. 우리는 음악을 스트리밍한다. - نحن نبث موسيقى.
4642. 당신들은 콘서트를 스트리밍할 것이다. - ستبثون حفلة موسيقية.
4643. 즐기나요? - هل تستمتع بها؟
4644. 네, 많이요. - نعم، كثيراً.
4645. 협상하다 - للتفاوض
4646. 그는 조건을 협상했다. - تفاوض على الشروط
4647. 나는 계약을 협상한다. - أنا أتفاوض على العقد.
4648. 너는 가격을 협상할 것이다. - سوف تتفاوض على السعر.
4649. 합의했나요? - هل توصلنا إلى اتفاق؟
4650. 네, 도달했어요. - نعم، لقد توصلنا إلى اتفاق.
4651. 합의하다 - للاتفاق
4652. 그들은 목표에 합의했다. - اتفقنا على الهدف.
4653. 나는 방침에 합의한다. - سوف نتفق على السياسة.
4654. 너는 계획에 합의할 것이다. - سوف نتفق على الخطة.
4655. 만족해요? - هل أنت راض؟
4656. 네, 완전히요. - نعم، تماماً.
4657. 52. 명사 단어들 외우기, 필수 10개 동사의 단어들을 가지고 50문장 연습하기 - 52. احفظ الكلمات الاسمية، تدرب على 50 جملة مع 10 كلمات فعلية أساسية
4658. 프로젝트 - مشروع
4659. 발전 - التطوير
4660. 성공 - النجاح
4661. 사진 - الصورة
4662. 아이디어 - فكرة
4663. 경험 - الخبرة

4664. 건물 - المبنى
4665. 회의실 - غرفة الاجتماعات
4666. 도서관 - مكتبة
4667. 파티 - الحفلات
4668. 회의 - اجتماع
4669. 강당 - قاعة المحاضرات
4670. 목록 - قائمة
4671. 보고서 - تقرير
4672. 계획 - الخطة
4673. 명단 - قائمة
4674. 주제 - الموضوع
4675. 옵션 - خيار
4676. 시험 - اختبار
4677. 비상사태 - الطوارئ
4678. 경쟁 - تنافس
4679. 예산 - الميزانية
4680. 기대 - التوقعات
4681. 목표 - الهدف
4682. 극한 - الحد
4683. 한계 - الحد المستهدف
4684. 정상 - عادي
4685. 합의 - الاتفاق
4686. 결론 - الاستنتاج
4687. 기여하다 - للمساهمة
4688. 그녀는 프로젝트에 기여했다. - ساهمت في المشروع
4689. 우리는 발전에 기여한다. - نحن نساهم في التطوير.
4690. 당신들은 성공에 기여할 것이다. - ستساهم في النجاح.
4691. 도움됐나요? - هل ساعدت؟
4692. 네, 많이요. - نعم، كثيراً.
4693. 공유하다 - للمشاركة
4694. 그는 사진을 공유했다. - شارك الصورة.
4695. 나는 아이디어를 공유한다. - أشارك الأفكار.
4696. 너는 경험을 공유할 것이다. - ستشارك تجربتك.
4697. 보여줄래요? - هل ستريني؟

4698. 네, 기꺼이요. - نعم، يسعدني ذلك.
4699. 출입하다 - للدخول والخروج
4700. 그들은 건물에 출입했다. - دخلوا المبنى.
4701. 나는 회의실에 출입한다. - سأدخل قاعة المؤتمرات.
4702. 너는 도서관에 출입할 것이다. - ستدخل المكتبة.
4703. 허용되나요? - هل هذا مسموح؟
4704. 네, 가능해요. - نعم، يمكنك ذلك.
4705. 퇴장하다 - أن تغادر
4706. 그녀는 파티에서 퇴장했다. - غادرت الحفلة
4707. 우리는 회의에서 퇴장한다. - سنغادر الاجتماع
4708. 당신들은 강당에서 퇴장할 것이다. - ستغادرون القاعة.
4709. 끝났나요? - هل انتهيتم؟
4710. 네, 끝났어요. - نعم، لقد انتهى
4711. 포함하다 - لتضمين
4712. 그는 목록에 이름을 포함했다. - أدرج الأسماء في القائمة.
4713. 나는 보고서에 결과를 포함한다. - أدرج النتائج في التقرير.
4714. 너는 계획에 이 아이디어를 포함할 것이다. - ستدرج الفكرة في خطتك.
4715. 필요해요? - هل هذا ضروري؟
4716. 네, 중요해요. - نعم، من المهم
4717. 배제하다 - لاستبعاد
4718. 그들은 명단에서 그를 배제했다. - استبعدوه من القائمة.
4719. 나는 논의에서 주제를 배제한다. - استبعدت الموضوع من المناقشة.
4720. 너는 제안에서 그 옵션을 배제할 것이다. - سوف تستبعد الخيار من الاقتراح.
4721. 제외되나요? - استبعاد؟
4722. 네, 그렇게 결정했어요. - نعم، هذا ما قررناه.
4723. 대비하다 - للتحضير
4724. 그녀는 시험에 대비했다. - استعدت للامتحان.
4725. 우리는 비상사태에 대비한다. - نحن نستعد للطوارئ.
4726. 당신들은 경쟁에 대비할 것이다. - سوف تستعد للمسابقة.
4727. 준비됐나요? - هل أنت مستعد؟
4728. 네, 완벽해요. - نعم، أنا جاهز تماماً
4729. 초과하다 - لتجاوز
4730. 그는 예산을 초과했다. - تجاوز الميزانية.
4731. 나는 기대를 초과한다. - تجاوزت التوقعات.

4732. 너는 목표를 초과할 것이다. - ستتجاوز هدفك.
4733. 문제 있나요? - هل هناك مشكلة؟
4734. 아니요, 괜찮아요. - لا، أنا بخير
4735. 미치다 - أن تكون مجنوناً
4736. 그는 극한에 미쳤다. - هو مجنون إلى أقصى الحدود
4737. 나는 한계에 미친다. - أنا مجنون إلى أقصى الحدود.
4738. 너는 목표에 미칠 것이다. - ستكون مجنوناً بأهدافك
4739. 미쳤어? - هل أنت مجنون؟
4740. 아니, 정상이야. - لا، هذا طبيعي
4741. 도달하다 - أن تصل
4742. 그녀는 정상에 도달했다. - وصلت إلى القمة.
4743. 우리는 합의에 도달한다. - سنصل إلى اتفاق
4744. 당신들은 결론에 도달할 것이다. - سوف تصل إلى نتيجة.
4745. 도착했니? - هل وصلنا؟
4746. 네, 여기야. - نعم، وصلنا.
4747. 53. 명사 단어들 외우기, 필수 10개 동사의 단어들을 가지고 50문장 연습하기 - 53. احفظ الكلمات الاسمية، وتدرب على 50 جملة باستخدام الكلمات الفعلية العشر الأساسية
4748. 자원 - الموارد
4749. 정보 - المعلومات
4750. 지지 - الدعم
4751. 미래 - المستقبل
4752. 가능성 - إمكانية
4753. 세계 - العالم
4754. 새로운 것 - شيء جديد
4755. 해결 - حل
4756. 변화 - التغيير
4757. 목표 - الهدف
4758. 계획 - خطة
4759. 시험 - اختبار
4760. 사업 - الأعمال
4761. 노력 - الجهد المبذول
4762. 프로젝트 - المشروع
4763. 결정 - القرار
4764. 방향 - الاتجاه

4765. 선택 - اختر
4766. 경고 - التحذير
4767. 위험 - خطر
4768. 조언 - نصيحة
4769. 세부사항 - التفاصيل
4770. 결과 - النتيجة
4771. 작업 - العمل
4772. 공부 - دراسة
4773. 공원 - الحديقة
4774. 생각 - الفكر
4775. 감정 - العاطفة
4776. 확보하다 - لتأمين
4777. 그들은 자원을 확보했다. - أمّنت الموارد
4778. 나는 정보를 확보한다. - أمنت المعلومات
4779. 너는 지지를 확보할 것이다. - ستؤمن الدعم.
4780. 준비됐니? - هل أنت مستعد؟
4781. 네, 다 됐어. - نعم، أنا مستعد
4782. 상상하다 - لتخيل
4783. 그녀는 미래를 상상했다. - تخيلت المستقبل.
4784. 우리는 가능성을 상상한다. - نحن نتخيل الاحتمالات.
4785. 당신들은 세계를 상상할 것이다. - سوف تتخيل العالم.
4786. 꿈꿔? - هل تحلمين؟
4787. 네, 가끔. - نعم، أحياناً
4788. 시도하다 - أن تجرب
4789. 그는 새로운 것을 시도했다. - حاول شيئًا جديدًا.
4790. 나는 해결을 시도한다. - أحاول أن أحل
4791. 너는 변화를 시도할 것이다. - ستحاول التغيير.
4792. 해봤어? - هل جربته؟
4793. 아직 안 해. - لم أحاول بعد
4794. 실패하다 - أن تفشل
4795. 그들은 목표에 실패했다. - فشلوا في هدفهم.
4796. 나는 계획에 실패한다. - فشلت في الخطة
4797. 너는 시험에 실패할 것이다. - ستفشل في الاختبار
4798. 실패했니? - هل فشلت؟

4799. 네, 아쉽게도. - نعم للأسف
4800. 성공하다 - نجحت
4801. 그녀는 사업에서 성공했다. - نجحت في العمل.
4802. 우리는 노력에서 성공한다. - نجحت في مساعينا.
4803. 당신들은 프로젝트에서 성공할 것이다. - ستنجح في المشروع.
4804. 성공했어? - هل نجحت؟
4805. 네, 됐어! - نعم، نجحت
4806. 확신하다 - على يقين
4807. 그는 결정에 확신했다. - كان متأكداً من قراره.
4808. 나는 방향에 확신한다. - أنا متأكد من الاتجاه.
4809. 너는 선택에 확신할 것이다. - ستكون متأكداً من اختيارك
4810. 확실해? - هل أنت متأكد؟
4811. 네, 확실해. - نعم، أنا متأكد
4812. 무시하다 - تجاهل
4813. 그들은 경고를 무시했다. - تجاهلوا التحذير.
4814. 나는 위험을 무시한다. - تجاهلت الخطر
4815. 너는 조언을 무시할 것이다. - سوف تتجاهل النصيحة
4816. 무시해? - تجاهل؟
4817. 아니, 들어. - لا، اسمع
4818. 주목하다 - لاحظت
4819. 그녀는 변화에 주목했다. - لقد لاحظت التغيير.
4820. 우리는 세부사항에 주목한다. - نحن ننتبه إلى التفاصيل.
4821. 당신들은 결과에 주목할 것이다. - ستلاحظ النتائج.
4822. 보고 있니? - هل تراقب؟
4823. 네, 주목해. - نعم، أنا أنتبه.
4824. 집중하다 - التركيز
4825. 그는 작업에 집중했다. - ركز على المهمة.
4826. 나는 목표에 집중한다. - أركز على الهدف.
4827. 너는 공부에 집중할 것이다. - ستركز على دراستك.
4828. 집중돼? - هل أنت مركز؟
4829. 네, 잘 돼. - نعم، تسير الأمور على ما يرام.
4830. 흩어지다 - تفرقوا
4831. 그들은 공원에서 흩어졌다. - لقد تشتتوا في الحديقة.
4832. 나는 생각에 흩어진다. - أنا مبعثر في أفكاري.

4833. 너는 감정에 흩어질 것이다. - سوف تتشتت في مشاعرك.
4834. 헤어졌어? - هل تفرقتم؟
4835. 네, 이제 그래. - نعم، أنا الآن.
4836. 54. 명사 단어들 외우기, 필수 10개 동사의 단어들을 가지고 50문장 연습하기 - 54. احفظ الكلمات الاسمية، وتدرب على 50 جملة مع الكلمات الفعلية العشر الأساسية
4837. 자원 - مورد
4838. 관심 - الاهتمام
4839. 투자 - استثمر
4840. 데이터 - البيانات
4841. 시스템 - نظام
4842. 노력 - الجهد المبذول
4843. 색상 - اللون
4844. 재료 - المكون
4845. 아이디어 - فكرة
4846. 문제 - المشكلة
4847. 과정 - الإجراء
4848. 절차 - الإجراء
4849. 계획 - الخطة
4850. 상황 - الموقف
4851. 설명 - الشرح
4852. 작업 - العمل
4853. 생각 - فكرة
4854. 보고서 - تقرير
4855. 내용 - التفاصيل
4856. 결과 - النتيجة
4857. 용어 - الشروط
4858. 목적 - الغرض
4859. 개념 - المفهوم
4860. 주장 - رأي
4861. 의견 - رأي
4862. 결론 - الاستنتاج
4863. 이론 - نظرية
4864. 가설 - الفرضية
4865. 분산하다 - التفريق

4866. 그들은 자원을 분산했다. - شتتوا مواردهم.
4867. 우리는 관심을 분산한다. - ننوع اهتمامنا.
4868. 당신들은 투자를 분산할 것이다. - ننوّع استثماراتنا.
4869. 관심 있어? - هل أنت مهتم؟
4870. 조금 있어. - لدي بعض
4871. 통합하다 - لدمج
4872. 그녀는 데이터를 통합했다. - لقد دمجت البيانات.
4873. 우리는 시스템을 통합한다. - نقوم بدمج الأنظمة.
4874. 당신들은 노력을 통합할 것이다. - سوف تدمج جهودك.
4875. 쉬웠어? - هل كان الأمر سهلاً؟
4876. 아니, 어려웠어. - لا، كان صعباً
4877. 혼합하다 - المزج
4878. 그는 색상을 혼합했다. - مزج الألوان.
4879. 나는 재료를 혼합한다. - مزج المكونات.
4880. 너는 아이디어를 혼합할 것이다. - سوف تخلط الأفكار.
4881. 잘 됐어? - هل سار الأمر بشكل جيد؟
4882. 네, 잘 됐어. - نعم، سار الأمر بشكل جيد.
4883. 단순화하다 - لتبسيط
4884. 그들은 문제를 단순화했다. - قاموا بتبسيط المشكلة.
4885. 우리는 과정을 단순화한다. - نحن نبسط العملية.
4886. 당신들은 절차를 단순화할 것이다. - أنتم يا رفاق ستبسطون العملية.
4887. 필요해? - هل تحتاجها؟
4888. 네, 필요해. - نعم، أحتاجها
4889. 복잡하게 하다 - لتعقيد
4890. 그녀는 계획을 복잡하게 했다. - لقد عقدت الخطة.
4891. 나는 상황을 복잡하게 한다. - أعقد الوضع.
4892. 너는 설명을 복잡하게 할 것이다. - ستعقد الشرح
4893. 문제 있어? - هل هناك مشكلة؟
4894. 아니, 괜찮아. - لا، أنا بخير
4895. 간소화하다 - لتبسيط
4896. 그는 절차를 간소화했다. - قام بتبسيط الإجراء.
4897. 나는 작업을 간소화한다. - أنا أبسط المهمة.
4898. 너는 생각을 간소화할 것이다. - سوف تبسط تفكيرك.
4899. 도움 돼? - هل يساعد؟

4900. 네, 도움 돼. - نعم، يساعد.
4901. 요약하다 - تلخيص
4902. 그들은 보고서를 요약했다. - لخصوا التقرير.
4903. 우리는 내용을 요약한다. - سنلخص المحتوى.
4904. 당신들은 결과를 요약할 것이다. - أنت ستلخص النتائج.
4905. 간단해? - بسيط؟
4906. 응, 간단해. - نعم، الأمر بسيط.
4907. 정의하다 - للتعريف
4908. 그녀는 용어를 정의했다. - عرّفت المصطلحات.
4909. 나는 목적을 정의한다. - أعرّف الغرض.
4910. 너는 개념을 정의할 것이다. - ستحدد المفهوم.
4911. 이해했어? - هل تفهم؟
4912. 네, 이해했어. - نعم، أفهم.
4913. 반박하다 - دحض
4914. 그는 주장을 반박했다. - دحض الحجة.
4915. 나는 의견을 반박한다. - سأدحض الرأي.
4916. 너는 결론을 반박할 것이다. - سوف تدحض الاستنتاج.
4917. 확실해? - هل أنت متأكد؟
4918. 네, 확실해. - نعم، أنا متأكد
4919. 논박하다 - دحض
4920. 그들은 이론을 논박했다. - دحضوا النظرية.
4921. 우리는 가설을 논박한다. - سندحض الفرضية.
4922. 당신들은 주장을 논박할 것이다. - سوف تدحض الفرضية.
4923. 가능해? - هل هذا ممكن؟
4924. 어렵지만 가능해. - الأمر صعب، لكنه ممكن.
4925. 55. 명사 단어들 외우기, 필수 10개 동사의 단어들을 가지고 50문장 연습하기 - 55- احفظ الكلمات الاسمية، تدرب على 50 جملة بكلمات الأفعال العشرة الأساسية
4926. 문헌 - الأدب
4927. 연구 - البحث
4928. 전문가 - خبير
4929. 사건 - حدث
4930. 이슈 - قضية
4931. 사실 - في الواقع
4932. 행복 - السعادة

4933. 목표 - الهدف
4934. 성공 - النجاح
4935. 기술 - التكنولوجيا
4936. 학문 - المنح الدراسية
4937. 경력 - الحياة المهنية
4938. 발전 - التطوير
4939. 계획 - الخطة
4940. 집 - المنزل
4941. 사무실 - مكتب
4942. 공간 - المساحة
4943. 작품 - العمل
4944. 데이터 - البيانات
4945. 디자인 - التصميم
4946. 실수 - خطأ
4947. 과정 - الإجراء
4948. 패턴 - النمط
4949. 스타일 - النمط
4950. 방식 - الأسلوب
4951. 기법 - الأسلوب
4952. 동작 - الحركة
4953. 말투 - الكلام
4954. 절차 - الإجراء
4955. 인용하다 - للاستشهاد
4956. 그녀는 문헌을 인용했다. - استشهدت بالأدبيات
4957. 나는 연구를 인용한다. - استشهدت بدراسة
4958. 너는 전문가를 인용할 것이다. - سوف تستشهد بخبير.
4959. 필요한 거야? - هل هذا ضروري؟
4960. 네, 필요해. - نعم، إنه ضروري.
4961. 언급하다 - أن أذكر
4962. 그는 사건을 언급했다. - أشار إلى القضية.
4963. 나는 이슈를 언급한다. - أشير إلى القضية.
4964. 너는 사실을 언급할 것이다. - ستذكر الحقيقة.
4965. 언급됐어? - ذُكرت؟
4966. 네, 언급됐어. - نعم، تم ذكرها.

4967. 추구하다 - لمتابعة
4968. 그들은 행복을 추구했다. - سعوا وراء السعادة.
4969. 우리는 목표를 추구한다. - نحن نسعى وراء الأهداف.
4970. 당신들은 성공을 추구할 것이다. - ستسعى للنجاح.
4971. 성공했어? - هل نجحت؟
4972. 아직은 모르겠어. - لا أعلم بعد
4973. 진보하다 - أحرزت تقدماً
4974. 그녀는 기술에서 진보했다. - أحرزت تقدمًا في التكنولوجيا.
4975. 나는 학문에서 진보한다. - تقدمت في دراستي.
4976. 너는 경력에서 진보할 것이다. - ستتقدم في حياتك المهنية.
4977. 어떻게 됐어? - كيف تسير الأمور؟
4978. 잘 되고 있어. - تسير بشكل جيد
4979. 후퇴하다 - تراجع
4980. 그는 발전에서 후퇴했다. - تراجع عن التقدم.
4981. 나는 계획에서 후퇴한다. - أنا أتراجع عن الخطة.
4982. 너는 목표에서 후퇴할 것이다. - سوف تتراجع عن الهدف.
4983. 괜찮아? - هل أنت بخير؟
4984. 괜찮아, 다시 해볼게. - لا بأس، سأحاول مرة أخرى.
4985. 리모델링하다 - إعادة تشكيل
4986. 그들은 집을 리모델링했다. - لقد أعادوا تشكيل المنزل.
4987. 우리는 사무실을 리모델링한다. - سنعيد تشكيل المكتب.
4988. 당신들은 공간을 리모델링할 것이다. - أنت ستعيد تشكيل مساحتك.
4989. 비쌌어? - هل كان مكلفاً؟
4990. 네, 좀 비쌌어. - نعم، كان مكلفاً بعض الشيء.
4991. 복제하다 - لإعادة إنتاج
4992. 그녀는 작품을 복제했다. - لقد استنسخت أعمالها الفنية.
4993. 나는 데이터를 복제한다. - أعيد إنتاج البيانات.
4994. 너는 디자인을 복제할 것이다. - ستعيد إنتاج التصميم.
4995. 허락됐어? - هل مسموح لك؟
4996. 네, 허락됐어. - نعم، مسموح لي
4997. 반복하다 - بتكرار
4998. 그는 실수를 반복했다. - كرر خطأه.
4999. 나는 과정을 반복한다. - سأكرر العملية.
5000. 너는 패턴을 반복할 것이다. - سوف تكرر النمط.

5001. 배웠어? - هل تعلمت؟
5002. 네, 배웠어. - نعم، تعلمت
5003. 모방하다 - أن تقلد
5004. 그들은 스타일을 모방했다. - قلدوا الأسلوب.
5005. 우리는 방식을 모방한다. - نحن نقلد الأسلوب.
5006. 당신들은 기법을 모방할 것이다. - أنتم تقلدون الأسلوب.
5007. 좋았어? - هل كانت جيدة؟
5008. 응, 괜찮았어. - نعم، كان جيداً
5009. 따라하다 - تقليد
5010. 그녀는 동작을 따라했다. - قلدت الحركات
5011. 나는 말투를 따라한다. - قلدت نبرة الصوت.
5012. 너는 절차를 따라할 것이다. - سوف تتبع الإجراء.
5013. 쉬웠어? - هل كان الأمر سهلاً؟
5014. 응, 쉬웠어. - نعم، كان سهلاً.
5015. 56. 명사 단어들 외우기, 필수 10개 동사의 단어들을 가지고 50문장 연습하기 - 56. احفظ الكلمات الاسمية، تدرب على 50 جملة مع الكلمات الفعلية العشر الأساسية
5016. 정보 - المعلومات
5017. 아이 - طفل
5018. 환경 - البيئة
5019. 시장 - السوق
5020. 행동 - العمل
5021. 프로세스 - العملية
5022. 위험 - الخطر
5023. 오류 - خطأ
5024. 실패 - فشل
5025. 질병 - مرض
5026. 사고 - حادث
5027. 문제 - مشكلة
5028. 아이디어 - فكرة
5029. 시스템 - النظام
5030. 의견 - الرأي
5031. 자원 - الموارد
5032. 데이터 - البيانات
5033. 옵션 - الخيار

5034. 후보 - المرشح
5035. 보상 - التعويضات
5036. 비용 - النفقات
5037. 권리 - حق
5038. 계획 - الخطة
5039. 제안 - المقترح
5040. 주장 - الرأي
5041. 포지션 - المنصب
5042. 영역 - المنطقة
5043. 보호하다 - للحماية
5044. 그는 정보를 보호했다. - أحمي المعلومات
5045. 나는 아이를 보호한다. - أحمي الطفل
5046. 너는 환경을 보호할 것이다. - تحمي البيئة
5047. 중요해? - هل هذا مهم؟
5048. 네, 매우 중요해. - نعم، إنه مهم جداً
5049. 감시하다 - للمراقبة
5050. 그들은 시장을 감시했다. - يراقبون السوق.
5051. 우리는 행동을 감시한다. - نحن نراقب السلوك.
5052. 당신들은 프로세스를 감시할 것이다. - سوف تراقب العملية.
5053. 필요했어? - هل كان ذلك ضرورياً؟
5054. 네, 필요했어. - نعم، كان ضرورياً
5055. 경계하다 - أن تكون على أهبة الاستعداد
5056. 그녀는 위험을 경계했다. - كانت على أهبة الاستعداد للخطر.
5057. 나는 오류를 경계한다. - أنا على حذر من الأخطاء.
5058. 너는 실패를 경계할 것이다. - ستكون على حذر من الفشل.
5059. 조심해야 해? - هل يجب أن أكون حذراً؟
5060. 네, 조심해야 해. - نعم، يجب أن تكون حذراً.
5061. 예방하다 - للوقاية
5062. 그녀는 질병을 예방했다. - لقد منعت المرض.
5063. 우리는 사고를 예방한다. - نحن نمنع الحوادث.
5064. 당신들은 문제를 예방할 것이다. - سوف تمنع المتاعب.
5065. 감기 걸렸어? - هل أنت مصاب بالزكام؟
5066. 아니, 괜찮아. - لا، أنا بخير
5067. 혁신하다 - ابتكر

5068. 그는 프로세스를 혁신했다. - ابتكر عملية.
5069. 나는 아이디어를 혁신한다. - أنا أبتكر أفكاراً
5070. 너는 시스템을 혁신할 것이다. - سوف تبتكر نظاماً
5071. 새로워? - جديد؟
5072. 응, 새로워. - نعم، جديد
5073. 교환하다 - تبادل
5074. 그녀는 정보를 교환했다. - تبادلت المعلومات.
5075. 우리는 의견을 교환한다. - نتبادل الآراء.
5076. 당신들은 자원을 교환할 것이다. - تتبادل الموارد
5077. 바꿨어? - هل تبادلت؟
5078. 응, 바꿨어. - نعم، فعلت
5079. 선별하다 - غربلة
5080. 그는 데이터를 선별했다. - لقد غربل البيانات.
5081. 나는 옵션을 선별한다. - سأغربل الخيارات.
5082. 너는 후보를 선별할 것이다. - ستغربل المرشحين.
5083. 선택했어? - هل اخترت؟
5084. 네, 했어. - نعم، فعلت.
5085. 청구하다 - للمطالبة
5086. 그녀는 보상을 청구했다. - طالبت بتعويضها.
5087. 우리는 비용을 청구한다. - سنطالب بالنفقات.
5088. 당신들은 권리를 청구할 것이다. - ستطالب بحقوقك
5089. 비싸? - باهظة الثمن؟
5090. 아니, 적당해. - لا، إنها معقولة
5091. 동조하다 - للتعاطف
5092. 그는 의견에 동조했다. - تعاطف مع الرأي.
5093. 나는 계획에 동조한다. - أتعاطف مع الخطة
5094. 너는 제안에 동조할 것이다. - سوف تتعاطف مع الاقتراح.
5095. 동의해? - هل توافق؟
5096. 응, 동의해. - نعم، أوافق.
5097. 방어하다 - الدفاع
5098. 그녀는 주장을 방어했다. - دافعت عن المطالبة.
5099. 우리는 포지션을 방어한다. - نحن ندافع عن الموقف.
5100. 당신들은 영역을 방어할 것이다. - ستدافع عن منطقتك
5101. 준비됐어? - هل أنت مستعد؟

5102. 네, 준비됐어. - نعم، أنا مستعد.
5103. 57. 명사 단어들 외우기, 필수 10개 동사의 단어들을 가지고 50문장 연습하기 - 57. احفظ الكلمات الاسمية، وتمرن على 50 جملة مع الكلمات الفعلية العشر المطلوبة
5104. 오류 - خطأ
5105. 변화 - تغيير
5106. 위험 - خطر
5107. 기술 - التكنولوجيا
5108. 방법 - طريقة
5109. 지식 - المعرفة
5110. 학생들 - الطلاب
5111. 주제 - الموضوع
5112. 서류 - المستند
5113. 방 - الغرفة
5114. 일정 - الجدول الزمني
5115. 정책 - السياسة
5116. 계획 - الخطة
5117. 규칙 - القاعدة
5118. 목표 - الهدف
5119. 프로젝트 - المشروع
5120. 꿈 - الحلم
5121. 결과 - النتيجة
5122. 성공 - النجاح
5123. 예약 - الحجز
5124. 주문 - النظام
5125. 규정 - القاعدة
5126. 시스템 - النظام
5127. 프로그램 - البرنامج
5128. 병 - الطرف
5129. 상처 - الجرح
5130. 조건 - حالة
5131. 탐지하다 - لاكتشاف
5132. 그는 오류를 탐지했다. - اكتشف خطأ
5133. 나는 변화를 탐지한다. - اكتشفت تغييراً
5134. 너는 위험을 탐지할 것이다. - سوف تكتشف الخطر

5135. 봤어? - هل رأيت ذلك؟
5136. 응, 봤어. - نعم، رأيته.
5137. 학습하다 - تعلمت
5138. 그녀는 기술을 학습했다. - تعلمت الأسلوب.
5139. 우리는 방법을 학습한다. - نحن نتعلم الأساليب.
5140. 당신들은 지식을 학습할 것이다. - سوف تتعلم المعرفة.
5141. 이해해? - هل تفهم؟
5142. 네, 이해해. - نعم، أفهم.
5143. 교육하다 - لتعليم
5144. 그는 학생들을 교육했다. - قام بتعليم الطلاب.
5145. 나는 주제를 교육한다. - أنا أعلّم المادة.
5146. 너는 기술을 교육할 것이다. - ستقوم بتعليم المهارات.
5147. 잘 가르쳐? - تعليم جيد؟
5148. 응, 잘 가르쳐. - نعم، علّم جيداً
5149. 정돈하다 - أن تنظم
5150. 그녀는 서류를 정돈했다. - لقد رتبت أوراقها.
5151. 우리는 방을 정돈한다. - نحن ننظم غرفتنا.
5152. 당신들은 일정을 정돈할 것이다. - ستنظم جدولك.
5153. 깨끗해? - هل هي نظيفة؟
5154. 네, 깨끗해. - نعم، إنها نظيفة.
5155. 시행하다 - لفرض
5156. 그는 정책을 시행했다. - لقد فرض السياسة.
5157. 나는 계획을 시행한다. - أنا أفرض الخطة.
5158. 너는 규칙을 시행할 것이다. - ستفرض القواعد.
5159. 작동해? - هل يعمل؟
5160. 응, 작동해. - نعم، إنه يعمل.
5161. 성취하다 - لإنجاز
5162. 그녀는 목표를 성취했다. - لقد أنجزت هدفها.
5163. 우리는 프로젝트를 성취한다. - سننجز المشروع.
5164. 당신들은 꿈을 성취할 것이다. - ستحقق حلمك.
5165. 성공했어? - هل نجحت؟
5166. 네, 성공했어. - نعم، نجحت.
5167. 달성하다 - أنجز
5168. 그는 결과를 달성했다. - حقق النتيجة.

5169. 나는 목표를 달성한다. - حققت هدفي.
5170. 너는 성공을 달성할 것이다. - حققت النجاح.
5171. 됐어? - هل تم الأمر؟
5172. 응, 됐어. - نعم، لقد تم.
5173. 취소하다 - ألغيت
5174. 그녀는 계획을 취소했다. - لقد ألغت خططها.
5175. 우리는 예약을 취소한다. - ألغينا الحجز
5176. 당신들은 주문을 취소할 것이다. - ستلغي الطلب
5177. 멈췄어? - هل توقفت؟
5178. 네, 멈췄어. - نعم، لقد توقفت
5179. 폐지하다 - ألغى
5180. 그는 규정을 폐지했다. - ألغى النظام.
5181. 나는 시스템을 폐지한다. - ألغى النظام
5182. 너는 프로그램을 폐지할 것이다. - ألغى البرنامج.
5183. 없어졌어? - هل ألغي؟
5184. 응, 없어졌어. - نعم، لقد ألغي
5185. 치료하다 - للشفاء
5186. 그녀는 병을 치료했다. - لقد شفيت من مرضها.
5187. 우리는 상처를 치료한다. - سنشفي الجروح
5188. 당신들은 조건을 치료할 것이다. - سوف تشفى من المرض
5189. 나았어? - هل أنتِ أفضل؟
5190. 네, 나았어. - نعم، أنا أفضل.
5191. 58. 명사 단어들 외우기, 필수 10개 동사의 단어들을 가지고 50문장 연습하기 - 58. احفظ الكلمات الاسمية، وتدرب على 50 جملة باستخدام الكلمات الفعلية العشر الأساسية
5192. 데이터 - البيانات
5193. 시스템 - نظام
5194. 기능 - الوظيفة
5195. 중요 파일 - الملفات المهمة
5196. 자료 - البيانات
5197. 잡지 - مجلة
5198. 뉴스레터 - النشرة الإخبارية
5199. 채널 - قناة
5200. 계약 - عقد
5201. 멤버십 - العضوية

5202. 서비스 - الخدمة
5203. 클럽 - النادي
5204. 조직 - مجموعة
5205. 그룹 - مجموعة
5206. 인터넷 - الإنترنت
5207. 사이트 - موقع
5208. 계정 - الحساب
5209. 앱 - تطبيق
5210. 플랫폼 - المنصة
5211. 웹사이트 - الموقع الإلكتروني
5212. 정책 - السياسة
5213. 결정 - القرار
5214. 조치 - الإجراء
5215. 조정 - التعديل
5216. 정확한 정보 - معلومات دقيقة
5217. 적절한 조치 - الإجراء المناسب
5218. 복원하다 - لاستعادة
5219. 그는 데이터를 복원했다. - استعاد البيانات
5220. 나는 시스템을 복원한다. - سأستعيد النظام
5221. 너는 기능을 복원할 것이다. - ستقوم باستعادة الوظائف.
5222. 돌아왔어? - هل عدت؟
5223. 응, 돌아왔어. - نعم، لقد عدت
5224. 백업하다 - للنسخ الاحتياطي
5225. 그는 데이터를 백업했다. - قام بنسخ بياناته احتياطيًا.
5226. 그녀는 중요 파일을 백업한다. - تقوم بعمل نسخة احتياطية لملفاتها المهمة.
5227. 우리는 자료를 백업할 것이다. - سنقوم بعمل نسخة احتياطية للبيانات.
5228. 자료 안전해? - هل البيانات آمنة؟
5229. 네, 백업됐어. - نعم، تم نسخها احتياطيًا.
5230. 구독하다 - اشتركت في
5231. 그녀는 잡지를 구독했다. - لقد اشتركت في مجلة.
5232. 우리는 뉴스레터를 구독한다. - سنشترك في النشرة الإخبارية.
5233. 당신들은 채널을 구독할 것이다. - ستشترك في القناة.
5234. 새 소식 있어? - هل من أخبار؟
5235. 예, 업데이트 됐어. - نعم، لقد تم تحديثها

5236. 해지하다 - لإنهاء
5237. 그는 계약을 해지했다. - لقد ألغى العقد.
5238. 그녀는 멤버십을 해지한다. - ستلغي عضويتها.
5239. 우리는 서비스를 해지할 것이다. - سنقوم بإنهاء الخدمة.
5240. 계약 끝났어? - هل انتهى العقد؟
5241. 아니, 진행 중이야. - لا، إنه مستمر
5242. 탈퇴하다 - للمغادرة
5243. 그녀는 클럽을 탈퇴했다. - لقد تركت النادي
5244. 우리는 조직을 탈퇴한다. - نحن نغادر المنظمة
5245. 당신들은 그룹을 탈퇴할 것이다. - ستغادر المجموعة
5246. 아직 멤버야? - هل ما زلت عضواً؟
5247. 아니, 탈퇴했어. - لا، لقد غادرت
5248. 접속하다 - للدخول
5249. 그는 인터넷에 접속했다. - دخل إلى الإنترنت.
5250. 그녀는 사이트에 접속한다. - دخلت إلى الموقع.
5251. 우리는 시스템에 접속할 것이다. - سنقوم بالاتصال بالنظام.
5252. 인터넷 연결됐어? - هل أنت متصل بالإنترنت؟
5253. 네, 연결됐어. - نعم، أنا متصل
5254. 로그인하다 - لتسجيل الدخول
5255. 그녀는 계정에 로그인했다. - قامت بتسجيل الدخول إلى حسابها.
5256. 우리는 앱에 로그인한다. - سنقوم بتسجيل الدخول إلى التطبيق.
5257. 당신들은 플랫폼에 로그인할 것이다. - ستقوم بتسجيل الدخول إلى المنصة.
5258. 로그인 문제 있어? - هل هناك أي مشاكل في تسجيل الدخول؟
5259. 아니, 잘 됐어. - لا، كل شيء على ما يرام.
5260. 로그아웃하다 - تسجيل الخروج
5261. 그는 웹사이트에서 로그아웃했다. - يقوم بتسجيل الخروج من الموقع
5262. 그녀는 시스템에서 로그아웃한다. - ستقوم بتسجيل الخروج من النظام.
5263. 우리는 계정에서 로그아웃할 것이다. - سنقوم بتسجيل الخروج من حسابنا.
5264. 로그아웃 했어? - هل قمت بتسجيل الخروج؟
5265. 예, 했어. - نعم، قمت بذلك.
5266. 항의하다 - للاحتجاج
5267. 그녀는 정책에 항의했다. - لقد احتجت على القرار
5268. 우리는 결정에 항의한다. - سنحتج على القرار.
5269. 당신들은 조치에 항의할 것이다. - ستحتج على الإجراء.

5270. 불만 있어? - هل لديك شكوى؟
5271. 예, 있어. - نعم، لدي
5272. 요구하다 - للمطالبة
5273. 그는 조정을 요구했다. - طالب بالتعديل.
5274. 그녀는 정확한 정보를 요구한다. - تطالب بمعلومات دقيقة.
5275. 우리는 적절한 조치를 요구할 것이다. - سنطالب باتخاذ الإجراء المناسب.
5276. 더 필요한 거 있어? - هل هناك أي شيء آخر تحتاجه؟
5277. 아뇨, 다 됐어요. - لا، لقد انتهيت.
5278. 59. 명사 단어들 외우기, 필수 10개 동사의 단어들을 가지고 50문장 연습하기 - 59- احفظ الكلمات الاسمية، وتدرب على 50 جملة مع الكلمات الفعلية العشر الأساسية
5279. 업무 우선순위 - أولويات العمل
5280. 프로젝트의 우선순위 - أولوية المشروع
5281. 일의 순서 - ترتيب العمل
5282. 회의 - اجتماع
5283. 이벤트 - حدث
5284. 행사 - حدث
5285. 파티 - حفلة
5286. 대회 - مسابقة
5287. 경연 - مسابقة
5288. 워크숍 - ورشة عمل
5289. 세미나 - ندوة
5290. 포럼 - منتدى
5291. 회사 - شركة
5292. 단체 - منظمة
5293. 조직 - المجموعة
5294. 재단 - المؤسسة
5295. 기관 - وكالة
5296. 학교 - مدرسة
5297. 클럽 - النادي
5298. 협회 - جمعية
5299. 프로젝트 - مشروع
5300. 캠페인 - حملة
5301. 운동 - العمل خارج
5302. 사업 - الأعمال

5303. 파트너십 - الشراكة
5304. 모임 - الفصل
5305. 조합 - المجموعة
5306. 집단 - مجموعة
5307. 우선순위를 정하다 - لتحديد الأولويات
5308. 그녀는 업무 우선순위를 정했다. - حددت أولويات عملها
5309. 우리는 프로젝트의 우선순위를 정한다. - نرتب أولويات المشروع.
5310. 당신들은 일의 순서를 정할 것이다. - ستقوم بتنظيم ترتيب العمل.
5311. 뭐부터 할까? - ماذا سنفعل أولاً؟
5312. 이거부터 해요. - لنفعل هذا أولاً.
5313. 개최하다 - لعقد
5314. 그는 회의를 개최했다. - يعقد اجتماعاً.
5315. 그녀는 이벤트를 개최한다. - ستعقد حدثاً.
5316. 우리는 행사를 개최할 것이다. - سنعقد حدثاً.
5317. 장소 예약됐어? - هل المكان محجوز؟
5318. 네, 예약됐어요. - نعم، إنه محجوز.
5319. 주최하다 - لاستضافة
5320. 그녀는 파티를 주최했다. - هي تنظم حفلة.
5321. 우리는 대회를 주최한다. - سننظم مسابقة.
5322. 당신들은 경연을 주최할 것이다. - ستنظم مسابقة.
5323. 시간 되나요? - هل لديك وقت؟
5324. 네, 괜찮아요. - نعم، لدي الوقت
5325. 주관하다 - لتنظيم
5326. 그는 워크숍을 주관했다. - سينظم ورشة عمل.
5327. 그녀는 세미나를 주관한다. - ستنظم ندوة.
5328. 우리는 포럼을 주관할 것이다. - سننظم منتدى.
5329. 자료 준비됐어? - هل لديك المواد؟
5330. 네, 다 됐어요. - نعم، إنها جاهزة
5331. 창립하다 - أسست شركة
5332. 그녀는 회사를 창립했다. - أسست شركة
5333. 우리는 단체를 창립한다. - أسسنا منظمة.
5334. 당신들은 조직을 창립할 것이다. - ستؤسسون منظمة
5335. 명칭 정해졌어? - هل لديكم اسم؟
5336. 예, 정해졌어요. - نعم، لقد تقرر

5337. 설립하다 - لتأسيس
5338. 그는 재단을 설립했다. - أسس مؤسسة.
5339. 그녀는 기관을 설립한다. - أسست منظمة.
5340. 우리는 학교를 설립할 것이다. - سنؤسس مدرسة.
5341. 위치 결정됐어? - هل تقرر الموقع؟
5342. 네, 결정됐어요. - نعم، لقد تقرر
5343. 창설하다 - لإنشاء
5344. 그는 조직을 창설했다. - أسس منظمة.
5345. 그녀는 클럽을 창설한다. - ستؤسس نادياً.
5346. 우리는 협회를 창설할 것이다. - سننشئ جمعية.
5347. 이름 정했어? - هل لديك اسم؟
5348. 아직이야. - ليس بعد
5349. 발기하다 - لتأسيس
5350. 그녀는 프로젝트를 발기했다. - أطلقت مشروعاً.
5351. 우리는 캠페인을 발기한다. - سنطلق حملة.
5352. 당신들은 운동을 발기할 것이다. - ستنصب حركة.
5353. 누가 돕나요? - من سيساعد؟
5354. 모두 함께해. - جميعنا
5355. 청산하다 - لتصفية
5356. 그는 사업을 청산했다. - قام بتصفية أعماله.
5357. 그녀는 회사를 청산한다. - ستقوم بتصفية الشركة.
5358. 우리는 파트너십을 청산할 것이다. - سنقوم بتصفية الشراكة.
5359. 이유 알 수 있어? - هل يمكنك تخمين السبب؟
5360. 비밀이야. - إنه سر
5361. 해산하다 - للحل
5362. 그녀는 모임을 해산했다. - تقوم بحل الاجتماع
5363. 우리는 조합을 해산한다. - سنقوم بحل الاتحاد
5364. 당신들은 집단을 해산할 것이다. - سوف تحل المجموعة
5365. 끝난 거야? - هل انتهى الأمر؟
5366. 그래, 끝났어. - نعم، انتهى.
5367. 60. 명사 단어들 외우기, 필수 10개 동사의 단어들을 가지고 50문장 연습하기 - 60- احفظ الكلمات الاسمية، وتدرب على 50 جملة بكلمات من الأفعال العشرة الأساسية
5368. 두 회사 - شركتان
5369. 기업들 - شركات

5370. 조직 - مجموعة
5371. 부서 - قسم
5372. 회사 - شركة
5373. 사업 - الأعمال
5374. 새로운 정부 - الحكومة الجديدة
5375. 프로그램 - برنامج
5376. 기관 - وكالة
5377. 책 - كتاب
5378. 잡지 - مجلة
5379. 가이드 - دليل
5380. 신문 - صحيفة
5381. 보고서 - تقرير
5382. 뉴스레터 - نشرة إخبارية
5383. 포스터 - ملصق
5384. 초대장 - دعوة
5385. 메뉴 - قائمة طعام
5386. 영상 - فيديو
5387. 문서 - مستند
5388. 콘텐츠 - المحتويات
5389. 원고 - المخطوطة
5390. 번역 - الترجمة
5391. 글 - الكتابة
5392. 꿈 - الحلم
5393. 데이터 - البيانات
5394. 결과 - النتيجة
5395. 합병하다 - الدمج
5396. 그는 두 회사를 합병했다. - دمج شركتين
5397. 그녀는 기업들을 합병한다. - قامت بدمج شركتين
5398. 우리는 조직을 합병할 것이다. - سنقوم بدمج المنظمات.
5399. 잘 될까요? - هل سينجح الأمر؟
5400. 잘 될 거예요. - سينجح الأمر بشكل جيد.
5401. 분할하다 - قسمت
5402. 그녀는 부서를 분할했다. - تقسم القسم.
5403. 우리는 회사를 분할한다. - سنقسم الشركة.

5404. 당신들은 사업을 분할할 것이다. - سوف تقسم العمل.
5405. 필요한가요? - هل هذا ضروري؟
5406. 네, 필요해요. - نعم، إنه ضروري.
5407. 출범하다 - تنصيب
5408. 그는 새로운 정부를 출범했다. - قام بتدشين حكومة جديدة.
5409. 그녀는 프로그램을 출범한다. - ستقوم بتدشين برنامج
5410. 우리는 기관을 출범할 것이다. - سوف نفتتح وكالة.
5411. 준비됐나요? - هل أنت جاهز؟
5412. 다 준비됐어요. - كل شيء جاهز
5413. 출판하다 - للنشر
5414. 그녀는 책을 출판했다. - نشرت كتاباً
5415. 우리는 잡지를 출판한다. - نحن ننشر مجلة.
5416. 당신들은 가이드를 출판할 것이다. - ستنشر دليلاً
5417. 새 책 나왔어? - هل صدر كتابك الجديد؟
5418. 네, 나왔어요. - نعم، لقد صدر
5419. 발행하다 - للنشر
5420. 그는 신문을 발행했다. - ينشر صحيفة.
5421. 그녀는 보고서를 발행한다. - تنشر تقريراً.
5422. 우리는 뉴스레터를 발행할 것이다. - سننشر نشرة إخبارية.
5423. 언제 나와? - متى ستصدر؟
5424. 내일 나와. - ستصدر غداً
5425. 인쇄하다 - للطباعة
5426. 그녀는 포스터를 인쇄했다. - لقد طبعت الملصق.
5427. 우리는 초대장을 인쇄한다. - سنطبع الدعوات.
5428. 당신들은 메뉴를 인쇄할 것이다. - ستطبعون القائمة
5429. 색깔 괜찮아? - هل اللون جيد؟
5430. 완벽해요. - إنه مثالي
5431. 편집하다 - للتعديل
5432. 그는 영상을 편집했다. - قام بتحرير الفيديو.
5433. 그녀는 문서를 편집한다. - تقوم بتحرير المستند.
5434. 우리는 콘텐츠를 편집할 것이다. - سنقوم بتحرير المحتوى.
5435. 얼마나 걸려? - كم سيستغرق الأمر من الوقت؟
5436. 조금 걸려요. - سيستغرق الأمر بعض الوقت.
5437. 감수하다 - لتحرير

5438. 그녀는 원고를 감수했다. - .ستقوم بتدقيق المخطوطة لغوياً
5439. 우리는 번역을 감수한다. - .سنقوم بتدقيق الترجمة لغوياً
5440. 당신들은 보고서를 감수할 것이다. - .سوف تصحح التقرير
5441. 검토 끝났어? - هل انتهيت من المراجعة؟
5442. 거의 다 됐어. - أوشكت على الانتهاء
5443. 번역하다 - للترجمة
5444. 그는 문서를 번역했다. - .قام بترجمة الوثيقة
5445. 그녀는 글을 번역한다. - .تترجم المقالات
5446. 우리는 책을 번역할 것이다. - .سنقوم بترجمة الكتاب
5447. 이해 돼요? - هل هذا منطقي؟
5448. 네, 잘 돼요. - .نعم، إنه يسير بشكل جيد
5449. 해석하다 - للتفسير
5450. 그녀는 꿈을 해석했다. - .هي تفسر الحلم
5451. 우리는 데이터를 해석한다. - .نحن نفسر البيانات
5452. 당신들은 결과를 해석할 것이다. - .أنتم ستفسرون النتائج
5453. 맞을까요? - هل هذا صحيح؟
5454. 네, 맞아요. - .نعم، صحيح
5455. 61. 명사 단어들 외우기, 필수 10개 동사의 단어들을 가지고 50문장 연습하기 - 61- حفظ الكلمات الاسمية، والتدرب على 50 جملة مع الكلمات الفعلية العشر الأساسية
5456. 범위 - النطاق
5457. 관심 - الاهتمام
5458. 영역 - المنطقة
5459. 상황 - الحالة
5460. 관계 - العلاقة
5461. 문제 - مشكلة
5462. 자료 - البيانات
5463. 정보 - المعلومات
5464. 요소들 - العناصر
5465. 아이디어 - الفكرة
5466. 기술 - التكنولوجيا
5467. 비용 - النفقات
5468. 가능성 - الإمكانية
5469. 결과 - النتيجة
5470. 가치 - القيمة

5471. 상태 - الوضع
5472. 품질 - الجودة
5473. 변경사항 - التغييرات
5474. 결정 - القرار
5475. 일정 - الجدول الزمني
5476. 옵션 - الخيار
5477. 해결책 - الحل
5478. 데이터 - البيانات
5479. 문서 - المستند
5480. 시스템 - النظام
5481. 설정 - الإعدادات
5482. 시계 - الساعة
5483. 기기 - الجهاز
5484. 확대하다 - للتكبير
5485. 나는 범위를 확대했다. - قمت بتكبير المنظار
5486. 너는 관심을 확대한다. - قمت بتكبير الاهتمام.
5487. 그는 영역을 확대할 것이다. - سيقوم بتكبير المنطقة.
5488. 범위 더 넓힐까? - هل نقوم بتكبير المنظار؟
5489. 네, 더 넓혀요. - نعم، لنكبره أكثر.
5490. 악화하다 - لتفاقم
5491. 그녀는 상황을 악화시켰다. - لقد فاقمت الوضع.
5492. 우리는 관계를 악화시킨다. - سنقوم بتفاقم العلاقة.
5493. 당신들은 문제를 악화시킬 것이다. - سوف تفاقم المشكلة
5494. 상태 더 나빠졌어? - هل جعلتها تتفاقم؟
5495. 아니, 안 그래. - لا، لم تفعل
5496. 참고하다 - للتشاور
5497. 그들은 자료를 참고했다. - لقد استشاروا المواد.
5498. 나는 정보를 참고한다. - أشير إلى المعلومات.
5499. 너는 자료를 참고할 것이다. - ستشير إلى المادة.
5500. 정보 찾아봤어? - هل بحثت عن المعلومات؟
5501. 응, 찾아봤어. - نعم، لقد بحثت عنها.
5502. 조합하다 - لدمج
5503. 나는 요소들을 조합했다. - سأجمع العناصر معًا.
5504. 너는 아이디어를 조합한다. - ستجمع الأفكار معًا.

5505. 그는 기술을 조합할 것이다. - سيضع التقنية معًا.
5506. 아이디어 합칠까? - هل نجمع بين الأفكار؟
5507. 좋아, 합치자. - حسناً، لنجمع.
5508. 추정하다 - لتقدير
5509. 그녀는 비용을 추정했다. - لقد قدرت التكلفة.
5510. 우리는 가능성을 추정한다. - نحن نقدر الاحتمالات.
5511. 당신들은 결과를 추정할 것이다. - ستقدر النتيجة.
5512. 비용 얼마로 봐? - كم ستكلف برأيك؟
5513. 몇 만원 될 거야. - سيكلف بضعة آلاف وون.
5514. 감정하다 - لتقدير القيمة
5515. 그들은 가치를 감정했다. - قيّموا القيمة.
5516. 나는 상태를 감정한다. - سأثمن الحالة.
5517. 너는 품질을 감정할 것이다. - ستثمن الجودة
5518. 가치 평가했어? - هل قمت بتقييمها؟
5519. 예, 평가했어. - نعم، قمت بتثمينها
5520. 통지하다 - قمت بالإخطار
5521. 나는 변경사항을 통지했다. - قمتُ بالإخطار بالتغيير.
5522. 너는 결정을 통지한다. - سوف تُخطر بالقرار.
5523. 그는 일정을 통지할 것이다. - سوف يخطر بالجدول الزمني.
5524. 소식 받았어? - هل وصلتك الأخبار؟
5525. 아니, 못 받았어. - لا، لم يصلني
5526. 탐색하다 - لاستكشاف
5527. 그녀는 옵션을 탐색했다. - لقد استكشفت خياراتها.
5528. 우리는 가능성을 탐색한다. - سنستكشف الاحتمالات.
5529. 당신들은 해결책을 탐색할 것이다. - سوف تستكشف الحلول.
5530. 더 찾아볼까? - هل نستكشف المزيد؟
5531. 응, 더 찾아보자. - نعم، لنبحث أكثر.
5532. 검사하다 - لفحص
5533. 그들은 데이터를 검사했다. - لقد فحصوا البيانات.
5534. 나는 문서를 검사한다. - سأفحص الوثائق.
5535. 너는 시스템을 검사할 것이다. - سوف تفحص النظام.
5536. 모두 확인했니? - هل فحصت كل شيء؟
5537. 네, 확인했어. - نعم، فحصتها
5538. 리셋하다 - لإعادة الضبط

5539. 나는 설정을 리셋했다. - قمت بإعادة ضبط الإعدادات.
5540. 너는 시계를 리셋한다. - قمت بإعادة ضبط الساعة.
5541. 그는 기기를 리셋할 것이다. - سيعيد ضبط الجهاز.
5542. 다시 시작할까? - هل نعيد التشغيل؟
5543. 응, 다시 시작해. - نعم، لنبدأ من جديد.
5544. 62. 명사 단어들 외우기, 필수 10개 동사의 단어들을 가지고 50문장 연습하기 - 62- احفظ الكلمات الاسمية، وتدرب على 50 جملة مع الكلمات الفعلية العشر الأساسية
5545. 연락 - التواصل
5546. 공급 - التزويد
5547. 관계 - العلاقة
5548. 잠금 - القفل
5549. 계약 - تعاقد
5550. 약속 - الوعد
5551. 자리 - المقعد
5552. 티켓 - تذكرة
5553. 방 - غرفة
5554. 회의 - اجتماع
5555. 예약 - الحجز
5556. 여행 - السفر
5557. 보고서 - تقرير
5558. 계획 - الخطة
5559. 제안 - مقترح
5560. 문서 - وثيقة
5561. 요청 - الطلب
5562. 프로젝트 - المشروع
5563. 대회 - المنافسة
5564. 경기 - لعبة
5565. 상대 - الخصم
5566. 게임 - لعبة
5567. 경쟁 - تنافس
5568. 대결 - معركة
5569. 끊다 - لقطع
5570. 그녀는 연락을 끊었다. - قطعت الاتصال
5571. 우리는 공급을 끊는다. - قطعنا الإمداد

5572. 당신들은 관계를 끊을 것이다. - قطعت الاتصال
5573. 연결 끊겼어? - قطع الاتصال؟
5574. 아니, 아직이야. - لا، ليس بعد
5575. 해제하다 - لفتح القفل
5576. 그들은 잠금을 해제했다. - لقد فكوا القفل
5577. 나는 계약을 해제한다. - سأحرر العقد
5578. 너는 약속을 해제할 것이다. - سوف تحرر الوعد
5579. 잠금 풀었어? - هل قمت بفتحه؟
5580. 네, 풀었어. - نعم، قمت بفتحه
5581. 예약하다 - للحجز
5582. 나는 자리를 예약했다. - حجزت مقعداً
5583. 너는 티켓을 예약한다. - ستحجز تذكرة
5584. 그는 방을 예약할 것이다. - سيحجز غرفة.
5585. 자리 있어? - هل لديك مقعد؟
5586. 네, 있어요. - نعم، يوجد.
5587. 예약취소하다 - لإلغاء الحجز
5588. 그녀는 회의를 예약취소했다. - لقد ألغيت الاجتماع.
5589. 우리는 예약을 예약취소한다. - سنقوم بإلغاء الحجز.
5590. 당신들은 여행을 예약취소할 것이다. - ستلغي الرحلة
5591. 취소해야 하나? - هل ألغي الحجز؟
5592. 아니, 기다려. - لا، انتظر
5593. 제출하다 - للإرسال
5594. 그들은 보고서를 제출했다. - قدموا التقرير
5595. 나는 계획을 제출한다. - سأقدم خطة
5596. 너는 제안을 제출할 것이다. - سوف تقدم اقتراحًا.
5597. 제출할 준비 됐어? - هل أنت مستعد للتقديم؟
5598. 예, 준비됐어. - نعم، أنا مستعد
5599. 반려하다 - للرفض
5600. 나는 문서를 반려했다. - أرفض المستند
5601. 너는 요청을 반려한다. - سترفض الطلب
5602. 그는 프로젝트를 반려할 것이다. - سيرفض المشروع.
5603. 다시 보낼까? - هل تريدني أن أعيد إرساله؟
5604. 아니, 됐어. - لا، شكراً
5605. 이기다 - للفوز

5606. 그녀는 대회를 이겼다. - لقد فازت بالمسابقة
5607. 우리는 경기를 이긴다. - لقد فزنا بالمباراة
5608. 당신들은 상대를 이길 것이다. - ستفوز على خصمك
5609. 우리 이겼어? - هل فزنا؟
5610. 네, 이겼어! - نعم، لقد فزنا
5611. 지다 - خسرنا
5612. 그는 게임을 졌다. - خسر المباراة
5613. 너는 경쟁에서 진다. - ستخسر المنافسة
5614. 그녀는 대결에서 질 것이다. - ستخسر المواجهة.
5615. 경기 졌어? - هل خسرت المباراة؟
5616. 응, 졌어. - نعم، خسرت
5617. 싸우다 - للقتال
5618. 우리는 자주 싸웠다. - لقد تقاتلنا في كثير من الأحيان.
5619. 당신들은 매일 싸운다. - أنتم تتشاجرون كل يوم
5620. 그들은 내일 싸울 것이다. - سيتقاتلون غداً
5621. 또 싸웠어? - هل تقاتلتم مرة أخرى؟
5622. 아니, 안 그래. - لا، لم نتشاجر
5623. 다투다 - تشاجرنا
5624. 나는 친구와 다퉜다. - تشاجرت مع صديقي.
5625. 너는 이유 없이 다툰다. - تشاجرتما بدون سبب
5626. 그는 문제를 다룰 것이다. - سوف يتعامل مع المشكلة.
5627. 왜 자꾸 다투니? - لماذا تستمر في الشجار؟
5628. 모르겠어. - لا أعرف.
5629. 63. 명사 단어들 외우기, 필수 10개 동사의 단어들을 가지고 50문장 연습하기 - 63- احفظ الكلمات الاسمية، تدرب على 50 جملة مع الكلمات الفعلية العشر الأساسية
5630. 나 - أنا
5631. 우리 - نحن
5632. 당신들 - أنت
5633. 계획 - خطط
5634. 친구 - صديق
5635. 정당 - حفلة
5636. 자신 - نفسي
5637. 노래 - غنّي
5638. 동영상 - فيديو

5639. 기록 - تسجيل
5640. 그녀 - هي
5641. 의견 - رأي
5642. 회의 - اجتماع
5643. 교수 - أستاذ
5644. 세부사항 - التفاصيل
5645. 제안 - الاقتراح
5646. 결정 - قرار
5647. 소문 - الشائعات
5648. 혐의 - التهمة
5649. 주장 - الرأي
5650. 변경사항 - التغييرات
5651. 규칙 - القاعدة
5652. 도전 - الطعن
5653. 시도 - المحاكمة
5654. 지지하다 - للدعم
5655. 그녀는 나를 지지했다. - دعمتني
5656. 우리는 서로를 지지한다. - نحن ندعم بعضنا البعض.
5657. 당신들은 계획을 지지할 것이다. - ستدعم الخطة.
5658. 지지해 줄래? - هل ستدعمها؟
5659. 물론이지. - بالطبع
5660. 변호하다 - للدفاع
5661. 나는 친구를 변호했다. - أنا أدافع عن صديقي.
5662. 너는 정당을 변호한다. - ستدافع عن الحزب
5663. 그녀는 자신을 변호할 것이다. - ستدافع عن نفسها
5664. 변호할 수 있어? - هل يمكنك الدفاع؟
5665. 시도해 볼게. - سأحاول
5666. 녹음하다 - للتسجيل
5667. 우리는 회의를 녹음했다. - لقد سجلنا الاجتماع
5668. 당신들은 강의를 녹음한다. - أنتم تسجلون المحاضرات
5669. 그들은 공연을 녹음할 것이다. - سوف يسجلون الأداء.
5670. 녹음 시작했어? - هل بدأت التسجيل؟
5671. 네, 시작했어. - نعم، لقد بدأت
5672. 재생하다 - في العزف

5673. 나는 노래를 재생했다. - قمت بتشغيل الأغنية.
5674. 너는 동영상을 재생한다. - ستقوم بتشغيل الفيديو.
5675. 그는 기록을 재생할 것이다. - سيقوم بتشغيل التسجيل.
5676. 재생할 준비 됐어? - هل أنت مستعد للعزف؟
5677. 준비 됐어. - أنا جاهز
5678. 발언하다 - للتحدث
5679. 그녀는 중요한 발언을 했다. - لقد أدلت بملاحظة مهمة.
5680. 우리는 의견을 발언한다. - نحن نعبر عن آرائنا.
5681. 당신들은 회의에서 발언할 것이다. - سوف تتحدث في الاجتماع.
5682. 발언할 거야? - هل ستتحدث؟
5683. 아직 몰라. - لا أعلم بعد.
5684. 질문하다 - لطرح سؤال
5685. 나는 교수에게 질문했다. - سألت الأستاذ سؤالاً.
5686. 너는 어려운 질문을 한다. - تسأل أسئلة صعبة.
5687. 그녀는 세부사항을 질문할 것이다. - سوف تسأل عن التفاصيل.
5688. 질문 있어? - أي أسئلة؟
5689. 없어, 괜찮아. - لا، شكراً
5690. 반문하다 - للسؤال
5691. 우리는 그의 의견을 반문했다. - شككنا في رأيه.
5692. 당신들은 제안을 반문한다. - أنت تشكك في الاقتراح.
5693. 그들은 결정을 반문할 것이다. - سوف يشككون في القرار.
5694. 왜 반문해? - لماذا تشكك في القرار؟
5695. 이해 안 돼서. - لأنني لا أفهم
5696. 부정하다 - للإنكار
5697. 나는 소문을 부정했다. - أنكرت الشائعة
5698. 너는 혐의를 부정한다. - أنكرت الادعاءات
5699. 그는 주장을 부정할 것이다. - سينكر الادعاءات
5700. 사실 부정해? - تنكر الحقيقة؟
5701. 그래, 부정해. - نعم، أنكرها.
5702. 반발하다 - تمردت
5703. 그녀는 결정에 반발했다. - تمردت ضد القرار.
5704. 우리는 변경사항에 반발한다. - سنتمرد ضد التغييرات.
5705. 당신들은 규칙에 반발할 것이다. - ستتمرد ضد القواعد.
5706. 반발할 이유 있어? - هل هناك سبب للتمرد؟

5707. 있어, 분명해. - هناك سبب واضح
5708. 포기하다 - أن تستسلم
5709. 나는 도전을 포기했다. - تخليت عن التحدي
5710. 너는 시도를 포기한다. - ستتخلى عن المحاولة.
5711. 그녀는 계획을 포기할 것이다. - ستتخلى عن الخطة
5712. 포기해야 할까? - هل يجب أن أستسلم؟
5713. 아니, 계속해. - لا، استمر.
5714. 64. 명사 단어들 외우기, 필수 10개 동사의 단어들을 가지고 50문장 연습하기 - 64. احفظ الكلمات الاسمية، وتدرب على 50 جملة باستخدام 10 كلمات فعلية أساسية
5715. 전략 - الاستراتيجية
5716. 생각 - الفكر
5717. 자원 - الموارد
5718. 군대 - الجيش
5719. 기술 - التكنولوجيا
5720. 성공 - النجاح
5721. 평화 - السلام
5722. 협력 - التعاون
5723. 변화 - التغيير
5724. 기회 - الفرصة
5725. 해결 - الحل
5726. 미래 - المستقبل
5727. 결과 - النتيجة
5728. 영향 - التأثير
5729. 상황 - الموقف
5730. 질문 - سؤال
5731. 발견 - الاكتشاف
5732. 말 - كلمة
5733. 지연 - التأخير
5734. 거부 - الرفض
5735. 결정 - قرار
5736. 불의 - ناري
5737. 부정 - إنكار
5738. 불편함 - الانزعاج
5739. 장애 - عقبة

5740. 태도 - الموقف
5741. 반응 - رد الفعل
5742. 재정비하다 - إعادة التنظيم
5743. 우리는 전략을 재정비했다. - نعيد تنظيم استراتيجيتنا
5744. 당신들은 생각을 재정비한다. - نعيد تنظيم تفكيرنا
5745. 그들은 자원을 재정비할 것이다. - تعيد تنظيم مواردها.
5746. 재정비 필요해? - هل نحتاج إلى إعادة التنظيم؟
5747. 네, 필요해. - نعم، نحتاج
5748. 배치하다 - أن ننشر
5749. 나는 자원을 배치했다. - قمت بنشر الموارد
5750. 너는 군대를 배치한다. - ستنشر القوات.
5751. 그는 기술을 배치할 것이다. - سوف ينشر التكنولوجيا.
5752. 배치 완료됐니? - هل انتهيت من النشر؟
5753. 아직이야. - ليس بعد
5754. 바라다 - على أمل
5755. 그녀는 성공을 바랐다. - تأمل في النجاح.
5756. 우리는 평화를 바란다. - نحن نأمل في السلام.
5757. 당신들은 협력을 바랄 것이다. - تأمل في التعاون.
5758. 무엇을 바래? - ماذا تأمل؟
5759. 행복을 바라. - أتمنى السعادة
5760. 소망하다 - أتمنى
5761. 나는 변화를 소망했다. - أتمنى التغيير.
5762. 너는 기회를 소망한다. - تتمنى الفرصة
5763. 그녀는 해결을 소망할 것이다. - تتمنى الحل.
5764. 소망 있어? - هل لديك أمنيات؟
5765. 있어, 많아. - نعم، لدي الكثير.
5766. 우려하다 - أن نكون قلقين بشأن
5767. 우리는 미래를 우려했다. - نحن قلقون بشأن المستقبل.
5768. 당신들은 결과를 우려한다. - ستكون قلقاً بشأن النتيجة.
5769. 그들은 영향을 우려할 것이다. - سيكونون قلقين بشأن النتيجة.
5770. 걱정돼? - هل أنت قلق؟
5771. 응, 걱정돼. - نعم، أنا قلق
5772. 당황하다 - للذعر
5773. 나는 상황에 당황했다. - أنا في حيرة من الوضع.

5774. 너는 질문에 당황한다. - أنت في حيرة من السؤال.
5775. 그는 발견에 당황할 것이다. - سيكون محرجاً من الاكتشاف.
5776. 당황했어? - هل ذعرت؟
5777. 응, 많이. - نعم، كثيراً
5778. 화나다 - أن تغضب
5779. 그녀는 말에 화났다. - غاضبة من الحصان
5780. 우리는 지연에 화난다. - نحن غاضبون من التأخير.
5781. 당신들은 거부에 화낼 것이다. - أنتم غاضبون من الرفض.
5782. 화났어? - هل أنت غاضب؟
5783. 네, 많이. - نعم، كثيراً
5784. 분노하다 - أن تكون غاضباً
5785. 나는 결정에 분노했다. - أنا غاضب من القرار.
5786. 너는 불의에 분노한다. - أنت غاضب من الظلم.
5787. 그녀는 부정에 분노할 것이다. - ستغضب من الظلم.
5788. 분노해? - غاضبة؟
5789. 응, 분노해. - نعم، غاضبة
5790. 짜증내다 - منزعجة
5791. 우리는 불편함에 짜증냈다. - نحن منزعجون من الإزعاج.
5792. 당신들은 지연에 짜증낸다. - ستكون منزعجة من التأخير.
5793. 그들은 장애에 짜증낼 것이다. - منزعجون من العقبات.
5794. 짜증나? - منزعجون؟
5795. 응, 짜증나. - نعم، منزعجون
5796. 실망하다 - خائب الأمل
5797. 나는 결과에 실망했다. - خاب أملي في النتيجة.
5798. 너는 태도에 실망한다. - سيخيب أملك في الموقف.
5799. 그는 반응에 실망할 것이다. - سيخيب أمله في رد الفعل.
5800. 실망했니? - هل خاب أملك؟
5801. 네, 실망했어. - نعم، أشعر بخيبة أمل.
5802. 65. 명사 단어들 외우기, 필수 10개 동사의 단어들을 가지고 50문장 연습하기 - 65. احفظ الكلمات الاسمية، وتدرب على 50 جملة مع الكلمات الفعلية العشر الأساسية
5803. 성과 - النتيجة
5804. 서비스 - خدمة
5805. 해결 - حل
5806. 순간 - لحظة

5807. 여기 - هنا
5808. 미래 - المستقبل
5809. 소식 - الأخبار
5810. 모임 - الفصل
5811. 성공 - النجاح
5812. 이별 - الوداع
5813. 상실 - الخسارة
5814. 사건 - حدث
5815. 손실 - الخسارة
5816. 결과 - النتيجة
5817. 고향 - مسقط الرأس
5818. 친구 - صديق
5819. 옛날 - منذ فترة طويلة
5820. 행동 - العمل
5821. 불의 - ناري
5822. 거짓 - كذبة
5823. 비행 - الطيران
5824. 무례함 - وقاحة
5825. 거짓말 - كذبة
5826. 이야기 - قصة
5827. 영화 - فيلم
5828. 연설 - الكلام
5829. 만족하다 - راضية
5830. 그녀는 성과에 만족했다. - كانت راضية عن الأداء.
5831. 우리는 서비스에 만족한다. - نحن راضون عن الخدمة.
5832. 당신들은 해결에 만족할 것이다. - ستكون راضيًا عن الحل.
5833. 만족해? - هل أنت راضٍ؟
5834. 응, 만족해. - نعم، أنا راضٍ
5835. 행복하다 - أن تكون سعيداً
5836. 나는 순간에 행복했다. - كنت سعيداً في هذه اللحظة.
5837. 너는 여기에 행복한다. - أنت سعيد هنا.
5838. 그녀는 미래에 행복할 것이다. - ستكون سعيداً في المستقبل.
5839. 행복해? - هل أنت سعيد؟
5840. 네, 매우. - نعم، جداً

5841. 즐거워하다 - أن تكون سعيداً
5842. 우리는 소식에 즐거워했다. - كنا سعداء بالأخبار.
5843. 당신들은 모임에 즐거워한다. - أنت سعيد في الاجتماع.
5844. 그들은 성공에 즐거워할 것이다. - سيكونون سعداء بنجاحهم.
5845. 즐거워? - سعداء؟
5846. 응, 즐거워. - نعم، أنا سعيد
5847. 슬퍼하다 - حزينة
5848. 나는 이별에 슬퍼했다. - لقد حزنت على الفراق.
5849. 너는 소식에 슬퍼한다. - ستحزن بسبب الأخبار
5850. 그녀는 상실에 슬퍼할 것이다. - ستحزن على الفراق.
5851. 슬퍼? - حزينة؟
5852. 응, 슬퍼. - نعم، حزينة
5853. 애통하다 - للرثاء
5854. 우리는 사건에 애통해했다. - حزننا على الحادث.
5855. 당신들은 손실에 애통한다. - ستحزن على الخسارة
5856. 그들은 결과에 애통할 것이다. - سيحزنون على النتيجة.
5857. 애통해해? - نحزن؟
5858. 네, 깊이. - نعم، بعمق
5859. 그리워하다 - للاشتياق
5860. 나는 고향을 그리워했다. - أفتقد مسقط رأسي
5861. 너는 친구를 그리워한다. - ستفتقد أصدقائك
5862. 그는 옛날을 그리워할 것이다. - سيفتقد الأيام الخوالي
5863. 그리워해? - هل تفتقد؟
5864. 응, 많이. - نعم، كثيراً.
5865. 그립다 - أفتقد
5866. 나는 고향을 그리웠다. - أفتقد مسقط رأسي.
5867. 너는 친구를 그립게 생각한다. - ستفتقد صديقك.
5868. 그는 옛날을 그리울 것이다. - سيفتقد الأيام الخوالي.
5869. 친구 생각나? - هل تتذكر صديقك؟
5870. 네, 생각나. - نعم، أتذكره
5871. 증오하다 - أن أكرهه
5872. 너는 행동을 증오했다. - أنت تكره هذا السلوك.
5873. 그는 불의를 증오한다. - سيكره الظلم
5874. 그녀는 거짓을 증오할 것이다. - تكره الباطل

5875. 너 불편해? - هل أنت غير مرتاح؟
5876. 네, 불편해. - نعم، أنا غير مرتاح
5877. 혐오하다 - أن تمقت
5878. 그는 비행을 혐오했다. - إنه يمقت الطيران.
5879. 그녀는 무례함을 혐오한다. - ستمقت الوقاحة
5880. 우리는 거짓말을 혐오할 것이다. - سنمقت الكذب.
5881. 이상해? - هل هذا غريب؟
5882. 아니, 괜찮아. - لا، لا بأس
5883. 감동하다 - أن تتأثر
5884. 그녀는 이야기에 감동했다. - لقد تأثرت بالقصة
5885. 우리는 영화에 감동한다. - لقد تأثرنا بالفيلم.
5886. 당신들은 연설에 감동할 것이다. - سوف تتأثر بالخطاب
5887. 울었어? - هل بكيت؟
5888. 아니, 안 울었어. - لا، لم أبكي.
5889. 66. 명사 단어들 외우기, 필수 10개 동사의 단어들을 가지고 50문장 연습하기 - 66- حفظ الكلمات الاسمية، والتدرب على 50 جملة بكلمات الأفعال العشرة الأساسية
5890. 경치 - البصر
5891. 기술 - التكنولوجيا
5892. 발전 - التطوير
5893. 거짓말 - الكذب
5894. 위선 - النفاق
5895. 속임수 - الخداع
5896. 실수 - الخطأ
5897. 무지함 - الجهل
5898. 어리석음 - الحماقة
5899. 노력 - الجهد
5900. 실패 - الفشل
5901. 용기 - الشجاعة
5902. 제안 - الاقتراح
5903. 변화 - التغيير
5904. 혁신 - الابتكار
5905. 박물관 - المتحف
5906. 자연 - الطبيعة
5907. 우주 - الكون

5908. 계획 - خطة
5909. 아이디어 - فكرة
5910. 정보 - المعلومات
5911. 경험 - الخبرة
5912. 지식 - المعرفة
5913. 프로젝트 - مشروع
5914. 작업 - العمل
5915. 친구 - صديق
5916. 이웃 - جار
5917. 사회 - المجتمع
5918. 감탄하다 - الإعجاب
5919. 나는 경치에 감탄했다. - أعجبت بالمناظر الطبيعية
5920. 너는 기술을 감탄한다. - أعجبت بالتكنولوجيا
5921. 그는 발전을 감탄할 것이다. - ستعجب بالتقدم.
5922. 멋있어? - هل هو رائع؟
5923. 네, 멋있어. - نعم، إنه رائع.
5924. 경멸하다 - أن تحتقر
5925. 너는 거짓말을 경멸했다. - أنت تحتقر الكذب.
5926. 그는 위선을 경멸한다. - سيحتقر النفاق.
5927. 그녀는 속임수를 경멸할 것이다. - ستحتقر الخداع
5928. 화났어? - هل أنت غاضب؟
5929. 네, 화났어. - نعم، أنا غاضب
5930. 비웃다 - يضحك على
5931. 그는 실수를 비웃었다. - يضحك على أخطائه.
5932. 그녀는 무지함을 비웃는다. - تضحك على جهلها.
5933. 우리는 어리석음을 비웃을 것이다. - سنضحك على غبائنا.
5934. 재밌어? - هل هذا مضحك؟
5935. 아니, 안 재밌어. - لا، ليس مضحكاً
5936. 조롱하다 - للسخرية
5937. 그녀는 노력을 조롱했다. - تسخر من الجهد.
5938. 우리는 실패를 조롱한다. - سنسخر من الفشل.
5939. 당신들은 용기를 조롱할 것이다. - تسخر من الشجاعة
5940. 즐거워? - هل تستمتع؟
5941. 아니, 즐겁지 않아. - لا، ليس ممتعاً

5942. 배척하다 - أن ترفض
5943. 나는 제안을 배척했다. - رفضت الاقتراح
5944. 너는 변화를 배척하게 생각한다. - تعتقد لرفض التغيير
5945. 그는 혁신을 배척할 것이다. - سيرفض الابتكار.
5946. 거절해? - يرفض؟
5947. 네, 거절해. - نعم، أرفض
5948. 탐방하다 - أن تستكشف
5949. 너는 박물관을 탐방했다. - أنت تستكشف المتحف.
5950. 그는 자연을 탐방한다. - سوف يستكشف الطبيعة.
5951. 그녀는 우주를 탐방할 것이다. - سوف تستكشف الكون.
5952. 재밌어? - هل هو ممتع؟
5953. 네, 재밌어. - نعم، إنه ممتع.
5954. 찬성하다 - أن يكون مؤيداً
5955. 그는 계획을 찬성했다. - إنه يؤيد الخطة.
5956. 그녀는 아이디어를 찬성한다. - إنها تؤيد الفكرة.
5957. 우리는 제안을 찬성할 것이다. - سنصوت لصالح الاقتراح.
5958. 동의해? - هل توافق؟
5959. 네, 동의해. - نعم، أوافق.
5960. 교류하다 - لتبادل
5961. 그녀는 정보를 교류했다. - لقد تبادلت المعلومات.
5962. 우리는 경험을 교류한다. - سنتبادل الخبرات.
5963. 당신들은 지식을 교류할 것이다. - سوف تتبادلون المعرفة.
5964. 만났어? - هل التقيتما؟
5965. 아니, 안 만났어. - لا، لم أفعل
5966. 협조하다 - تعاونت
5967. 나는 프로젝트에 협조했다. - تعاونت مع المشروع.
5968. 너는 계획을 협조하게 생각한다. - سوف تتعاون مع الخطة.
5969. 그는 작업에 협조할 것이다. - سوف يتعاون مع العمل.
5970. 도울래? - هل ستساعد؟
5971. 네, 도울게. - نعم، سأساعد.
5972. 도움을 주다 - لتقديم المساعدة
5973. 너는 친구에게 도움을 주었다. - أنت تساعد صديقك.
5974. 그는 이웃을 돕는다. - سيساعد جاره.
5975. 그녀는 사회를 돕게 될 것이다. - ستساعد المجتمع.

5976. 필요해? - هل تحتاجها؟
5977. 네, 필요해. - نعم، أحتاجها.
5978. 67. 명사 단어들 외우기, 필수 10개 동사의 단어들을 가지고 50문장 연습하기 - 67. احفظ الكلمات الاسمية، وتمرن على 50 جملة باستخدام 10 كلمات فعلية أساسية
5979. 목표 - الهدف
5980. 성공 - النجاح
5981. 꿈 - الحلم
5982. 보고서 - تقرير
5983. 프로젝트 - مشروع
5984. 계획 - خطة
5985. 여행 - السفر
5986. 모임 - الفصل
5987. 학창 시절 - أيام دراسية
5988. 과제 - المهمة
5989. 미션 - المهمة
5990. 도전 - التحدي
5991. 전시 - معرض
5992. 음악 - موسيقى
5993. 예술 - الفن
5994. 선생님 - المعلم
5995. 리더 - قائد
5996. 선구자 - السلائف
5997. 자유 - الحرية
5998. 평화 - السلام
5999. 행복 - السعادة
6000. 제안 - الاقتراح
6001. 초대 - دعوة
6002. 조건 - الحالة
6003. 문제 - مشكلة
6004. 경쟁 - تنافس
6005. 노력하다 - للمحاولة
6006. 그는 목표를 달성하기 위해 노력했다. - عمل جاهداً لتحقيق هدفه.
6007. 그녀는 성공을 위해 노력한다. - تسعى جاهدة لتحقيق النجاح.
6008. 우리는 꿈을 이루기 위해 노력할 것이다. - سنحاول تحقيق أحلامنا.

6009. 힘들어? - هل الأمر صعب؟
6010. 네, 힘들어. - نعم، إنه صعب
6011. 작업하다 - العمل على
6012. 그녀는 보고서를 작업했다. - لقد عملت على التقرير.
6013. 우리는 프로젝트를 작업한다. - سنعمل على المشروع.
6014. 당신들은 계획을 작업할 것이다. - ستعملون على الخطة
6015. 바빠? - مشغول؟
6016. 네, 바빠. - نعم، أنا مشغول
6017. 추억하다 - تذكرت ذكريات
6018. 나는 여행을 추억했다. - سوف أتذكر الرحلة.
6019. 너는 모임을 추억하게 생각한다. - سوف يتذكر الاجتماع.
6020. 그는 학창 시절을 추억할 것이다. - سوف يتذكر أيام دراسته.
6021. 잊었어? - هل نسيت؟
6022. 아니, 안 잊었어. - لا، لم أنسى
6023. 완수하다 - أن تنجز
6024. 너는 과제를 완수했다. - لقد أكملت المهمة.
6025. 그는 미션을 완수한다. - سوف يكمل المهمة.
6026. 그녀는 도전을 완수할 것이다. - سوف تنجز التحدي.
6027. 성공했어? - هل نجحت؟
6028. 네, 성공했어. - نعم، نجحت.
6029. 이루다 - أن ينجز
6030. 그는 꿈을 이루었다. - سيحقق حلمه.
6031. 그녀는 목표를 이룬다. - ستحقق هدفها.
6032. 우리는 희망을 이룰 것이다. - سنحقق آمالنا.
6033. 가능해? - هل هذا ممكن؟
6034. 네, 가능해. - نعم، إنه ممكن.
6035. 감상하다 - أن تقدر
6036. 그녀는 전시를 감상했다. - إنها تقدر المعرض.
6037. 우리는 음악을 감상한다. - نحن نقدر الموسيقى.
6038. 당신들은 예술을 감상할 것이다. - ستقدر الفن.
6039. 좋아해? - هل تعجبك؟
6040. 네, 좋아해. - نعم، تعجبني.
6041. 동경하다 - تعجبني
6042. 나는 선생님을 동경했다. - أنا معجب بمعلمي.

6043. 너는 리더를 동경하게 생각한다. - ستعجب بالرائد
6044. 그는 선구자를 동경할 것이다. - سوف يعجب بالرائد.
6045. 원해? - هل تريده؟
6046. 네, 원해. - نعم، أريده
6047. 갈망하다 - أن تتوق إلى
6048. 너는 자유를 갈망했다. - أنت تتوق إلى الحرية.
6049. 그는 평화를 갈망한다. - سوف يتوق إلى السلام.
6050. 그녀는 행복을 갈망할 것이다. - سوف تتوق إلى السعادة
6051. 필요해? - تحتاج؟
6052. 네, 필요해. - نعم، أحتاج
6053. 수락하다 - للقبول
6054. 그는 제안을 수락했다. - سيقبل العرض
6055. 그녀는 초대를 수락한다. - قبلت الدعوة
6056. 우리는 조건을 수락할 것이다. - سنقبل الشروط
6057. 동의해? - هل توافق؟
6058. 네, 동의해. - نعم، أوافق
6059. 공격하다 - للهجوم
6060. 그녀는 문제를 공격적으로 다루었다. - تعاملت مع المشكلة بقوة.
6061. 우리는 경쟁을 공격적으로 대한다. - سنتعامل مع المنافسة بقوة.
6062. 당신들은 도전을 공격할 것이다. - سوف تهاجم التحدي
6063. 준비됐어? - هل أنت مستعد؟
6064. 네, 준비됐어. - نعم، أنا مستعد.
6065. 68. 명사 단어들 외우기, 필수 10개 동사의 단어들을 가지고 50문장 연습하기 - 68. احفظ الكلمات الاسمية، وتدرب على 50 جملة مع 10 كلمات فعلية أساسية
6066. 대회 - المنافسة
6067. 동료 - الزميل
6068. 시장 - السوق
6069. 위험 - خطر
6070. 문제 - مشكلة
6071. 기회 - الفرصة
6072. 환경 - البيئة
6073. 변화 - التغيير
6074. 미래 - المستقبل
6075. 규칙 - القاعدة

6076. 기준 - المعيار
6077. 요구 - الطلب
6078. 권력 - السلطة
6079. 영향력 - التأثير
6080. 지식 - المعرفة
6081. 아이 - طفل
6082. 책 - الكتاب
6083. 모형 - نموذج
6084. 인형 - دمية
6085. 간판 - اللافتة
6086. 조형물 - منحوتة
6087. 담요 - بطانية
6088. 식탁 - طاولة
6089. 화면 - شاشة
6090. 창문 - نافذة
6091. 눈 - عين
6092. 거울 - مرآة
6093. 정보 - المعلومات
6094. 경쟁하다 - للمنافسة
6095. 나는 대회에서 경쟁했다. - تنافست في مسابقة
6096. 너는 동료와 경쟁하게 생각한다. - فكرت في التنافس مع زملائك.
6097. 그는 시장에서 경쟁할 것이다. - سوف يتنافس في السوق.
6098. 이겼어? - هل فزت؟
6099. 아니, 안 이겼어. - لا، لم أفز
6100. 인지하다 - أن تعترف
6101. 너는 위험을 인지했다. - لقد اعترفت بالمخاطرة
6102. 그는 문제를 인지한다. - سيتعرف على المشكلة
6103. 그녀는 기회를 인지할 것이다. - ستعترف بالفرصة.
6104. 알아챘어? - هل تعرفت عليها؟
6105. 네, 알아챘어. - نعم، لاحظت
6106. 적응하다 - التكيف
6107. 그는 새 환경에 적응했다. - يتكيف مع البيئة الجديدة.
6108. 그녀는 변화에 적응한다. - تتكيف مع التغيير.
6109. 우리는 미래에 적응할 것이다. - سوف نتكيف مع المستقبل.

6110. 쉬워? - هل الأمر سهل؟
6111. 아니, 어려워. - لا، إنه صعب
6112. 순응하다 - أن تتكيف
6113. 그녀는 규칙에 순응했다. - إنها تتوافق مع القواعد.
6114. 우리는 기준에 순응한다. - نحن نتوافق مع المعايير.
6115. 당신들은 요구에 순응할 것이다. - سوف تمتثل للمطالب.
6116. 따라가? - هل تتبع؟
6117. 네, 따라가. - نعم، أتبع
6118. 휘두르다 - تمارس
6119. 나는 권력을 휘두렀다. - أمارس السلطة.
6120. 너는 영향력을 휘두르게 생각한다. - ستمارس النفوذ
6121. 그는 지식을 휘두를 것이다. - سيمارس المعرفة.
6122. 무서워? - هل أنت خائف؟
6123. 아니, 안 무서워. - لا، لست خائفاً
6124. 눕히다 - أن أضع
6125. 나는 아이를 눕혔다. - أضع الطفل أرضاً
6126. 너는 책을 눕힌다. - ستضع الكتاب
6127. 그는 모형을 눕힐 것이다. - سوف يضع النموذج.
6128. 편안해? - هل هو مريح؟
6129. 네, 편안해. - نعم، أنا مرتاح
6130. 세우다 - أن تضع
6131. 너는 인형을 세웠다. - ستنصب الدمية.
6132. 그는 간판을 세운다. - سينصب اللافتة.
6133. 그녀는 조형물을 세울 것이다. - سوف تنصب التمثال.
6134. 잘 섰어? - هل تقف جيداً؟
6135. 네, 잘 섰어. - نعم، أقف جيداً.
6136. 덮다 - لتغطية
6137. 그는 책을 덮었다. - غطى الكتاب.
6138. 그녀는 담요를 덮는다. - ستغطي البطانية.
6139. 우리는 식탁을 덮을 것이다. - سنغطي طاولة الطعام.
6140. 춥니? - هل الجو بارد؟
6141. 아니, 안 춥다. - لا، ليست باردة.
6142. 어둡게 하다 - أظلمت
6143. 그녀는 방을 어둡게 했다. - لقد أظلمت الغرفة.

6144. 우리는 화면을 어둡게 한다. - سنقوم بتعتيم الشاشة.
6145. 당신들은 창문을 어둡게 할 것이다. - سوف تظلم النوافذ.
6146. 밝아? - هل هي مضيئة؟
6147. 아니, 어두워. - لا، إنها مظلمة
6148. 가리다 - لتغطية
6149. 나는 눈을 가렸다. - غطيت عيني.
6150. 너는 거울을 가린다. - ستغطي المرآة
6151. 그는 정보를 가릴 것이다. - سوف يخفي المعلومات.
6152. 보여? - هل ترى؟
6153. 아니, 안 보여. - لا، لا أراه.
6154. 69. 명사 단어들 외우기, 필수 10개 동사의 단어들을 가지고 50문장 연습하기 - 69. احفظ الكلمات الاسمية، وتدرب على 50 جملة مع الكلمات الفعلية العشر الأساسية
6155. 고양이 - قط
6156. 표면 - سطح
6157. 식물 - نبات
6158. 설정 - الإعداد
6159. 기계 - آلة
6160. 시스템 - نظام
6161. 문 - الباب
6162. 탁자 - الطاولة
6163. 북 - الشمال
6164. 등 - إلخ.
6165. 바닥 - الأرضية
6166. 복권 - تذكرة يانصيب
6167. 비밀 - سري
6168. 데이터 - البيانات
6169. 계획 - الخطة
6170. 혐의 - الشحنة
6171. 주장 - الرأي
6172. 관계 - العلاقة
6173. 휴가 - الإجازة
6174. 자유 - الحرية
6175. 성과 - النتيجة
6176. 만지다 - للمس

6177. 너는 고양이를 만졌다. - لمست القطة
6178. 그는 표면을 만진다. - يلمس السطح
6179. 그녀는 식물을 만질 것이다. - تلمس النبات.
6180. 부드러워? - هل هو ناعم؟
6181. 네, 부드러워. - نعم، ناعم.
6182. 건드리다 - لمس
6183. 그는 설정을 건드렸다. - هو يلمس الإعداد.
6184. 그녀는 기계를 건드린다. - ستلمس الجهاز.
6185. 우리는 시스템을 건드릴 것이다. - سوف نلمس النظام
6186. 괜찮아? - هل أنت بخير؟
6187. 네, 괜찮아. - نعم، أنا بخير
6188. 두드리다 - طرقت
6189. 그녀는 문을 두드렸다. - لقد طرقت على الباب.
6190. 우리는 탁자를 두드린다. - سنطرق على الطاولة.
6191. 당신들은 북을 두드릴 것이다. - ستطرق على الطبل
6192. 소리났어? - هل سمعت ذلك؟
6193. 네, 소리났어. - نعم، لقد أصدرت صوتاً
6194. 긁다 - للحك
6195. 나는 등을 긁었다. - حككت ظهري.
6196. 너는 바닥을 긁는다. - سوف تخدش الأرض
6197. 그는 복권을 긁을 것이다. - سوف يخدش تذكرة اليانصيب.
6198. 가려워? - حكة؟
6199. 아니, 안 가려워. - لا، أنا لا أحك
6200. 잠들다 - أن تغفو
6201. 너는 빨리 잠들었다. - أنت تنام بسرعة.
6202. 그는 조용히 잠든다. - سينام بهدوء.
6203. 그녀는 편안히 잠들 것이다. - تنام براحة.
6204. 졸려? - هل تشعر بالنعاس؟
6205. 네, 졸려. - نعم، أشعر بالنعاس.
6206. 미소짓다 - يبتسم
6207. 그는 기쁨에 미소지었다. - يبتسم في فرح.
6208. 그녀는 친절하게 미소짓는다. - تبتسم في لطف.
6209. 우리는 성공에 미소질 것이다. - سنبتسم في نجاحنا.
6210. 행복해? - هل أنت سعيد؟

6211. 네, 행복해. - نعم، أنا سعيد
6212. 새기다 - أن تنقش
6213. 그녀는 이름을 새겼다. - نقشت اسمها.
6214. 우리는 메시지를 새긴다. - سنقوم بنقش الرسائل.
6215. 당신들은 기념을 새길 것이다. - سوف تقوم بنقش نصب تذكاري.
6216. 기억나? - هل تتذكرين؟
6217. 네, 기억나. - نعم، أتذكر
6218. 노출하다 - فضح
6219. 나는 비밀을 노출했다. - أكشف سرًا
6220. 너는 데이터를 노출한다. - ستفضح البيانات
6221. 그는 계획을 노출할 것이다. - سيفضح الخطة
6222. 위험해? - هل هو خطير؟
6223. 아니, 안 위험해. - لا، ليس خطيراً
6224. 부인하다 - للإنكار
6225. 너는 혐의를 부인했다. - أنت تنكر الادعاء.
6226. 그는 주장을 부인한다. - أنكر الادعاءات
6227. 그녀는 관계를 부인할 것이다. - ستنكر العلاقة
6228. 거짓말해? - هل تكذب؟
6229. 아니, 안 해. - لا، لا أكذب
6230. 향유하다 - للاستمتاع
6231. 그는 휴가를 향유했다. - استمتع بإجازته.
6232. 그녀는 자유를 향유한다. - سوف تستمتع بحريتها.
6233. 우리는 성과를 향유할 것이다. - سنستمتع بإنجازنا.
6234. 즐거워? - هل تستمتع؟
6235. 네, 즐거워. - نعم، أنا أستمتع.
6236. 70. 명사 단어들 외우기, 필수 10개 동사의 단어들을 가지고 50문장 연습하기 - 70. احفظ الكلمات الاسمية، وتدرب على 50 جملة بكلمات الأفعال العشرة الأساسية
6237. 파티 - حفلة
6238. 여행 - السفر
6239. 공연 - عرض
6240. 여유 - احتياطي
6241. 풍경 - البصر
6242. 성공 - النجاح
6243. 모임 - الفصل

6244. 프로젝트 - مشروع
6245. 캠페인 - حملة
6246. 기부 - التبرع
6247. 지식 - المعرفة
6248. 노력 - الجهد المبذول
6249. 커뮤니티 - المجتمع
6250. 단체 - منظمة
6251. 이벤트 - حدث
6252. 조사 - التفتيش
6253. 실험 - التجربة
6254. 평가 - التقييم
6255. 작품 - العمل
6256. 사진 - الصورة
6257. 발명품 - الاختراع
6258. 자료 - البيانات
6259. 환자 - المريض
6260. 물품 - مقالة
6261. 권리 - الحق
6262. 이념 - الأيديولوجية
6263. 평화 - السلام
6264. 즐기다 - للاستمتاع
6265. 그녀는 파티를 즐겼다. - استمتعت بالحفل
6266. 우리는 여행을 즐긴다. - استمتعنا بالسفر
6267. 당신들은 공연을 즐길 것이다. - سوف تستمتع بالحفل.
6268. 재미있어? - هل تستمتع؟
6269. 네, 재미있어. - نعم، إنه ممتع.
6270. 누리다 - للاستمتاع
6271. 나는 여유를 누렸다. - استمتعت بالترفيه.
6272. 너는 풍경을 누린다. - سوف تستمتع بالمناظر
6273. 그는 성공을 누릴 것이다. - سوف يستمتع بنجاحه.
6274. 만족해? - هل أنت راضٍ؟
6275. 네, 만족해. - نعم، أنا راضٍ
6276. 동참하다 - أن تنضم إلى
6277. 너는 모임에 동참했다. - ستنضم إلى الاجتماع

6278. 그는 프로젝트에 동참한다. - سينضم إلى المشروع
6279. 그녀는 캠페인에 동참할 것이다. - ستنضم إلى الحملة.
6280. 함께할래? - هل ستنضم إلينا؟
6281. 네, 함께할래. - نعم، سأنضم إليكم
6282. 공헌하다 - للمساهمة
6283. 그는 기부를 공헌했다. - هو يساهم بتبرع.
6284. 그녀는 지식을 공헌한다. - ساهمت بمعرفتها.
6285. 우리는 노력을 공헌할 것이다. - سنساهم بجهودنا.
6286. 도움됐어? - هل كان ذلك مفيداً؟
6287. 네, 도움됐어. - نعم، لقد ساعدنا.
6288. 봉사하다 - للخدمة
6289. 그녀는 커뮤니티에 봉사했다. - لقد خدمت المجتمع.
6290. 우리는 단체에 봉사한다. - سنخدم المنظمة.
6291. 당신들은 이벤트에 봉사할 것이다. - ستخدم الحدث.
6292. 기쁘니? - هل أنت سعيد؟
6293. 네, 기뻐. - نعم، أنا سعيد
6294. 착수하다 - تعهدت
6295. 나는 프로젝트에 착수했다. - تعهدت بالمشروع
6296. 너는 작업에 착수한다. - سوف تضطلع بالمهمة.
6297. 그는 연구에 착수할 것이다. - سيشرع في بحثه.
6298. 준비됐어? - هل أنت مستعد؟
6299. 네, 준비됐어. - نعم، أنا مستعد
6300. 실시하다 - لإجراء
6301. 너는 조사를 실시했다. - ستجري تحقيقاً.
6302. 그는 실험을 실시한다. - سيجري تجربة.
6303. 그녀는 평가를 실시할 것이다. - ستجري تقييماً.
6304. 성공할까? - هل ستنجح؟
6305. 네, 성공할 거야. - نعم، سينجح.
6306. 전시하다 - سيعرض
6307. 그는 작품을 전시했다. - سيعرض عمله.
6308. 그녀는 사진을 전시한다. - ستعرض صورها الفوتوغرافية.
6309. 우리는 발명품을 전시할 것이다. - سنعرض اختراعنا.
6310. 관심있어? - هل أنت مهتم؟
6311. 네, 관심있어. - نعم، أنا مهتم.

6312. 이송하다 - لنقل
6313. 그녀는 자료를 이송했다. - ستقوم بنقل المواد.
6314. 우리는 환자를 이송한다. - سننقل المريض.
6315. 당신들은 물품을 이송할 것이다. - ستقوم بنقل المواد.
6316. 빨라? - هل هو سريع؟
6317. 네, 빨라. - نعم، إنه سريع.
6318. 옹호하다 - للدفاع
6319. 나는 권리를 옹호했다. - دافعت عن حق
6320. 너는 이념을 옹호한다. - ستدافع عن عقيدة
6321. 그는 평화를 옹호할 것이다. - سيدافع عن السلام.
6322. 중요해? - هل هو مهم؟
6323. 네, 중요해. - نعم، إنه مهم.
6324. 71. 명사 단어들 외우기, 필수 10개 동사의 단어들을 가지고 50문장 연습하기 - 71. احفظ الكلمات الاسمية، وتدرب على 50 جملة باستخدام الكلمات الفعلية العشر الأساسية
6325. 계획 - خطة
6326. 문제 - مشكلة
6327. 전략 - استراتيجية
6328. 조건 - الشرط
6329. 계약 - عقد
6330. 합의 - اتفاقية
6331. 약속 - الوعد
6332. 규칙 - القاعدة
6333. 비밀 - السر
6334. 사고 - حادث
6335. 오류 - خطأ
6336. 손실 - الخسارة
6337. 결정 - قرار
6338. 제안 - اقتراح
6339. 가능성 - الاحتمال
6340. 의견 - الرأي
6341. 방안 - التدابير
6342. 초콜릿 - الشوكولاتة
6343. 여름 - الصيف
6344. 온라인 수업 - دروس عبر الإنترنت

6345. 위험 - الخطر
6346. 논쟁 - الجدال
6347. 갈등 - النزاع
6348. 상의하다 - للمناقشة
6349. 너는 계획을 상의했다. - ناقشت الخطة
6350. 그는 문제를 상의한다. - سيناقش المشكلة
6351. 그녀는 전략을 상의할 것이다. - ستناقش الخطة
6352. 동의해? - هل توافق؟
6353. 네, 동의해. - نعم، أوافق
6354. 협의하다 - للمناقشة
6355. 그는 조건을 협의했다. - سيتفاوض على الشروط.
6356. 그녀는 계약을 협의한다. - سوف تتفاوض على العقد.
6357. 우리는 합의를 협의할 것이다. - سنتفاوض على الاتفاق.
6358. 결정났어? - هل قررت؟
6359. 네, 결정났어. - نعم، لقد تقرر
6360. 지키다 - أن تفي
6361. 그녀는 약속을 지켰다. - لقد أوفت بوعدها.
6362. 우리는 규칙을 지킨다. - سنحافظ على القواعد
6363. 당신들은 비밀을 지킬 것이다. - ستحفظ السر
6364. 안전해? - هل هو آمن؟
6365. 네, 안전해. - نعم، إنه آمن
6366. 방지하다 - لمنع
6367. 나는 사고를 방지했다. - منعت وقوع حادث
6368. 너는 오류를 방지한다. - ستمنع الأخطاء
6369. 그는 손실을 방지할 것이다. - سيمنع الخسائر.
6370. 필요해? - هل تحتاجه؟
6371. 네, 필요해. - نعم، أحتاجه
6372. 재검토하다 - لإعادة النظر
6373. 너는 결정을 재검토했다. - ستعيد النظر في قرارك.
6374. 그는 계획을 재검토한다. - سيعيد النظر في الخطة
6375. 그녀는 정책을 재검토할 것이다. - ستعيد النظر في الخطة
6376. 변했어? - هل تغيرت؟
6377. 네, 변했어. - نعم، لقد تغيرت.
6378. 고려하다 - للنظر في

6379. 나는 그 제안을 고려했다. - لقد نظرت في الاقتراح.
6380. 너는 가능성을 고려한다. - ستأخذ بعين الاعتبار الاحتمال.
6381. 그는 의견을 고려할 것이다. - سينظر في الرأي.
6382. 생각해봤어? - هل فكرت في الأمر؟
6383. 네, 봤어. - نعم، لقد فكرت
6384. 숙고하다 - تأملت
6385. 너는 결정을 숙고했다. - لقد فكرت في القرار.
6386. 그는 방안을 숙고한다. - سوف يتأمل في الخطة.
6387. 그녀는 제안을 숙고할 것이다. - سوف تفكر في الاقتراح.
6388. 충분히 생각했어? - هل فكرت في الأمر بما فيه الكفاية؟
6389. 네, 했어. - نعم، فكرت
6390. 의논하다 - للمناقشة
6391. 그는 계획을 의논했다. - سيناقش الخطة.
6392. 그녀는 문제를 의논한다. - ستناقش المشكلة.
6393. 우리는 전략을 의논할 것이다. - سنناقش الاستراتيجية.
6394. 의견 있어? - هل لديك رأي؟
6395. 네, 있어. - نعم، لدي رأي
6396. 선호하다 - تفضل
6397. 그녀는 초콜릿을 선호했다. - إنها تفضل الشوكولاتة.
6398. 우리는 여름을 선호한다. - نحن نفضل الصيف.
6399. 당신들은 온라인 수업을 선호할 것이다. - تفضل الدروس عبر الإنترنت.
6400. 좋아해? - هل تفضلها؟
6401. 네, 좋아해. - نعم، أحبها.
6402. 기피하다 - لتجنب
6403. 나는 위험을 기피했다. - أتجنب المخاطرة
6404. 너는 논쟁을 기피한다. - تتجنب الجدل.
6405. 그는 갈등을 기피할 것이다. - يتجنب النزاع.
6406. 싫어해? - هل تكرهه؟
6407. 네, 싫어해. - نعم، أكرهه.
6408. 72. 명사 단어들 외우기, 필수 10개 동사의 단어들을 가지고 50문장 연습하기 - 72. احفظ الكلمات الاسمية، وتمرن على 50 جملة مع الكلمات الفعلية العشر المطلوبة
6409. 목표 - الهدف
6410. 의도 - النية
6411. 계획 - الخطة

6412. 비밀 - السر
6413. 진실 - الحقيقة
6414. 결과 - النتيجة
6415. 세부사항 - التفاصيل
6416. 문서 - المستند
6417. 보고서 - تقرير
6418. 상품 - البضاعة
6419. 편지 - رسالة
6420. 선물 - هدية
6421. 하나님 - الأب
6422. 예수님 - السيد المسيح
6423. 기여 - المساهمة
6424. 능력 - القدرة
6425. 아이디어 - فكرة
6426. 의견 - الرأي
6427. 친구 - صديق
6428. 이웃 - جار
6429. 동료 - الزميل
6430. 손실 - الخسارة
6431. 상실 - خسارة
6432. 고인 - متوفى
6433. 기술 - التكنولوجيا
6434. 지원 - الدعم
6435. 도움 - المساعدة
6436. 성공 - النجاح
6437. 소식 - الأخبار
6438. 선언하다 - الإعلان
6439. 너는 목표를 선언했다. - تعلن عن هدفك
6440. 그는 의도를 선언한다. - يعلن عن نواياه
6441. 그녀는 계획을 선언할 것이다. - تعلن عن خطة
6442. 말했어? - هل قلتها؟
6443. 네, 말했어. - نعم، قلتها
6444. 드러나다 - أن يكشف
6445. 그는 비밀을 드러냈다. - هو يكشف السر

6446. 그녀는 진실을 드러낸다. - ستكشف الحقيقة
6447. 우리는 결과를 드러낼 것이다. - سنكشف النتائج
6448. 알게 됐어? - هل فهمت؟
6449. 네, 됐어. - نعم، فهمت
6450. 살피다 - للنظر في
6451. 그녀는 세부사항을 살폈다. - نظرت في التفاصيل.
6452. 우리는 문서를 살핀다. - نحن ننظر في الوثائق.
6453. 당신들은 보고서를 살필 것이다. - سوف تدقق في التقرير
6454. 확인했어? - هل دققت فيه؟
6455. 네, 했어. - نعم، لقد فعلت
6456. 배송하다 - لتسليم
6457. 나는 상품을 배송했다. - لقد شحنت البضاعة
6458. 너는 편지를 배송한다. - سوف تقوم بتسليم الرسالة.
6459. 그는 선물을 배송할 것이다. - سوف يشحن الهدية
6460. 도착했어? - هل وصلت؟
6461. 네, 도착했어. - نعم، وصلت.
6462. 찬양하다 - للثناء
6463. 나는 하나님을 찬양했다. - لقد حمدت الله.
6464. 그는 예수님을 찬양한다. - هو يثني على يسوع.
6465. 그녀는 기여를 찬양할 것이다. - سوف تمدح المساهمة.
6466. 기뻐해? - أفرح؟
6467. 네, 기뻐해. - نعم، أبتهج.
6468. 비하하다 - يحط من قدر
6469. 그는 능력을 비하했다. - هو يقلل من شأن القدرة.
6470. 그녀는 아이디어를 비하한다. - هي تقلل من شأن الفكرة.
6471. 우리는 의견을 비하할 것이다. - نحن نحط من شأن الرأي.
6472. 나빠? - سيء؟
6473. 네, 나빠. - نعم، سيء
6474. 돕다 - للمساعدة
6475. 그녀는 친구를 도왔다. - لقد ساعدت صديقتها.
6476. 우리는 이웃을 돕는다. - سنساعد جيراننا.
6477. 당신들은 동료를 도울 것이다. - سوف تساعد زملاءك في العمل.
6478. 도와줄래? - هل ستساعدني؟
6479. 네, 도와줄게. - نعم، سأساعد

6480. 애도하다 - في الحداد
6481. 나는 손실을 애도했다. - أنا حزين على الخسارة
6482. 너는 상실을 애도한다. - ستحزن على الخسارة
6483. 그는 고인을 애도할 것이다. - سيحزن على الفقيد
6484. 슬퍼? - حزين؟
6485. 네, 슬퍼. - نعم، حزين
6486. 의존하다 - تعتمد على
6487. 너는 기술에 의존했다. - أنت تعتمد على التكنولوجيا.
6488. 그는 지원에 의존한다. - سيعتمد على الدعم
6489. 그녀는 도움에 의존할 것이다. - تعتمد على المساعدة
6490. 필요해? - هل تحتاجها؟
6491. 네, 필요해. - نعم، أحتاجها.
6492. 기뻐하다 - ابتهج
6493. 그는 성공을 기뻐했다. - لقد ابتهج بنجاحه.
6494. 그녀는 소식을 기뻐한다. - تفرح بالأخبار.
6495. 우리는 결과를 기뻐할 것이다. - سنفرح بالنتيجة.
6496. 행복해? - هل أنت سعيد؟
6497. 네, 행복해. - نعم، أنا سعيد.
6498. 73. 명사 단어들 외우기, 필수 10개 동사의 단어들을 가지고 50문장 연습하기 - 73. احفظ الكلمات الاسمية، وتدرب على 50 جملة مع الكلمات الفعلية العشر المطلوبة
6499. 문제 - مشكلة
6500. 상황 - حالة
6501. 처리 - عملية
6502. 서비스 - الخدمة
6503. 결정 - قرار
6504. 정책 - السياسة
6505. 도움 - المساعدة
6506. 지원 - الدعم
6507. 기회 - الفرصة
6508. 실수 - الخطأ
6509. 오해 - سوء الفهم
6510. 불편 - الإزعاج
6511. 제안 - اقتراح
6512. 변화 - تغيير

6513. 조언 - نصيحة
6514. 순간 - لحظة
6515. 가능성 - الإمكانية
6516. 기준 - قياسية
6517. 목소리 - الصوت
6518. 가격 - السعر
6519. 모자 - قبعة
6520. 장갑 - قفازات
6521. 유니폼 - زي موحد
6522. 과일 - فاكهة
6523. 야채 - خضروات
6524. 고기 - اللحوم
6525. 샐러드 - سلطة
6526. 재료 - المكونات
6527. 반죽 - العجين
6528. 불평하다 - للشكوى
6529. 그녀는 문제를 불평했다. - اشتكت من مشكلة
6530. 우리는 상황을 불평한다. - نحن نشكو من الوضع.
6531. 당신들은 처리를 불평할 것이다. - سوف تشكو من العلاج.
6532. 불만 있어? - هل لديك شكوى؟
6533. 네, 있어. - نعم، لدي
6534. 불만을 표하다 - تشتكي من
6535. 나는 서비스에 불만을 표했다. - اشتكيت من الخدمة
6536. 너는 결정에 불만을 표한다. - أنت غير راضٍ عن القرار.
6537. 그는 정책에 불만을 표할 것이다. - سيعبر عن عدم الرضا عن السياسة.
6538. 안 좋아해? - ألا تعجبك؟
6539. 네, 안 좋아해. - نعم، لا يعجبني.
6540. 고맙다고 하다 - قل شكراً
6541. 너는 도움에 고맙다고 했다. - ستقول شكراً على المساعدة.
6542. 그는 지원에 고맙다고 한다. - سيقول شكراً على الدعم.
6543. 그녀는 기회에 고맙다고 할 것이다.. - ستكون ممتنة للفرصة
6544. 감사해? - هل أنت ممتن؟
6545. 네, 감사해. - نعم، أنا ممتن
6546. 용서를 구하다 - يطلب المغفرة

6547. 그는 실수에 용서를 구했다. - يطلب المغفرة عن الخطأ.
6548. 그녀는 오해에 용서를 구한다. - تطلب المغفرة لسوء الفهم.
6549. 우리는 불편에 용서를 구할 것이다. - نطلب المغفرة عن الإزعاج.
6550. 용서해줄래? - هل تسامحنا؟
6551. 네, 용서해줄게. - نعم، أنا أسامحك
6552. 받아들이다 - أن تقبل
6553. 그녀는 제안을 받아들였다. - لقد قبلت العرض.
6554. 우리는 변화를 받아들인다. - نحن نقبل التغيير.
6555. 당신들은 조언을 받아들일 것이다. - سوف تقبل النصيحة
6556. 좋아해? - هل يعجبك؟
6557. 네, 좋아해. - نعم، يعجبني
6558. 붙잡다 - اغتنام الفرصة
6559. 나는 기회를 붙잡았다. - اغتنمت الفرصة.
6560. 너는 순간을 붙잡는다. - ستغتنم الفرصة
6561. 그는 가능성을 붙잡을 것이다. - سيغتنم الفرصة
6562. 준비됐어? - هل أنت مستعد؟
6563. 네, 됐어. - نعم، أنا مستعد
6564. 올리다 - لرفع
6565. 너는 기준을 올렸다. - أنت ترفع صوته
6566. 그는 목소리를 올린다. - يرفع صوته
6567. 그녀는 가격을 올릴 것이다. - ترفع السعر
6568. 높아졌어? - هل رفعته؟
6569. 네, 높아졌어. - نعم، لقد رفعته
6570. 착용하다 - لبس
6571. 그는 모자를 착용했다. - يرتدي قبعته.
6572. 그녀는 장갑을 착용한다. - وترتدي القفازات.
6573. 우리는 유니폼을 착용할 것이다. - سنرتدي الزي الرسمي.
6574. 맞아? - هل هذا صحيح؟
6575. 네, 맞아. - نعم، هذا صحيح
6576. 썰다 - لتقطيع
6577. 그녀는 과일을 썰었다. - لقد قطعت الفاكهة إلى شرائح.
6578. 우리는 야채를 썬다. - سنقطع الخضار إلى شرائح.
6579. 당신들은 고기를 썰 것이다. - وأنتم ستقطعون اللحم إلى شرائح.
6580. 잘랐어? - هل قطعتها؟

6581. 네, 잘랐어. - .نعم، قطعتها
6582. 버무리다 - لقلبها
6583. 나는 샐러드를 버무렸다. - .قمتُ بتقليب السلطة
6584. 너는 재료를 버무린다. - .تقلب المكونات
6585. 그는 반죽을 버무릴 것이다. - .سوف يعجن العجين
6586. 완성됐어? - هل هي جاهزة؟
6587. 네, 됐어. - .نعم، إنه جاهز
6588. 74. 명사 단어들 외우기, 필수 10개 동사의 단어들을 가지고 50문장 연습하기 - 74. احفظ الكلمات الاسمية، تدرب على 50 جملة بكلمات الأفعال العشرة الأساسية
6589. 꽃의 향기 - رائحة الزهور
6590. 커피의 향기 - رائحة القهوة
6591. 향수의 향기 - رائحة العطر
6592. 손가락 - الإصبع
6593. 발 - القدم
6594. 종이 - ورقة
6595. 공 - كرة
6596. 문 - الباب
6597. 볼 - الخد
6598. 기회 - الفرصة
6599. 성공 - النجاح
6600. 명성 - الشهرة
6601. 친구 - صديق
6602. 팀 - فريق
6603. 가족 - العائلة
6604. 자전거 - دراجة هوائية
6605. 휴가 - الإجازة
6606. 대학 입학 - القبول الجامعي
6607. 건강한 생활 - الحياة الصحية
6608. 사업 확장 - توسيع الأعمال التجارية
6609. 가구 - الأثاث
6610. 쓰레기 - القمامة
6611. 문서 - المستندات
6612. 파일 - ملف
6613. 이메일 - البريد الإلكتروني

6614. 데이터 - بيانات
6615. 메시지 - رسالة
6616. 정보 - المعلومات
6617. 향기를 맡다 - شم الرائحة
6618. 너는 꽃의 향기를 맡았다. - تشم رائحة الزهور.
6619. 그는 커피의 향기를 맡는다. - يشم رائحة القهوة.
6620. 그녀는 향수의 향기를 맡을 것이다. - تشم رائحة العطر.
6621. 좋아해? - هل تعجبك؟
6622. 네, 좋아해. - نعم، تعجبني.
6623. 찌르다 - وخز
6624. 그는 손가락을 찔렀다. - وخز إصبعه.
6625. 그녀는 발을 찌른다. - وخزت قدمها.
6626. 우리는 종이로 손을 찔을 것이다. - سنوخز أيدينا بالورق.
6627. 아파? - هل يؤلم؟
6628. 네, 아파. - نعم، إنه يؤلم.
6629. 차다 - للركل
6630. 그녀는 공을 찼다. - ركلت الكرة.
6631. 우리는 문을 찬다. - سنركل الباب.
6632. 당신들은 볼을 찰 것이다. - سوف تركل الكرة.
6633. 세게 찼어? - هل ركلتها بقوة؟
6634. 네, 세게 찼어. - نعم، ركلتها بقوة
6635. 탐발하다 - اغتنمت الفرصة
6636. 나는 기회를 탐발했다. - اغتنمت الفرصة
6637. 너는 성공을 탐발한다. - ستحظى بالنجاح
6638. 그는 명성을 탐발할 것이다. - سيشتهي الشهرة
6639. 원해? - هل تريدها؟
6640. 네, 원해. - نعم، أريدها
6641. 의지하다 - أن تعتمد على
6642. 너는 친구에게 의지했다. - ستعتمد على أصدقائك.
6643. 그는 팀에 의지한다. - سيعتمد على فريقه.
6644. 그녀는 가족에 의지할 것이다. - ستعتمد على عائلتها.
6645. 의존해? - تعتمد على؟
6646. 네, 의존해. - نعم، تعتمد على
6647. 욕망하다 - على الرغبة

6648. 나는 새로운 자전거를 욕망했다. - اشتهيت دراجة جديدة.
6649. 너는 성공을 욕망한다. - سترغب في النجاح
6650. 그는 휴가를 욕망할 것이다. - اشتهى إجازة.
6651. 더 필요한 거 있어? - أي شيء آخر؟
6652. 모두 좋아, 감사해. - كل شيء جيد، شكراً لك
6653. 목표하다 - تهدف إلى
6654. 그녀는 대학 입학을 목표했다. - تهدف إلى الدخول إلى الكلية.
6655. 우리는 건강한 생활을 목표한다. - سنهدف إلى أن نعيش حياة صحية.
6656. 당신들은 사업 확장을 목표할 것이다. - أنتم تهدفون إلى توسيع نطاق عملكم.
6657. 목표가 뭐야? - ما هو هدفكم؟
6658. 행복해지기야. - أن نكون سعداء
6659. 폐기하다 - للتخلص من
6660. 우리는 오래된 가구를 폐기했다. - نتخلص من الأثاث القديم.
6661. 당신들은 쓰레기를 폐기한다. - تتخلصون من القمامة
6662. 그들은 불필요한 문서를 폐기할 것이다. - تتخلص من الوثائق غير الضرورية.
6663. 이거 버려도 돼? - هل يمكنني التخلص منها؟
6664. 네, 필요 없어. - نعم، لا أحتاجها
6665. 암호화하다 - للتشفير
6666. 그는 중요한 파일을 암호화했다. - قام بتشفير ملفاته المهمة.
6667. 그녀는 이메일을 암호화한다. - تقوم بتشفير رسائل البريد الإلكتروني الخاصة بها.
6668. 나는 내 데이터를 암호화할 것이다. - سأقوم بتشفير بياناتي.
6669. 비밀번호 설정했어? - هل قمت بتعيين كلمة مرور؟
6670. 이미 했어, 안심해. - لقد فعلت ذلك بالفعل، لا تقلق.
6671. 복호화하다 - لفك التشفير
6672. 그녀는 메시지를 복호화했다. - قامت بفك تشفير الرسالة.
6673. 우리는 정보를 복호화한다. - نقوم بفك تشفير المعلومات.
6674. 당신들은 문서를 복호화할 것이다. - ستقوم بفك تشفير المستند.
6675. 열쇠 찾았어? - هل وجدت المفتاح؟
6676. 아직 못 찾았어. - لا، لم أجده بعد.
6677. 75. 명사 단어들 외우기, 필수 10개 동사의 단어들을 가지고 50문장 연습하기 - 75. احفظ الكلمات الاسمية، تدرب على 50 جملة بكلمات من 10 أفعال أساسية
6678. 파일들 - الملفات
6679. 사진 - صورة
6680. 자료 - البيانات

6681. 문서 - مستند
6682. 바코드 - الباركود
6683. 신분증 - المعرف
6684. 중요한 부분 - جزء
6685. 텍스트 - نص
6686. 포인트 - نقطة
6687. 데이터 - البيانات
6688. 주소 - العنوان
6689. 내 정보 - معلوماتي
6690. 보고서 - تقرير
6691. 이메일 - البريد الإلكتروني
6692. 계획 - الخطة
6693. 클럽 - النادي
6694. 프로그램 - البرنامج
6695. 도서관 - المكتبة
6696. 목표 - الهدف
6697. 성공 - النجاح
6698. 해결책 - الحل
6699. 위험 - الخطر
6700. 집 - منزل
6701. 삶 - الحياة
6702. 경력 - الحياة المهنية
6703. 공기 - هواء
6704. 물 - الماء
6705. 환경 - البيئة
6706. 압축하다 - للضغط
6707. 나는 파일들을 압축했다. - ضغطت الملفات
6708. 너는 사진을 압축한다. - ستضغط الصور.
6709. 그는 자료를 압축할 것이다. - سيضغط المواد.
6710. 공간 충분해? - هل هناك مساحة كافية؟
6711. 네, 충분해. - نعم، هناك ما يكفي.
6712. 스캔하다 - للمسح الضوئي
6713. 그녀는 문서를 스캔했다. - تقوم بمسح المستند ضوئياً.
6714. 우리는 바코드를 스캔한다. - سنفحص الرمز الشريطي.

6715. 당신들은 신분증을 스캔할 것이다. - ستقومون بمسح هوياتكم ضوئياً
6716. 다 됐어? - هل انتهيتم؟
6717. 네, 다 됐어. - نعم، لقد انتهينا
6718. 하이라이트하다 - للتمييز
6719. 우리는 중요한 부분을 하이라이트했다. - قمنا بتمييز الأجزاء المهمة.
6720. 당신들은 텍스트를 하이라이트한다. - ستقومون بتمييز النص.
6721. 그들은 포인트를 하이라이트할 것이다. - ستقوم بتمييز النقاط.
6722. 이 부분 강조할까? - هل تريدني أن أبرز هذا؟
6723. 좋아, 해줘. - حسناً، قم بذلك.
6724. 입력하다 - لإدخال
6725. 그는 데이터를 입력했다. - أدخل البيانات.
6726. 그녀는 주소를 입력한다. - تقوم بإدخال العنوان.
6727. 나는 내 정보를 입력할 것이다. - سأقوم بإدخال بياناتي.
6728. 정보 다 넣었어? - هل انتهيت؟
6729. 네, 다 했어. - نعم، لقد انتهيت
6730. 타이핑하다 - لكتابة
6731. 나는 보고서를 타이핑했다. - سأكتب التقرير
6732. 너는 이메일을 타이핑한다. - ستكتب البريد الإلكتروني.
6733. 그는 계획을 타이핑할 것이다. - سيكتب الخطة.
6734. 글 쓰고 있어? - هل تكتب؟
6735. 아니, 쉬고 있어. - لا، أنا أستريح
6736. 가입하다 - للانضمام
6737. 나는 클럽에 가입했다. - انضممت إلى النادي
6738. 너는 프로그램에 가입한다. - ستنضم إلى البرنامج
6739. 그는 도서관에 가입할 것이다. - سينضم للمكتبة
6740. 회원 되고 싶어? - هل تريد أن تكون عضواً؟
6741. 네, 가입할래요. - نعم، أريد الانضمام
6742. 근접하다 - للاقتراب
6743. 그녀는 목표에 근접했다. - إنها قريبة من هدفها.
6744. 우리는 성공에 근접한다. - نحن قريبون من النجاح.
6745. 당신들은 해결책에 근접할 것이다. - ستكون قريبًا من الحل.
6746. 거의 다 왔어? - هل أوشكت على الوصول؟
6747. 네, 거의 다 왔어요. - نعم، لقد أوشكنا على الوصول.
6748. 멀어지다 - الابتعاد عن

6749. 우리는 위험으로부터 멀어졌다. - لقد ابتعدنا عن الخطر.
6750. 당신들은 목표로부터 멀어진다. - أنت تبتعد عن الهدف.
6751. 그들은 서로로부터 멀어질 것이다. - سوف يبتعدون عن بعضهم البعض.
6752. 떠나고 싶어? - هل تريدين المغادرة؟
6753. 아니요, 여기 있을래요. - لا، سأبقى هنا
6754. 재건하다 - لإعادة البناء
6755. 그는 그의 집을 재건했다. - أعاد بناء منزله.
6756. 그녀는 그녀의 삶을 재건한다. - تعيد بناء حياتها.
6757. 나는 내 경력을 재건할 것이다. - سأعيد بناء حياتي المهنية.
6758. 다시 시작할 준비 됐어? - هل أنت مستعد للبدء من جديد؟
6759. 네, 준비 됐어요. - نعم، أنا مستعد
6760. 정화하다 - لتنقية
6761. 그녀는 공기를 정화했다. - قامت بتنقية الهواء.
6762. 우리는 물을 정화한다. - نحن ننقي الماء.
6763. 당신들은 환경을 정화할 것이다. - ستنقي البيئة.
6764. 더 깨끗해졌어? - هل هو أنظف؟
6765. 네, 훨씬 나아졌어요. - نعم، إنه أفضل بكثير.
6766. 76. 명사 단어들 외우기, 필수 10개 동사의 단어들을 가지고 50문장 연습하기 - 76- احفظ الكلمات الاسمية، تدرب على 50 جملة بكلمات الأفعال العشرة الأساسية
6767. 상처 - جرح
6768. 방 - غرفة
6769. 장비 - معدات
6770. 여행 - السفر
6771. 회의 - اجتماع
6772. 발표 - عرض تقديمي
6773. 프로젝트 - مشروع
6774. 이벤트 - حدث
6775. 캠페인 - حملة
6776. 아이디어 - فكرة
6777. 생각 - فكرة
6778. 방법 - الطريقة
6779. 해 - الشمس
6780. 미래 - المستقبل
6781. 기회 - الفرصة

6782. 능력 - القدرة
6783. 가치 - القيمة
6784. 이론 - النظرية
6785. 주장 - الرأي
6786. 사실 - في الواقع
6787. 무죄 - البراءة
6788. 삶의 의미 - معنى الحياة
6789. 자연의 아름다움 - الجمال الطبيعي
6790. 과거의 실수 - أخطاء الماضي
6791. 행동 - العمل
6792. 결정 - القرار
6793. 추억 - الذكريات
6794. 약속 - الوعد
6795. 역사 - التاريخ
6796. 소독하다 - تطهير(تعقيم)
6797. 나는 상처를 소독했다. - قمت بتعقيم الجرح.
6798. 너는 방을 소독한다. - قمت بتعقيم الغرفة.
6799. 그는 장비를 소독할 것이다. - سيقوم بتعقيم المعدات.
6800. 이게 안전해? - هل هذا آمن؟
6801. 네, 안전해요. - نعم، إنه آمن.
6802. 예정하다 - لجدولة
6803. 그녀는 여행을 예정했다. - لقد حددت موعداً للرحلة.
6804. 우리는 회의를 예정한다. - سنقوم بجدولة اجتماع.
6805. 당신들은 발표를 예정할 것이다. - ستقوم بجدولة عرض تقديمي.
6806. 일정 정했어? - هل قمت بجدولته؟
6807. 네, 다 정했어요. - نعم، لقد خططت لكل شيء.
6808. 기획하다 - للتخطيط
6809. 우리는 프로젝트를 기획했다. - نحن نخطط لمشروع
6810. 당신들은 이벤트를 기획한다. - ستنظم حدثاً.
6811. 그들은 캠페인을 기획할 것이다. - سوف تخطط لحملة
6812. 뭐 계획 중이야? - ما الذي تخطط له؟
6813. 새로운 시작이에요. - بداية جديدة
6814. 발상하다 - لتصور
6815. 그는 훌륭한 아이디어를 발상했다. - لقد جاء بفكرة رائعة.

6816. 그녀는 창의적인 생각을 발상한다. - تأتي بأفكار مبتكرة.
6817. 나는 새로운 방법을 발상할 것이다. - سأخترع طريقة جديدة.
6818. 아이디어 있어? - هل لديك أي أفكار؟
6819. 네, 몇 개 있어요. - نعم، لدي بعض الأفكار.
6820. 바라보다 - للنظر إلى
6821. 나는 해가 지는 것을 바라봤다. - شاهدت الشمس تغرب
6822. 너는 미래를 바라본다. - أنت تنظر إلى المستقبل.
6823. 그는 기회를 바라볼 것이다. - سوف ينظر إلى الفرص.
6824. 희망 가지고 있어? - هل لديك أمل؟
6825. 네, 항상 그래요. - نعم، لديّ دائماً
6826. 증명하다 - لإثبات
6827. 그녀는 자신의 능력을 증명했다. - أثبتت قدرتها.
6828. 우리는 우리의 가치를 증명한다. - نحن نثبت جدارتنا.
6829. 당신들은 이론을 증명할 것이다. - سوف تثبت النظرية
6830. 진짜야? - هل هي حقيقية؟
6831. 네, 진짜에요. - نعم، إنها حقيقية
6832. 입증하다 - لإثبات
6833. 우리는 우리의 주장을 입증했다. - سنثبت وجهة نظرنا.
6834. 당신들은 사실을 입증한다. - ستثبتون الحقائق
6835. 그들은 무죄를 입증할 것이다. - سيثبتون براءتهم
6836. 증거 있어? - هل لديك دليل؟
6837. 네, 여기 있어요. - نعم، ها هو ذا
6838. 묵상하다 - للتأمل
6839. 나는 삶의 의미를 묵상했다. - تأملت في معنى الحياة.
6840. 너는 미래에 대해 묵상한다. - تأمل في المستقبل.
6841. 그는 자연의 아름다움을 묵상할 것이다. - سوف يتأمل في جمال الطبيعة.
6842. 조용한 곳 찾고 있어? - هل تبحث عن مكان هادئ؟
6843. 네, 필요해. - نعم، أحتاج إلى واحد
6844. 반성하다 - للتأمل
6845. 그녀는 과거의 실수를 반성했다. - تتأمل في أخطائها الماضية.
6846. 우리는 행동을 반성한다. - نحن نتأمل في أفعالنا.
6847. 당신들은 결정을 반성할 것이다. - ستفكر في قرارك.
6848. 후회하는 거 있어? - هل لديك أي ندم؟
6849. 응, 몇 가지 있어. - نعم، لدي القليل.

6850. 상기하다 - أن نتذكر
6851. 우리는 좋은 추억을 상기했다. - نحن نتذكر الذكريات الطيبة.
6852. 당신들은 약속을 상기한다. - تتذكر الوعود
6853. 그들은 역사를 상기할 것이다. - سوف يتذكرون التاريخ.
6854. 기억 나? - هل تتذكر؟
6855. 네, 잘 기억나. - نعم، أتذكره جيداً.
6856. 77. 명사 단어들 외우기, 필수 10개 동사의 단어들을 가지고 50문장 연습하기 - 77. احفظ الكلمات الاسمية، وتمرن على 50 جملة مع الكلمات الفعلية العشر الأساسية
6857. 상황 - الموقف
6858. 그녀 - هي
6859. 불행한 이들 - التعساء
6860. 아이 - طفل
6861. 친구 - الصديق
6862. 군중 - الزحام
6863. 물건 - الشيء
6864. 진행 상황 - التقدم
6865. 동물의 이동 경로 - مسار حركة الحيوانات
6866. 생각 - الفكر
6867. 계획 - خطة
6868. 직업 - الوظيفة
6869. 문제 - مشكلة
6870. 프로젝트 - مشروع
6871. 도전 - التحدي
6872. 어려움 - الصعوبة
6873. 두려움 - الخوف
6874. 장애 - عقبة
6875. 위기 - الخطر
6876. 혼란 - ارتباك
6877. 취미 - هواية
6878. 과학 - العلم
6879. 예술 - الفن
6880. 하늘 - السماء
6881. 바다 - المحيط
6882. 고대 유물 - الآثار

6883. 지식 - المعرفة
6884. 재능 - الموهبة
6885. 동정하다 - التعاطف
6886. 나는 그의 상황에 동정했다. - تعاطفت مع وضعه
6887. 너는 그녀를 동정한다. - أشفق عليها
6888. 그는 불행한 이들을 동정할 것이다. - أشفق على التعساء
6889. 도와줄 수 있어? - هل يمكنك مساعدته؟
6890. 물론, 도와줄게. - بالتأكيد، سأساعده
6891. 타이르다 - لربط
6892. 그녀는 울고 있는 아이를 타이렀다. - ربطت الطفل الباكي
6893. 우리는 화난 친구를 타이른다. - نحن نربط الصديق الغاضب.
6894. 당신들은 분노한 군중을 타이를 것이다. - أنت سترتبط الجمهور الغاضب.
6895. 진정됐어? - هل هدأت؟
6896. 네, 좀 나아졌어. - نعم، أشعر بتحسن
6897. 추적하다 - لتعقب
6898. 우리는 분실된 물건을 추적했다. - لقد تعقبنا غرضًا مفقودًا.
6899. 당신들은 진행 상황을 추적한다. - سوف تتبع التقدم.
6900. 그들은 동물의 이동 경로를 추적할 것이다. - سوف تتعقب هجرة الحيوان.
6901. 뭐 찾고 있어? - هل تبحث عن شيء ما؟
6902. 네, 찾고 있어. - نعم، أبحث عن شيء ما
6903. 바꾸다 - للتغيير
6904. 나는 생각을 바꾸었다. - لقد غيرت رأيي
6905. 너는 계획을 바꾼다. - غيرت خططك
6906. 그는 직업을 바꿀 것이다. - سيغير عمله.
6907. 마음 바뀌었어? - هل غيرت رأيك؟
6908. 아니, 그대로야. - لا، لم يتغير
6909. 해내다 - لإنجاز
6910. 그녀는 어려운 문제를 해냈다. - لقد حلت المشكلة الصعبة.
6911. 우리는 프로젝트를 해낸다. - لقد أنجزنا المشروع
6912. 당신들은 도전을 해낼 것이다. - سوف تنجز التحدي
6913. 할 수 있겠어? - أيمكنك القيام بذلك؟
6914. 응, 할 수 있어. - نعم، يمكنني القيام بذلك.
6915. 극복하다 - التغلب على
6916. 우리는 어려움을 극복했다. - سنتغلب على الصعوبات.

6917. 당신들은 두려움을 극복한다. - سوف تتغلب على مخاوفك.
6918. 그들은 장애를 극복할 것이다. - سوف تتغلب على العقبات
6919. 문제 해결됐어? - هل تم حل المشكلة؟
6920. 네, 다 해결됐어. - نعم، تم حل كل شيء.
6921. 헤쳐나가다 - لتخطي
6922. 나는 위기를 헤쳐나갔다. - تجاوزت الأزمة
6923. 너는 어려움을 헤쳐나간다. - ستتخطى الصعوبات
6924. 그는 혼란을 헤쳐나갈 것이다. - سوف يتخطى المشاكل
6925. 길 찾았어? - هل وجدت الطريق؟
6926. 네, 찾았어. - نعم، وجدته
6927. 관심을 가지다 - الاهتمام بـ
6928. 나는 새 취미에 관심을 가졌다. - لقد اهتممت بهواية جديدة.
6929. 그는 과학에 관심을 가진다. - إنه مهتم بالعلوم.
6930. 그녀는 예술에 관심을 가질 것이다. - وهي مهتمة بالفن.
6931. 관심 있어? - هل أنت مهتم؟
6932. 네, 많이. - نعم، كثيراً
6933. 응시하다 - التحديق
6934. 그녀는 멀리 응시했다. - تحدق في المسافة.
6935. 우리는 하늘을 응시한다. - نحدق في السماء.
6936. 그들은 바다를 응시할 것이다. - يحدقون في البحر.
6937. 뭐 응시해? - تحدق في ماذا؟
6938. 별을 봐. - التحديق في النجوم
6939. 발굴하다 - للتنقيب
6940. 나는 고대 유물을 발굴했다. - استخرجت قطعة أثرية قديمة.
6941. 그는 지식을 발굴한다. - سينقب عن المعرفة.
6942. 그녀는 재능을 발굴할 것이다. - تنقب عن الموهبة
6943. 더 발굴할까? - هل نحفر أكثر؟
6944. 그래, 계속해. - نعم، هيا بنا.
6945. 78. 명사 단어들 외우기, 필수 10개 동사의 단어들을 가지고 50문장 연습하기 - 78. احفظ الكلمات الاسمية، وتمرن على 50 جملة مع الكلمات الفعلية العشر الأساسية
6946. 도구 - معدات
6947. 컴퓨터 - كمبيوتر
6948. 신기술 - تكنولوجيا جديدة
6949. 시간 - ساعة

6950. 에너지 - الطاقة
6951. 자원 - الموارد
6952. 돈 - المال
6953. 물 - المياه
6954. 기회 - الفرصة
6955. 추억 - الذاكرة
6956. 사진 - الصورة
6957. 비밀 - سر
6958. 문서 - مستند
6959. 환경 - البيئة
6960. 장벽 - حاجز
6961. 자동차 - السيارات
6962. 기계 - الماكينة
6963. 모델 - الموديل
6964. 부품 - الجزء
6965. 시스템 - النظام
6966. 시계 - الساعة
6967. 퍼즐 - لغز
6968. 계획 - الخطة
6969. 기업 - المشاريع
6970. 아이디어 - أفكار
6971. 팀 - فرق العمل
6972. 사용하다 - للاستخدام
6973. 우리는 도구를 사용했다. - استخدمنا الأداة
6974. 그는 컴퓨터를 사용한다. - يستخدم الكمبيوتر.
6975. 그들은 신기술을 사용할 것이다. - سوف يستخدمون تقنية جديدة.
6976. 사용해볼까? - هل نجربها؟
6977. 좋아, 해봐. - حسناً، جربها
6978. 소비하다 - لاستهلاك
6979. 나는 시간을 소비했다. - استهلكت الوقت
6980. 그녀는 에너지를 소비한다. - تستهلك الطاقة.
6981. 너는 자원을 소비할 것이다. - سوف تستهلك الموارد.
6982. 많이 소비했어? - هل استهلكت الكثير؟
6983. 아니, 조금만. - لا، فقط القليل.

6984. 절약하다 - وفرت
6985. 그는 돈을 절약했다. - وفّر المال.
6986. 우리는 물을 절약한다. - سنحافظ على المياه.
6987. 당신들은 에너지를 절약할 것이다. - ستحافظ على الطاقة.
6988. 절약하고 있어? - هل تقوم بالتوفير؟
6989. 응, 노력중이야. - نعم، أحاول
6990. 낭비하다 - أن تهدر
6991. 그녀는 기회를 낭비했다. - تهدر الفرصة
6992. 너는 시간을 낭비한다. - تهدر الوقت
6993. 그들은 자원을 낭비할 것이다. - تهدر الموارد
6994. 낭비하지 않았어? - ألم تهدرها؟
6995. 아냐, 조심했어. - لا، لقد كنت حريصاً
6996. 간직하다 - على الاحتفاظ
6997. 우리는 추억을 간직했다. - احتفظنا بالذكريات
6998. 그는 사진을 간직한다. - يحتفظ بالصور
6999. 그녀는 비밀을 간직할 것이다. - ستحتفظ بالسر
7000. 계속 간직할 거야? - هل ستحتفظ به؟
7001. 네, 영원히. - نعم، للأبد
7002. 파괴하다 - لتدمير
7003. 나는 문서를 파괴했다. - دمرت الوثائق
7004. 그들은 환경을 파괴한다. - ستدمر البيئة
7005. 그녀는 장벽을 파괴할 것이다. - ستدمر الجدار
7006. 파괴해야 돼? - هل يجب أن ندمره؟
7007. 아니, 다른 방법 찾자. - لا، لنجد طريقة أخرى
7008. 손상하다 - لتدمير
7009. 그는 자동차를 손상했다. - لقد دمر السيارة.
7010. 그녀는 기계를 손상한다. - ستدمر الآلة.
7011. 우리는 환경을 손상할 것이다. - سنلحق الضرر بالبيئة.
7012. 손상됐어? - تضررت؟
7013. 응, 고쳐야 해. - نعم، يجب إصلاحها.
7014. 대치하다 - لاستبدال
7015. 나는 오래된 모델을 대치했다. - استبدلت الطراز القديم.
7016. 그들은 부품을 대치한다. - سوف تستبدل الأجزاء.
7017. 그녀는 시스템을 대치할 것이다. - سوف تستبدل النظام.

7018. 대치할 필요 있어? - هل من الضروري الاستبدال؟
7019. 네, 필수야. - نعم، إنه ضروري.
7020. 맞추다 - لضبط الوقت
7021. 우리는 시계를 맞췄다. - قمنا بضبط الساعة.
7022. 그는 퍼즐을 맞춘다. - لقد وضع اللغز معًا.
7023. 그녀는 계획을 맞출 것이다. - سوف تتناسب مع الخطة.
7024. 잘 맞춰졌어? - هل تطابقنا؟
7025. 완벽해! - إنها مثالية
7026. 합치다 - لوضعها معًا
7027. 그들은 두 기업을 합쳤다. - لقد دمجوا عملين.
7028. 너는 아이디어를 합친다. - دمج الأفكار
7029. 우리는 팀을 합칠 것이다. - سنقوم بدمج فريقينا.
7030. 합치기로 했어? - هل قررتم الدمج؟
7031. 응, 그렇게 결정했어. - نعم، هذا ما قررناه.
7032. 79. 명사 단어들 외우기, 필수 10개 동사의 단어들을 가지고 50문장 연습하기 - 79. احفظ الكلمات الاسمية، وتدرب على 50 جملة مع الكلمات الفعلية العشر الأساسية
7033. 자원 - الموارد
7034. 시간 - ساعة
7035. 업무 - العمل
7036. 친구 - صديق
7037. 음식 - طعام
7038. 이익 - الربح
7039. 경험 - الخبرة
7040. 요구사항 - المتطلبات
7041. 기대 - التوقع
7042. 조건 - الشرط
7043. 아이 - طفل
7044. 상황 - الحالة
7045. 분위기 - الجو العام
7046. 부모님 - الآباء والأمهات
7047. 동료 - الزميل
7048. 대표 - ممثل
7049. 프로젝트 - المشروع
7050. 최우수 작품 - أفضل عمل

7051. 건강 - الصحة
7052. 안전 - السلامة
7053. 효율성 - الكفاءة
7054. 이론 - النظرية
7055. 정책 - السياسة
7056. 연구 - البحث
7057. 작업 - العمل
7058. 결정 - القرار
7059. 팀 - الفريق
7060. 의견 - الرأي
7061. 계획 - الخطة
7062. 배분하다 - لتخصيص
7063. 그녀는 자원을 배분했다. - خصصت الموارد.
7064. 우리는 시간을 배분한다. - نحن نخصص الوقت.
7065. 너는 업무를 배분할 것이다. - ستخصص عملك.
7066. 잘 배분됐어? - هل سار الأمر على ما يرام؟
7067. 네, 잘 됐어. - نعم، سارت على ما يرام.
7068. 나누다 - للمشاركة
7069. 나는 친구와 음식을 나눴다. - شاركت الطعام مع صديقي.
7070. 그들은 이익을 나눈다. - تقاسموا الأرباح.
7071. 당신들은 경험을 나눌 것이다. - سوف تشارك التجربة.
7072. 같이 나눌래? - هل تريد المشاركة؟
7073. 좋아, 나눠보자. - حسناً، لنتشارك
7074. 충족하다 - للوفاء
7075. 우리는 요구사항을 충족했다. - لقد استوفينا المتطلبات.
7076. 그는 기대를 충족한다. - سيفي بالتوقعات
7077. 그녀는 조건을 충족할 것이다. - سوف تفي بالشروط.
7078. 충족시킬 수 있어? - هل يمكنك الوفاء؟
7079. 응, 할 수 있어. - نعم، أستطيع
7080. 진정시키다 - أن تهدئ
7081. 그녀는 아이를 진정시켰다. - قامت بتهدئة الطفل.
7082. 너는 상황을 진정시킨다. - سوف تهدئ الوضع.
7083. 그들은 분위기를 진정시킬 것이다. - سوف تهدئ الجو.
7084. 진정됐어? - هل هدأت؟

7085. 네, 괜찮아졌어. - نعم، أنا بخير
7086. 안심시키다 - طمأنت
7087. 나는 부모님을 안심시켰다. - طمأنت والديّ.
7088. 그는 친구를 안심시킨다. - يطمئن صديقه.
7089. 그녀는 동료를 안심시킬 것이다. - تطمئن زميلها في العمل.
7090. 안심할까? - يطمئن؟
7091. 응, 안심해. - نعم، أنا مطمئن.
7092. 선정하다 - لاختيار
7093. 우리는 대표를 선정했다. - لقد اخترنا المندوبين.
7094. 그들은 프로젝트를 선정한다. - سوف تختار المشاريع.
7095. 당신들은 최우수 작품을 선정할 것이다. - ستختارون أفضل الأعمال.
7096. 어떤 걸 선정할까? - أي واحد سنختار؟
7097. 가장 좋은 걸로. - الأفضل
7098. 우선하다 - لتحديد الأولويات
7099. 그는 건강을 우선했다. - لقد أعطى الأولوية لصحته.
7100. 그녀는 안전을 우선한다. - ستعطي الأولوية لسلامته.
7101. 우리는 효율성을 우선할 것이다. - سنعطي الأولوية للكفاءة.
7102. 무엇을 우선해야 해? - ما الذي يجب أن نعطيه الأولوية؟
7103. 안전을 우선해. - يجب إعطاء الأولوية للسلامة.
7104. 논쟁하다 - الجدال
7105. 나는 친구와 논쟁했다. - تجادلت مع صديقي.
7106. 당신들은 이론을 논쟁한다. - أنت تجادل النظريات.
7107. 그들은 정책을 논쟁할 것이다. - ستجادل في السياسات.
7108. 계속 논쟁할 거야? - هل ستستمر في الجدال؟
7109. 아니, 여기서 멈출게. - لا، سأتوقف هنا
7110. 보조하다 - للمساعدة
7111. 그녀는 연구를 보조했다. - ساعدت في البحث.
7112. 우리는 작업을 보조한다. - سنساعد في العمل.
7113. 너는 결정을 보조할 것이다. - سوف تساعد في القرار.
7114. 도움 될까? - هل تساعد؟
7115. 네, 많이 돼. - نعم، كثيراً
7116. 형성하다 - لتشكيل
7117. 그들은 팀을 형성했다. - شكّلوا فريقاً.
7118. 그는 의견을 형성한다. - يقوم بتشكيل رأي.

7119. 그녀는 계획을 형성할 것이다. - ستشكل خطة.
7120. 형성 잘 되고 있어? - كيف يسير التشكيل؟
7121. 응, 잘 되고 있어. - نعم، يسير بشكل جيد.
7122. 80. 명사 단어들 외우기, 필수 10개 동사의 단어들을 가지고 50문장 연습하기 - 80. احفظ الكلمات الاسمية، تدرب على 50 جملة مع 10 كلمات فعلية أساسية
7123. 방법 - الطريقة
7124. 제품 - المنتج
7125. 시스템 - نظام
7126. 프로젝트 - مشروع
7127. 연구 - بحث
7128. 과제 - التكليف
7129. 색상 - اللون
7130. 팀원 - أعضاء الفريق
7131. 환경 - البيئة
7132. 일 - اليوم
7133. 삶 - الحياة
7134. 수요 - الطلب
7135. 공급 - العرض
7136. 이해관계 - الاهتمامات
7137. 결론 - الاستنتاج
7138. 정보 - المعلومات
7139. 결과 - النتيجة
7140. 사건 - الحدث
7141. 변화 - التغيير
7142. 역사적 순간 - لحظة تاريخية
7143. 어려움 - الصعوبة
7144. 성장통 - آلام النمو
7145. 꽃 향기 - رائحة الزهور
7146. 바다 냄새 - رائحة البحر
7147. 신선한 공기 - الأوزون
7148. 서비스 - الخدمة
7149. 품질 - الجودة
7150. 고통 - الألم
7151. 압력 - الدخول

7152. 시련 - اختبار
7153. 창안하다 - لابتكار
7154. 나는 새로운 방법을 창안했다. - اخترعت طريقة جديدة
7155. 그들은 제품을 창안한다. - اخترعت منتجاً
7156. 당신들은 시스템을 창안할 것이다. - ستخترع نظاماً
7157. 창안할 아이디어 있어? - هل لديك فكرة للاختراع؟
7158. 네, 몇 가지 있어. - نعم، لدي بعض الأفكار
7159. 협업하다 - للتعاون
7160. 우리는 프로젝트에서 협업했다. - تعاوننا في مشروع.
7161. 그들은 연구에서 협업한다. - تعاونوا في البحث.
7162. 당신들은 과제에서 협업할 것이다. - ستتعاون في المهام.
7163. 협업 효과적이었어? - هل كان التعاون فعالاً؟
7164. 네, 매우 효과적이었어. - نعم، كان فعالاً للغاية.
7165. 조화하다 - للتنسيق
7166. 그녀는 색상을 조화롭게 사용했다. - لقد استخدمت الألوان بشكل متناغم.
7167. 그는 팀원들과 조화를 이룬다. - ينسجم مع زملائه في الفريق.
7168. 우리는 환경과 조화를 이룰 것이다. - سننسجم مع البيئة.
7169. 조화롭게 될까? - هل ستكون متناغمة؟
7170. 응, 될 거야. - نعم، سيكون كذلك.
7171. 균형을 맞추다 - لتحقيق التوازن
7172. 나는 일과 삶의 균형을 맞췄다. - وازنت بين عملي وحياتي.
7173. 그들은 수요와 공급의 균형을 맞춘다. - توازن بين العرض والطلب.
7174. 당신들은 이해관계를 균형있게 맞출 것이다. - ستوازن بين اهتماماتك.
7175. 균형 잘 맞춰지고 있어? - هل توازن بشكل جيد؟
7176. 네, 잘 맞춰지고 있어. - نعم، تسير الأمور على ما يرام.
7177. 추론하다 - استنتجت
7178. 그녀는 결론을 추론했다. - لقد استنتجت الاستنتاج.
7179. 우리는 정보를 추론한다. - نستنتج المعلومات.
7180. 너는 결과를 추론할 것이다. - سوف تستنتج النتيجة.
7181. 추론이 맞을까? - هل الاستنتاج صحيح؟
7182. 가능성이 높아. - من المحتمل.
7183. 목격하다 - أن تشهد
7184. 나는 사건을 목격했다. - شهدت الحدث.
7185. 그는 변화를 목격한다. - سيشهد تغييراً.

7186. 그녀는 역사적 순간을 목격할 것이다. - ستشهد لحظة تاريخية.
7187. 정말 그걸 목격했어? - هل شهدته حقاً؟
7188. 네, 내 눈으로 봤어. - نعم، رأيته بأم عيني.
7189. 겪다 - أن تعاني
7190. 우리는 어려움을 겪었다. - مررنا بصعوبات
7191. 그들은 성장통을 겪는다. - ستمر بآلام النمو.
7192. 당신들은 변화를 겪을 것이다. - ستمرين بتغيرات
7193. 많이 겪었어? - هل مررت بالكثير؟
7194. 응, 꽤 많이. - نعم، قليلاً.
7195. 냄새맡다 - أن أشم
7196. 나는 꽃 향기를 맡았다. - شممت رائحة الزهور.
7197. 그는 바다 냄새를 맡는다. - يشم رائحة البحر.
7198. 그녀는 신선한 공기를 맡을 것이다. - تشم رائحة الهواء النقي.
7199. 무슨 냄새가 나? - ماذا تشم؟
7200. 꽃 향기가 나. - أشم رائحة الزهور.
7201. 불만족하다 - أن تكون غير راضٍ
7202. 그녀는 결과에 불만족했다. - كانت غير راضية عن النتيجة.
7203. 우리는 서비스에 불만족한다. - نحن غير راضين عن الخدمة.
7204. 당신들은 품질에 불만족할 것이다. - ستكون غير راضٍ عن الجودة.
7205. 불만족해? - غير راضين؟
7206. 네, 기대에 못 미쳐. - نعم، لم تلبِ توقعاتي.
7207. 견디다 - تحملت
7208. 나는 고통을 견뎠다. - تحملت الألم
7209. 그는 압력을 견딘다. - تحملت الضغط
7210. 그녀는 시련을 견딜 것이다. - ستتحمل المحنة
7211. 견딜 수 있을까? - هل يمكنك تحملها؟
7212. 응, 견딜 수 있어. - نعم، أستطيع التحمل.
7213. 81. 명사 단어들 외우기, 필수 10개 동사의 단어들을 가지고 50문장 연습하기 - 81. احفظ الكلمات الاسمية، وتمرن على 50 جملة باستخدام 10 كلمات فعلية أساسية
7214. 어려움 - صعوبة
7215. 지연 - التأخير
7216. 도전 - التحدي
7217. 불편함 - الانزعاج
7218. 소음 - ضوضاء

7219. 기다림 - الانتظار
7220. 친구 - صديق
7221. 동물 - حيوان
7222. 사람들 - الناس
7223. 피해자 - ضحية
7224. 건물 - مبنى
7225. 위험 - خطر
7226. 범인 - مجرم
7227. 용의자 - مشتبه به
7228. 도망자 - هارب
7229. 사람 - شخص
7230. 포로 - أسير
7231. 증거 - دليل
7232. 생각 - الفكر
7233. 제약 - القيود
7234. 방법 - الطريقة
7235. 생활 방식 - أسلوب الحياة
7236. 아이디어 - الفكرة
7237. 공지 - الإخطار
7238. 사진 - الصورة
7239. 연구 결과 - النتائج
7240. 인내하다 - المثابرة
7241. 우리는 어려움을 인내했다. - ثابرنا على تحمل الصعوبات
7242. 그들은 지연을 인내한다. - تحملوا التأخير.
7243. 당신들은 도전을 인내할 것이다. - ستثابر خلال التحديات.
7244. 인내가 필요해? - هل أحتاج إلى الصبر؟
7245. 네, 많이 필요해. - نعم، أحتاج إلى الكثير منه.
7246. 참다 - أن تتحمل
7247. 그녀는 불편함을 참았다. - لقد تحملت الانزعاج.
7248. 우리는 소음을 참는다. - ستتحمل الضجيج
7249. 너는 기다림을 참을 것이다. - ستتحمل الانتظار.
7250. 얼마나 더 참아야 해? - كم عليك أن تتحمل أكثر من ذلك؟
7251. 조금만 더 참자. - دعنا نتحمله لفترة أطول قليلاً.
7252. 구출하다 - للإنقاذ

7253. 나는 친구를 구출했다. - أنقذت صديقي
7254. 그는 동물을 구출한다. - ينقذ الحيوانات
7255. 그녀는 사람들을 구출할 것이다. - تنقذ الناس
7256. 구출할 수 있을까? - هل يمكنك الإنقاذ؟
7257. 네, 할 수 있어. - نعم، تستطيع
7258. 구조하다 - أن تنقذ
7259. 우리는 피해자를 구조했다. - لقد أنقذنا الضحية.
7260. 그들은 건물에서 구조한다. - أنقذوا من المبنى.
7261. 당신들은 위험에서 구조할 것이다. - سوف تنقذهم من الخطر
7262. 구조 작업 잘 되고 있어? - كيف تسير عملية الإنقاذ؟
7263. 네, 잘 되고 있어. - نعم، تسير بشكل جيد
7264. 체포하다 - إلى الاعتقال
7265. 그녀는 범인을 체포했다. - اعتقلت المجرم.
7266. 경찰은 용의자를 체포한다. - ألقت الشرطة القبض على المشتبه به
7267. 보안관은 도망자를 체포할 것이다. - المأمور سيلقي القبض على الهارب.
7268. 체포됐어? - هل تم القبض عليه؟
7269. 네, 체포됐어. - نعم، تم اعتقاله
7270. 구금하다 - اعتقل
7271. 나는 잠시 구금됐다. - احتجز لفترة من الوقت.
7272. 그는 현재 구금 중이다. - وهو الآن رهن الاحتجاز
7273. 그녀는 나중에 구금될 것이다. - سيتم احتجازها في وقت لاحق.
7274. 여전히 구금 중이야? - هل ما زالت في الحجز؟
7275. 네, 아직이야. - نعم، لا تزال
7276. 석방하다 - للإفراج
7277. 우리는 억울한 사람을 석방했다. - أطلقنا سراح المتهم ظلماً
7278. 그들은 포로를 석방한다. - يطلقون سراح السجناء.
7279. 당신들은 증거 부족으로 석방될 것이다. - سيتم إطلاق سراحك لعدم كفاية الأدلة
7280. 석방될 수 있을까? - هل سيتم إطلاق سراحك؟
7281. 가능성이 있어. - هناك إمكانية
7282. 해방하다 - أن تحرر
7283. 그녀는 스스로를 해방했다. - حررت نفسها.
7284. 우리는 생각에서 해방한다. - نحن نحرر أنفسنا من الأفكار.
7285. 너는 제약에서 해방될 것이다. - سوف تتحرر من القيود.
7286. 정말 해방감을 느껴? - هل تشعرين حقاً بالتحرر؟

7287. 네, 완전히. - نعم، تماماً.
7288. 채택하다 - تبنيت
7289. 나는 새로운 방법을 채택했다. - اعتمدت أسلوبًا جديدًا.
7290. 그는 건강한 생활 방식을 채택한다. - تتبنى أسلوب حياة صحي.
7291. 그녀는 혁신적인 아이디어를 채택할 것이다. - تتبنى فكرة مبتكرة.
7292. 채택하기로 결정했어? - هل قررت أن تتبنى؟
7293. 네, 결정했어. - نعم، لقد قررت
7294. 게시하다 - للنشر
7295. 우리는 공지를 게시했다. - لقد نشرنا الإشعار.
7296. 그들은 사진을 소셜 미디어에 게시한다. - ينشرون الصور على وسائل التواصل الا جتماعي.
7297. 당신들은 연구 결과를 게시할 것이다. - ستقومون بنشر النتائج التي توصلتم إليها
7298. 이미 게시됐어? - هل تم نشرها بالفعل؟
7299. 네, 게시됐어. - نعم، تم نشره.
7300. 82. 명사 단어들 외우기, 필수 10개 동사의 단어들을 가지고 50문장 연습하기 - 82- حفظ الكلمات الاسمية، والتدرب على 50 جملة مع الكلمات الفعلية العشر الأساسية
7301. 정보 - المعلومات
7302. 기록 - سجل
7303. 데이터베이스 - قاعدة البيانات
7304. 이메일 - البريد الإلكتروني
7305. 뉴스 - الأخبار
7306. 콘텐츠 - المحتويات
7307. 화면 - الشاشة
7308. 순간 - لحظة
7309. 교통 위반 - مخالفة مرورية
7310. 규칙 - القاعدة
7311. 불법 - غير قانونية
7312. 자재 - المواد
7313. 필요한 물품 - الإمدادات اللازمة
7314. 자금 - الأموال
7315. 상품 - البضائع
7316. 화물 - الشحن
7317. 물건 - الشيء
7318. 자금 (운용) - التشغيل(الأموال)

7319. 계획 (운용) - (التخطيط)التشغيل
7320. 사업 - الأعمال
7321. 집 - منزل
7322. 차 - سيارة
7323. 회사 - شركة
7324. 주식 - المخزون
7325. 지식 - المعرفة
7326. 기술 - التكنولوجيا
7327. 경험 - الخبرة
7328. 정보 (얻다) - (المعلومات)الحصول
7329. 지식 (얻다) - (المعرفة)الحصول
7330. 조회하다 - للبحث عن
7331. 그녀는 정보를 조회했다. - بحثت عن المعلومات.
7332. 우리는 기록을 조회한다. - نحن نبحث عن السجلات.
7333. 너는 데이터베이스를 조회할 것이다. - سوف تستعلم عن قاعدة البيانات.
7334. 조회 결과는 어때? - كيف انتهى البحث؟
7335. 찾고 있던 정보가 나왔어. - حصلت على المعلومات التي كنت أبحث عنها.
7336. 필터링하다 - لتصفية
7337. 나는 이메일을 필터링했다. - قمت بتصفية الرسائل الإلكترونية.
7338. 그는 뉴스를 필터링한다. - سيقوم بتصفية الأخبار.
7339. 그녀는 콘텐츠를 필터링할 것이다. - ستقوم بتصفية المحتوى.
7340. 필터링 효과적이야? - هل التصفية فعالة؟
7341. 네, 매우 효과적이야. - نعم، إنها فعالة جداً.
7342. 캡처하다 - لالتقاط
7343. 나는 화면을 캡처했다. - التقطت الشاشة.
7344. 너는 순간을 캡처한다. - ستلتقط لحظة.
7345. 그는 정보를 캡처할 것이다. - سوف يلتقط المعلومات.
7346. 사진 잘 나왔어? - هل التقطت صورة جيدة؟
7347. 네, 완벽해요. - نعم، إنها مثالية
7348. 단속하다 - لقمع
7349. 그녀는 교통 위반을 단속했다. - قامت بقمع المخالفات المرورية.
7350. 우리는 규칙을 단속한다. - نحن نطبق القوانين
7351. 당신들은 불법을 단속할 것이다. - ستقوم بقمع المخالفين للقانون
7352. 규칙 지켰어? - هل اتبعت القواعد؟

7353. 네, 항상 지켜요. - نعم، أتبعها دائماً
7354. 조달하다 - لتدبير
7355. 그들은 자재를 조달했다. - لقد قاموا بشراء المواد.
7356. 나는 필요한 물품을 조달한다. - سأقوم بتدبير الإمدادات اللازمة.
7357. 너는 자금을 조달할 것이다. - ستقوم بتدبير الأموال.
7358. 자재 다 구했어? - هل حصلت على جميع المواد؟
7359. 아직 몇 개 더 필요해. - ما زلت بحاجة إلى المزيد
7360. 운송하다 - لنقل
7361. 그녀는 상품을 운송했다. - لقد نقلت البضاعة.
7362. 우리는 화물을 운송한다. - سننقل البضاعة.
7363. 당신들은 물건을 운송할 것이다. - ستنقل البضاعة
7364. 화물 도착했어? - هل وصلت البضاعة؟
7365. 네, 방금 도착했어요. - نعم، وصلت للتو.
7366. 운용하다 - لتشغيل
7367. 나는 자금을 운용했다. - أدير الأموال.
7368. 너는 계획을 운용한다. - سوف تدير الخطة.
7369. 그는 사업을 운용할 것이다. - هو سيدير العمل
7370. 계획 잘 되가? - كيف تسير الخطة؟
7371. 네, 순조로워요. - نعم، تسير بشكل جيد
7372. 소유하다 - لامتلاك
7373. 그들은 집을 소유했다. - امتلكوا المنزل
7374. 나는 차를 소유한다. - أمتلك سيارة
7375. 너는 회사를 소유할 것이다. - ستمتلك شركة
7376. 새 차 샀어? - هل اشتريت سيارة جديدة؟
7377. 아니요, 아직이에요. - لا، ليس بعد
7378. 보유하다 - امتلكت
7379. 그녀는 주식을 보유했다. - احتفظت بالأسهم
7380. 우리는 지식을 보유한다. - نحن نحتفظ بالمعرفة.
7381. 당신들은 기술을 보유할 것이다. - سيكون لديك مهارات.
7382. 주식 많이 가졌어? - هل لديك الكثير من المخزون؟
7383. 조금씩 모으고 있어요. - أنا أجمعها شيئاً فشيئاً.
7384. 얻다 - لأكتسب
7385. 나는 경험을 얻었다. - اكتسبت خبرة
7386. 너는 정보를 얻는다. - ستكتسب معلومات

7387. 그는 지식을 얻을 것이다. - سيكتسب المعرفة.
7388. 정보 찾았어? - هل وجدت المعلومات؟
7389. 네, 찾았어요. - نعم، وجدتها.
7390. 83. 명사 단어들 외우기, 필수 10개 동사의 단어들을 가지고 50문장 연습하기 - 83. احفظ الكلمات الاسمية، تدرب على 50 جملة مع 10 كلمات فعلية أساسية
7391. 자격증 - شهادة
7392. 승인 - موافقة
7393. 인증 - تصديق
7394. 신뢰 - ثقة
7395. 기회 - فرصة
7396. 접근 - الوصول
7397. 능력 - القدرة
7398. 재능 - الموهبة
7399. 창의력 - الإبداع
7400. 품질 - الجودة
7401. 관심 - الاهتمام
7402. 성능 - الأداء
7403. 서울 - سيول
7404. 지역 - المنطقة
7405. 국가 - الأمة
7406. 버스 - الحافلة
7407. 인터넷 - الإنترنت
7408. 서비스 - الخدمة
7409. 채무 - الالتزام المالي
7410. 문제 - مشكلة
7411. 우려 - القلق
7412. 아이디어 - فكرة
7413. 계획 - الخطة
7414. 가치 - القيمة
7415. 사고 - حادث
7416. 변화 - تغيير
7417. 현상 - الظاهرة
7418. 회의 - الاجتماع
7419. 이벤트 - حدث

7420. 획득하다 - لكسب
7421. 그들은 자격증을 획득했다. - حصلوا على شهادة.
7422. 나는 승인을 획득한다. - سأحصل على تفويض.
7423. 너는 인증을 획득할 것이다. - ستحصل على شهادة.
7424. 자격증 시험 봤어? - هل خضعت لامتحان الشهادة؟
7425. 네, 합격했어요. - نعم، لقد نجحت.
7426. 상실하다 - أن تخسر
7427. 그녀는 신뢰를 상실했다. - فقدت ثقتها.
7428. 우리는 기회를 상실한다. - سنفقد الفرصة
7429. 당신들은 접근을 상실할 것이다. - ستخسر الفرصة
7430. 기회 놓쳤어? - هل فقدت الفرصة؟
7431. 아니요, 아직 있어요. - لا، لا تزال لديك الفرصة
7432. 발휘하다 - لممارسة
7433. 나는 능력을 발휘했다. - لقد مارست قدرتي.
7434. 너는 재능을 발휘한다. - لقد أظهرت موهبتك
7435. 그는 창의력을 발휘할 것이다. - سوف يمارس إبداعه.
7436. 잘 할 수 있겠어? - هل أنت واثق من قدرتك؟
7437. 네, 자신 있어요. - نعم، أنا واثق
7438. 저하하다 - للتدهور
7439. 그들은 품질을 저하시켰다. - حط من الجودة.
7440. 나는 관심을 저하시킨다. - سأحط من الاهتمام.
7441. 너는 성능을 저하시킬 것이다. - سوف تحط من الأداء.
7442. 성능 나빠졌어? - هل حططت من الأداء؟
7443. 아니요, 괜찮아요. - لا، أنا بخير
7444. 교통하다 - لحركة المرور
7445. 그녀는 자주 서울을 교통했다. - كثيراً ما سافرت إلى سيول.
7446. 우리는 지역 간을 교통한다. - نحن نسافر بين المناطق.
7447. 당신들은 국가를 교통할 것이다. - ستسافر بين البلدان
7448. 출퇴근 괜찮아? - هل تنقلاتك جيدة؟
7449. 네, 문제 없어요. - نعم، لا مشكلة
7450. 이용하다 - لاستخدام
7451. 나는 버스를 이용했다. - سأستخدم الحافلة
7452. 너는 인터넷을 이용한다. - سوف تستخدم الإنترنت.
7453. 그는 서비스를 이용할 것이다. - سيستخدم الخدمة.

7454. 인터넷 빨라? - هل الإنترنت سريع؟
7455. 네, 아주 빨라요. - نعم، إنه سريع جداً.
7456. 소멸하다 - لإطفاء
7457. 그들은 채무를 소멸시켰다. - لقد أطفأوا الدين.
7458. 나는 문제를 소멸시킨다. - أطفئ المشكلة
7459. 너는 우려를 소멸시킬 것이다. - سوف تطفئ المشكلة
7460. 문제 해결됐어? - حلت المشكلة؟
7461. 네, 다 해결됐어요. - نعم، تم حل كل شيء
7462. 생성하다 - لتوليد
7463. 그녀는 아이디어를 생성했다. - ولدت فكرة.
7464. 우리는 계획을 생성한다. - نحن نولد الخطط.
7465. 당신들은 가치를 생성할 것이다. - أنتم يا رفاق ستولدون قيمة.
7466. 계획 세웠어? - هل لديك خطة؟
7467. 네, 다 준비됐어요. - نعم، كل شيء جاهز
7468. 발생하다 - لتوليد
7469. 나는 사고를 발생시켰다. - قمت بتوليد حادثة.
7470. 너는 변화를 발생시킨다. - سوف تولد تغييراً.
7471. 그는 현상을 발생시킬 것이다. - سوف يسبب ظاهرة.
7472. 문제 있었어? - هل لديك مشكلة؟
7473. 아니요, 괜찮아요. - لا، أنا بخير
7474. 나타나다 - للظهور
7475. 그들은 갑자기 나타났다. - ظهروا من العدم
7476. 나는 회의에 나타난다. - سأظهر في الاجتماع.
7477. 너는 이벤트에 나타날 것이다. - ستظهر في الحدث.
7478. 회의에 갈 거야? - هل ستذهب إلى الاجتماع؟
7479. 네, 갈게요. - نعم، سأذهب.
7480. 84. 명사 단어들 외우기, 필수 10개 동사의 단어들을 가지고 50문장 연습하기 - 84- احفظ الكلمات الاسمية، تدرب على 50 جملة مع الكلمات الفعلية العشر الأساسية
7481. 무대 - المسرح
7482. 공원 - الحديقة
7483. 화면 - الشاشة
7484. 생각 - فكر
7485. 계획 - خطة
7486. 방향 - الاتجاه

7487. 의사소통 - التواصل
7488. 동전 - عملة معدنية
7489. 쓰레기 - سلة المهملات
7490. 아이디어 - فكرة
7491. 책 - كتاب
7492. 우산 - مظلة
7493. 지도 - خريطة
7494. 감정 - العاطفة
7495. 열정 - العاطفة
7496. 옷 - ملابس
7497. 벽 - حائط
7498. 캔버스 - قماش
7499. 종이 - ورق
7500. 나무 - شجرة
7501. 친구 - صديق
7502. 제안 - الاقتراح
7503. 정책 - السياسة
7504. 스프 - الحساء
7505. 음료 - مشروب
7506. 소스 - الصلصة
7507. 사라지다 - الاختفاء
7508. 그녀는 무대에서 사라졌다. - اختفت من المسرح
7509. 우리는 공원에서 사라진다. - نختفي في الحديقة
7510. 당신들은 화면에서 사라질 것이다. - سوف تختفي من الشاشة.
7511. 걱정 끝났어? - هل انتهيت من القلق؟
7512. 네, 사라졌어요. - نعم، لقد اختفت
7513. 변하다 - للتغيير
7514. 나는 생각이 변했다. - لقد غيرت رأيي
7515. 너는 계획을 변화시킨다. - غيرت خططك
7516. 그는 방향을 변할 것이다. - سيغير الاتجاه
7517. 의견 달라졌어? - هل غيرت رأيك؟
7518. 네, 바뀌었어요. - نعم، لقد تغير
7519. 의사소통하다 - للتواصل
7520. 그들은 효과적으로 의사소통했다. - تواصلوا بشكل فعال.

7521. 나는 명확하게 의사소통한다. - تواصلت بشكل واضح.
7522. 너는 직접 의사소통할 것이다. - ستتواصل بشكل مباشر
7523. 말 잘 통해? - من خلال الكلمات؟
7524. 네, 잘 통해요. - نعم، من خلال الكلمات.
7525. 줍다 - لالتقاط
7526. 그녀는 동전을 주웠다. - لقد التقطت العملات المعدنية.
7527. 우리는 쓰레기를 줍는다. - نحن نلتقط القمامة.
7528. 당신들은 아이디어를 주울 것이다. - سوف تلتقط الأفكار.
7529. 도와줄까? - هل تريدني أن أساعدك؟
7530. 네, 고마워요. - نعم، شكراً لك
7531. 펴다 - لفتح
7532. 나는 책을 펴었다. - فتحت الكتاب
7533. 너는 우산을 편다. - افتح المظلة
7534. 그는 지도를 펼 것이다. - سيفتح الخريطة
7535. 책 재밌어? - هل الكتاب مثير للاهتمام؟
7536. 네, 흥미로워요. - نعم، إنه مثير للاهتمام
7537. 넘치다 - يفيض
7538. 그들은 감정이 넘쳤다. - كانت تفيض بالعاطفة.
7539. 나는 열정이 넘친다. - أنا مليء بالحماس.
7540. 너는 아이디어로 넘칠 것이다. - ستفيض بالأفكار.
7541. 행복해? - هل أنت سعيد؟
7542. 네, 넘쳐나요. - نعم، أنا أفيض.
7543. 물들다 - للتلوين
7544. 그녀는 옷을 물들였다. - لقد لوّنت ملابسها.
7545. 우리는 벽을 물들인다. - سنقوم بتلوين الجدران.
7546. 당신들은 캔버스를 물들일 것이다. - سوف تلون اللوحة.
7547. 색상 결정했어? - هل قررت اللون؟
7548. 네, 정했어요. - نعم، لقد قررت
7549. 태우다 - أن أحرق
7550. 나는 종이를 태웠다. - لقد أحرقت الورق.
7551. 너는 나무를 태운다. - ستحرق الخشب
7552. 그는 쓰레기를 태울 것이다. - سيحرق القمامة.
7553. 추워? - هل هو بارد؟
7554. 아니, 따뜻해요. - لا، إنه دافئ

7555. 지지하다 - لدعم
7556. 나는 친구를 지지했다. - لقد دعمت صديقي.
7557. 너는 제안을 지지한다. - أنت تدعم الاقتراح.
7558. 그는 정책을 지지할 것이다. - سيدعم السياسة.
7559. 지지 받아? - هل تدعم؟
7560. 네, 받아. - نعم، أؤيد
7561. 젓다 - تحريك
7562. 그녀는 스프를 저었다. - حركت الحساء.
7563. 우리는 음료를 젓는다. - نحن نحرك الشراب.
7564. 당신들은 소스를 저을 것이다. - أنتم يا رفاق ستقلبون الصلصة.
7565. 잘 섞였어? - هل تم خلطها جيداً؟
7566. 네, 섞였어. - نعم، إنه مخلوط.
7567. 85. 명사 단어들 외우기, 필수 10개 동사의 단어들을 가지고 50문장 연습하기 - 85- احفظ الكلمات الاسمية وتدربوا على 50 جملة باستخدام 10 كلمات فعلية أساسية
7568. 물 - ماء
7569. 팬 - مقلاة
7570. 수프 - حساء
7571. 상자 - صندوق
7572. 창문 - النافذة
7573. 미래 - المستقبل
7574. 아이디어 - فكرة
7575. 계획 - الخطة
7576. 해결책 - الحل
7577. 스케줄 - الجدول الزمني
7578. 로드맵 - خارطة الطريق
7579. 자금 - التمويل
7580. 자리 - المقعد
7581. 기회 - الفرصة
7582. 용기 - الشجاعة
7583. 장비 - المعدات
7584. 자격 - التأهيل
7585. 실험실 - المختبر
7586. 컴퓨터 - كمبيوتر
7587. 연구소 - المختبر

7588. 선물 - الهدايا
7589. 정보 - المعلومات
7590. 소식 - الأخبار
7591. 메시지 - رسالة
7592. 경고 - تحذير
7593. 차 - سيارة
7594. 배 - سفينة
7595. 화물 - شحن
7596. 트럭 - شاحنة
7597. 상품 - بضائع
7598. 가열하다 - للتدفئة
7599. 그는 물을 가열했다. - سخّن الماء
7600. 나는 팬을 가열한다. - سخن المقلاة
7601. 너는 수프를 가열할 것이다. - سخن الحساء.
7602. 뜨거워? - هل هو ساخن؟
7603. 네, 뜨거워. - نعم، إنه ساخن.
7604. 들여다보다 - للنظر في
7605. 그들은 상자 안을 들여다보았다. - نظروا في الصندوق.
7606. 나는 창문으로 들여다본다. - نظرت من خلال النافذة.
7607. 너는 미래를 들여다볼 것이다. - سوف تنظر إلى المستقبل.
7608. 뭐 보여? - ماذا ترى؟
7609. 네, 보여. - نعم، أرى.
7610. 떠올리다 - أن تأتي بفكرة
7611. 그녀는 아이디어를 떠올렸다. - لقد توصلت إلى فكرة.
7612. 우리는 계획을 떠올린다. - سنأتي بخطة.
7613. 당신들은 해결책을 떠올릴 것이다. - ستأتون بحل
7614. 기억나? - هل تتذكر؟
7615. 네, 나와. - نعم، أنا
7616. 짜다 - تنظيم
7617. 나는 스케줄을 짰다. - لقد نظمت الجدول الزمني.
7618. 너는 계획을 짠다. - سوف تنظم الخطة.
7619. 그는 로드맵을 짤 것이다. - سوف ينظم خارطة الطريق.
7620. 준비됐어? - هل أنت مستعد؟
7621. 네, 됐어. - نعم، أنا مستعد

7622. 마련하다 - لترتيب
7623. 그들은 자금을 마련했다. - رتبوا الأموال.
7624. 나는 자리를 마련한다. - سأرتب المقعد
7625. 너는 기회를 마련할 것이다. - سوف ترتب الفرصة.
7626. 다 됐어? - هل انتهينا؟
7627. 네, 됐어. - نعم، إنه جاهز
7628. 갖추다 - للتجهيز
7629. 그녀는 용기를 갖췄다. - إنها مجهزة بالشجاعة.
7630. 우리는 장비를 갖춘다. - نحن مجهزون.
7631. 당신들은 자격을 갖출 것이다. - ستكون مؤهلة
7632. 준비됐어? - هل أنت جاهز؟
7633. 네, 됐어. - نعم، أنا مستعد
7634. 장비하다 - لتجهيز
7635. 나는 실험실을 장비했다. - لقد جهزت المختبر.
7636. 너는 컴퓨터를 장비한다. - سوف تجهز الكمبيوتر.
7637. 그는 연구소를 장비할 것이다. - سيقوم بتجهيز المختبر.
7638. 필요한 거 있어? - هل تحتاج إلى أي شيء؟
7639. 아니, 없어. - لا، لا أحتاج
7640. 갖다 - لجلب
7641. 그들은 선물을 갖다 주었다. - أحضروا هدايا.
7642. 나는 정보를 갖다 준다. - أنا أحضر المعلومات
7643. 너는 소식을 갖다 줄 것이다. - سوف تجلب الأخبار
7644. 도착했어? - هل وصلتم؟
7645. 네, 도착했어. - نعم، لقد وصلنا
7646. 전하다 - لتوصيل
7647. 그녀는 소식을 전했다. - لقد أوصلت الأخبار.
7648. 우리는 메시지를 전한다. - سنقوم بتسليم الرسالة.
7649. 당신들은 경고를 전할 것이다. - ستوصل التحذير
7650. 알려줄까? - هل أبلغكم؟
7651. 네, 알려줘. - نعم، أعلمني
7652. 싣다 - للتحميل
7653. 나는 차에 짐을 실었다. - قمت بتحميل السيارة
7654. 너는 배에 화물을 싣는다. - تقوم بتحميل البضائع على السفينة
7655. 그는 트럭에 상품을 실을 것이다. - سيقوم بتحميل الشاحنة بالبضائع.

7656. 무거워? - هل هي ثقيلة؟
7657. 아니, 괜찮아. - لا، لا بأس
7658. 86. 명사 단어들 외우기, 필수 10개 동사의 단어들을 가지고 50문장 연습하기 - 86. احفظ الكلمات الاسمية، وتمرن على 50 جملة باستخدام 10 كلمات فعلية أساسية
7659. 신제품 - منتج جديد
7660. 제안 - اقتراح
7661. 보고서 - تقرير
7662. 앞줄 - الصف الأمامي
7663. 중앙 - المركز
7664. 위치 - الموقع
7665. 결과 - النتيجة
7666. 휴가 - الإجازة
7667. 성공 - النجاح
7668. 포스터 - ملصق
7669. 사진 - صورة
7670. 장식 - الديكور
7671. 목도리 - كاتم صوت
7672. 리본 - شريط
7673. 배지 - شارة
7674. 오해 - سوء فهم
7675. 상황 - الموقف
7676. 문제 - مشكلة
7677. 이웃 - جار
7678. 친구 - صديق
7679. 동료 - زميل
7680. 이벤트 - حدث
7681. 프로젝트 - مشروع
7682. 캠페인 - حملة
7683. 제품 - منتج
7684. 서비스 - الخدمة
7685. 앱 - تطبيق
7686. 선반 - الرف
7687. 문 - الباب
7688. 카메라 - كاميرا

7689. 내다 - للخروج
7690. 그들은 신제품을 내놓았다. - يأتون بمنتج جديد.
7691. 나는 제안을 낸다. - سأضع اقتراحاً
7692. 너는 보고서를 내놓을 것이다. - ستأتي بتقرير.
7693. 성공할까? - هل سينجح؟
7694. 네, 할 거야. - نعم، سينجح.
7695. 위치하다 - إلى الموقع
7696. 그녀는 앞줄에 위치했다. - تم وضعها في الصف الأمامي.
7697. 우리는 중앙에 위치한다. - نحن في الوسط.
7698. 당신들은 최적의 위치에 위치할 것이다. - ستكون في أفضل موقع.
7699. 찾았어? - هل وجدتها؟
7700. 네, 찾았어. - نعم، وجدتها.
7701. 기대다 - توقعت
7702. 나는 결과를 기대했다. - توقعت نتيجة
7703. 너는 휴가를 기대한다. - تتوقع إجازة
7704. 그는 성공을 기대할 것이다. - توقع النجاح
7705. 기뻐? - مسرور؟
7706. 네, 기뻐. - نعم، أنا مسرور
7707. 매달다 - لتعليق
7708. 그들은 포스터를 매달았다. - علقوا الملصق
7709. 나는 사진을 매달린다. - علقت الصورة
7710. 너는 장식을 매달을 것이다. - سوف تعلق الزينة.
7711. 예쁘게 됐어? - هل أصبحت جميلة؟
7712. 네, 됐어. - نعم، لقد تم ذلك.
7713. 매다 - علقت
7714. 그녀는 목도리를 맸다. - لقد علقت الشال.
7715. 우리는 리본을 맨다. - سنرتدي شرائط.
7716. 당신들은 배지를 맬 것이다. - سترتدون شارات
7717. 추워? - هل تشعرين بالبرد؟
7718. 아니, 괜찮아. - لا، أنا بخير
7719. 해명하다 - للتوضيح
7720. 나는 오해를 해명했다. - لقد أوضحت سوء فهم
7721. 너는 상황을 해명한다. - لقد وضحت الموقف
7722. 그는 문제를 해명할 것이다. - سيوضح المشكلة

7723. 이해됐어? - هل تفهم؟

7724. 네, 됐어. - نعم، أفهم

7725. 도와주다 - للمساعدة

7726. 그들은 이웃을 도와주었다. - ساعدوا جارهم.

7727. 나는 친구를 도와준다. - أنا أساعد صديقي.

7728. 너는 동료를 도와줄 것이다. - سوف تساعد زملائك في العمل.

7729. 필요해? - هل تحتاجها؟

7730. 아니, 괜찮아. - لا، شكراً لك

7731. 홍보하다 - للترويج

7732. 그녀는 이벤트를 홍보했다. - روجت للحدث.

7733. 우리는 프로젝트를 홍보한다. - سنقوم بالترويج للمشروع.

7734. 당신들은 캠페인을 홍보할 것이다. - أنتم يا رفاق ستروجون للحملة.

7735. 봤어? - هل رأيت ذلك؟

7736. 네, 봤어. - نعم، رأيت ذلك.

7737. 광고하다 - للإعلان

7738. 나는 제품을 광고했다. - سأعلن عن منتج.

7739. 너는 서비스를 광고한다. - ستعلن عن خدمة.

7740. 그는 앱을 광고할 것이다. - سيعلن عن تطبيق.

7741. 효과 있어? - هل يعمل؟

7742. 네, 있어. - نعم، إنه كذلك.

7743. 고정하다 - لإصلاح

7744. 그들은 선반을 고정했다. - أصلحوا الرفوف

7745. 나는 문을 고정한다. - أصلح الباب

7746. 너는 카메라를 고정할 것이다. - ستؤمن الكاميرا

7747. 단단해? - هل هي صلبة؟

7748. 네, 단단해. - نعم، إنها صلبة.

7749. 87. 명사 단어들 외우기, 필수 10개 동사의 단어들을 가지고 50문장 연습하기 - 87. احفظ الكلمات الاسمية، تدرب على 50 جملة بكلمات الأفعال العشرة الأساسية

7750. 문 - باب

7751. 창문 - النافذة

7752. 자전거 - دراجة

7753. 컴퓨터 - كمبيوتر

7754. 음료 - مشروب

7755. 시스템 - نظام

7756. 기계 - ماكينة
7757. 부품 - جزء
7758. 장난감 - لعبة
7759. 종이 - الورق
7760. 플라스틱 - بلاستيك
7761. 금속 - معدن
7762. 엔진 - محرك
7763. 장치 - جهاز
7764. 상품 - سلع
7765. 편지 - الرسالة
7766. 상 - جائزة
7767. 영화 - فيلم
7768. 제품 - المنتج
7769. 서비스 - الخدمة
7770. 집 - منزل
7771. 차 - سيارة
7772. 휴대폰 - هاتف خلوي
7773. 책 - كتاب
7774. 의류 - ملابس
7775. 예술작품 - قطعة فنية
7776. 잠그다 - لقفل
7777. 그녀는 문을 잠갔다. - أقفلت الباب
7778. 우리는 창문을 잠근다. - أقفلنا النوافذ
7779. 당신들은 자전거를 잠글 것이다. - ستقفل دراجتك.
7780. 안전해? - هل هي آمنة؟
7781. 네, 안전해. - نعم، إنها آمنة
7782. 냉각하다 - للتبريد
7783. 나는 컴퓨터를 냉각했다. - قمت بتبريد الكمبيوتر.
7784. 너는 음료를 냉각한다. - سوف تبرد الشراب.
7785. 그는 시스템을 냉각할 것이다. - سوف يبرد النظام.
7786. 충분해? - هل هذا كافٍ؟
7787. 네, 충분해. - نعم، إنه كافٍ
7788. 재조립하다 - لإعادة التجميع
7789. 그들은 기계를 재조립했다. - أعادوا تجميع الآلة.

7790. 나는 부품을 재조립한다. - أعيد تجميع الأجزاء.
7791. 너는 장난감을 재조립할 것이다. - ستعيد تجميع اللعبة.
7792. 어려워? - هل الأمر صعب؟
7793. 아니, 쉬워. - لا، إنه سهل.
7794. 재활용하다 - لإعادة التدوير
7795. 그녀는 종이를 재활용했다. - لقد أعادت تدوير الورق.
7796. 우리는 플라스틱을 재활용한다. - سنعيد تدوير البلاستيك.
7797. 당신들은 금속을 재활용할 것이다. - ستقومون بإعادة تدوير المعادن
7798. 좋은 생각이야? - هل هذه فكرة جيدة؟
7799. 네, 좋아. - نعم، إنها فكرة جيدة.
7800. 구동하다 - للقيادة
7801. 나는 기계를 구동했다. - أنا أقود الآلة.
7802. 너는 시스템을 구동한다. - ستقود النظام.
7803. 그는 엔진을 구동할 것이다. - سيقود المحرك.
7804. 작동 돼? - هل يعمل؟
7805. 네, 작동돼. - نعم، إنه يعمل
7806. 부팅하다 - للتشغيل
7807. 그녀는 컴퓨터를 부팅했다. - قامت بتشغيل الكمبيوتر.
7808. 우리는 시스템을 부팅한다. - سنقوم بتشغيل النظام.
7809. 당신들은 장치를 부팅할 것이다. - سنقوم بتشغيل الجهاز
7810. 켜졌어? - هل يعمل؟
7811. 네, 켜졌어. - نعم، إنه يعمل
7812. 수령하다 - للاستلام
7813. 나는 상품을 수령했다. - لقد استلمت البضاعة
7814. 너는 편지를 수령한다. - سوف تتلقى الرسالة.
7815. 그는 상을 수령할 것이다. - سوف يستلم الجائزة
7816. 도착했어? - هل وصلت؟
7817. 네, 도착했어. - نعم، وصلت
7818. 리뷰하다 - للمراجعة
7819. 그들은 영화를 리뷰했다. - قاموا بمراجعة الفيلم.
7820. 나는 제품을 리뷰한다. - سأستعرض منتجاً.
7821. 너는 서비스를 리뷰할 것이다. - ستراجع خدمة.
7822. 좋았어? - هل كانت جيدة؟
7823. 네, 좋았어. - نعم، كانت جيدة.

7824. 구매하다 - اشتريت
7825. 그녀는 집을 구매했다. - لقد اشتريت منزلاً.
7826. 우리는 차를 구매한다. - سنشتري سيارة.
7827. 당신들은 휴대폰을 구매할 것이다. - ستشترون هاتفاً خلوياً.
7828. 필요해? - هل تحتاجه؟
7829. 네, 필요해. - نعم، أحتاجه
7830. 판매하다 - للبيع
7831. 나는 책을 판매했다. - أنا أبيع كتاباً
7832. 너는 의류를 판매한다. - ستبيع ملابس.
7833. 그는 예술작품을 판매할 것이다. - سيبيع الأعمال الفنية.
7834. 잘 팔려? - هل تباع بشكل جيد؟
7835. 네, 잘 팔려. - نعم، تباع بشكل جيد.
7836. 88. 명사 단어들 외우기, 필수 10개 동사의 단어들을 가지고 50문장 연습하기 - 88. احفظ الكلمات الاسمية، وتمرن على 50 جملة باستخدام 10 كلمات فعلية أساسية
7837. 물건 - شيء
7838. 옷 - ملابس
7839. 기기 - جهاز
7840. 티켓 - تذكرة
7841. 비용 - مصروف
7842. 등록금 - الرسوم الدراسية
7843. 자전거 - دراجة هوائية
7844. 책 - كتاب
7845. 카메라 - كاميرا
7846. 도서 - كتب
7847. 장비 - معدات
7848. 노트북 - كمبيوتر محمول
7849. 계좌 - حساب
7850. 전화선 - خط الهاتف
7851. 인터넷 - إنترنت
7852. 계정 - حساب
7853. 상점 - متجر
7854. 공장 - المصنع
7855. 파일 - ملف
7856. 시계 - الساعة

7857. 시스템 - النظام
7858. 문제 - مشكلة
7859. 아이디어 - الفكرة
7860. 방법 - الطريقة
7861. 문서 - المستند
7862. 규정 - القاعدة
7863. 자료 - البيانات
7864. 사진 - صورة
7865. 보고서 - تقرير
7866. 반환하다 - الإرجاع
7867. 그들은 물건을 반환했다. - أرجعوا البضاعة
7868. 나는 옷을 반환한다. - أعيدت الملابس
7869. 너는 기기를 반환할 것이다. - ستعيد الجهاز.
7870. 가능해? - هل هذا ممكن؟
7871. 네, 가능해. - نعم، هذا ممكن.
7872. 환불하다 - استرداد المبلغ
7873. 그녀는 티켓을 환불받았다. - لقد استردت تذكرتها.
7874. 우리는 비용을 환불받는다. - سنسترد أموالنا.
7875. 당신들은 등록금을 환불받을 것이다. - سيتم استرداد رسومك الدراسية.
7876. 받을 수 있어? - هل يمكنك الحصول عليها؟
7877. 네, 받을 수 있어. - نعم، يمكنك الحصول عليها.
7878. 대여하다 - للإيجار
7879. 나는 자전거를 대여했다. - استأجرت دراجة
7880. 너는 책을 대여한다. - استأجرت كتاباً
7881. 그는 카메라를 대여할 것이다. - سوف يستأجر كاميرا.
7882. 빌릴까? - هل أستعيرها؟
7883. 네, 빌려. - نعم، تستعير
7884. 반납하다 - للإرجاع
7885. 그들은 도서를 반납했다. - أرجع الكتاب.
7886. 나는 장비를 반납한다. - سأعيد المعدات.
7887. 너는 노트북을 반납할 것이다. - ستعيد الحاسوب المحمول.
7888. 시간 됐어? - هل حان الوقت؟
7889. 네, 됐어. - نعم، أنا مستعد
7890. 개통하다 - لفتح

7891. 그녀는 계좌를 개통했다. - فتحت حساباً
7892. 우리는 전화선을 개통한다. - سنفتح خط الهاتف.
7893. 당신들은 인터넷을 개통할 것이다. - ستفتحون الإنترنت
7894. 준비됐어? - هل أنت مستعد؟
7895. 네, 준비됐어. - نعم، أنا مستعد
7896. 폐쇄하다 - للإغلاق
7897. 나는 계정을 폐쇄했다. - لقد أغلقت حسابي
7898. 너는 상점을 폐쇄한다. - ستغلق المتجر
7899. 그는 공장을 폐쇄할 것이다. - سيغلق المصنع
7900. 닫혔어? - هل هو مغلق؟
7901. 네, 닫혔어. - نعم، إنه مغلق
7902. 동기화하다 - للمزامنة
7903. 그녀는 파일을 동기화했다. - لقد قامت بمزامنة ملفاتها.
7904. 우리는 시계를 동기화한다. - نحن نقوم بمزامنة ساعاتنا
7905. 당신들은 시스템을 동기화할 것이다. - أنتم يا رفاق ستقومون بمزامنة أنظمتكم.
7906. 맞춰졌어? - هل هي متزامنة؟
7907. 네, 맞춰졌어. - نعم، إنها متزامنة
7908. 예시하다 - لتمثيل
7909. 나는 문제를 예시했다. - لقد قمت بتمثيل مشكلة.
7910. 너는 아이디어를 예시한다. - أنت توضح فكرة.
7911. 그는 방법을 예시할 것이다. - سيجسد طريقة.
7912. 이해됐어? - هل هذا منطقي؟
7913. 네, 이해됐어. - نعم، أفهم
7914. 참조하다 - للإشارة إلى
7915. 그들은 문서를 참조했다. - أشير إلى الوثيقة.
7916. 나는 규정을 참조한다. - أشير إلى اللائحة.
7917. 너는 자료를 참조할 것이다. - ستشير إلى المواد.
7918. 봤어? - هل رأيت ذلك؟
7919. 네, 봤어. - نعم، رأيتها.
7920. 첨부하다 - أرفقت
7921. 그녀는 사진을 첨부했다. - أرفقت صورة.
7922. 우리는 파일을 첨부한다. - سنرفق الملف.
7923. 당신들은 보고서를 첨부할 것이다. - سوف ترفق التقرير.
7924. 붙였어? - هل أرفقته؟

7925. 네, 붙였어. - نعم، أرفقته.
7926. 89. 명사 단어들 외우기, 필수 10개 동사의 단어들을 가지고 50문장 연습하기 - 89. احفظ الكلمات الاسمية، تدرب على 50 جملة مع 10 كلمات فعلية أساسية
7927. 소프트웨어 - البرمجيات
7928. 기능 - وظيفة
7929. 제품 - منتج
7930. 코드 - رمز
7931. 시스템 - نظام
7932. 애플리케이션 - التطبيق
7933. 은행 - البنك
7934. 자금 - التمويل
7935. 주택 대출 - القرض السكني
7936. 빚 - ديون
7937. 대출 - قرض
7938. 융자 - قرض
7939. 돈 - المال
7940. 금액 - المبلغ
7941. 재산 - الممتلكات
7942. 주식 - الأسهم
7943. 사업 - الأعمال التجارية
7944. 부동산 - عقارات
7945. 친구 - صديق
7946. 가족 - عائلة
7947. 회사 - شركة
7948. 계좌 - حساب
7949. 자동화기기 - معدات التشغيل الآلي
7950. 급여 - الراتب
7951. 테스트하다 - للاختبار
7952. 나는 소프트웨어를 테스트했다. - اختبرت البرنامج
7953. 너는 기능을 테스트한다. - اختبرت الوظيفة
7954. 그는 제품을 테스트할 것이다. - سيختبر المنتج.
7955. 잘 돼? - هل يسير على ما يرام؟
7956. 네, 잘 돼. - نعم، يسير بشكل جيد.
7957. 디버그(오류수정)하다 - إصلاح الأخطاء (لتصحيح الأخطاء)

7958. 그들은 코드를 디버그했다. - صححت الكود.
7959. 나는 시스템을 디버그한다. - أقوم بتصحيح أخطاء النظام.
7960. 너는 애플리케이션을 디버그할 것이다. - قمت بتصحيح أخطاء التطبيق.
7961. 고쳤어? - هل أصلحته؟
7962. 네, 고쳤어. - نعم، أصلحته.
7963. 대출하다 - اقترضت
7964. 그녀는 은행에서 대출받았다. - أخذت قرضاً من البنك.
7965. 우리는 자금을 대출받는다. - نحن نقترض المال.
7966. 당신들은 주택 대출을 받을 것이다. - ستأخذون قرضاً منزلياً.
7967. 필요해? - هل تحتاجه؟
7968. 네, 필요해. - نعم، أحتاجه
7969. 상환하다 - للسداد
7970. 나는 빚을 상환했다. - سأسدد الدين.
7971. 너는 대출을 상환한다. - سوف تسدد القرض.
7972. 그는 융자를 상환할 것이다. - سوف يسدد القرض.
7973. 끝났어? - هل تم الأمر؟
7974. 네, 끝났어. - نعم، تم
7975. 저축하다 - لادخار
7976. 그들은 돈을 저축했다. - ادخروا المال.
7977. 나는 금액을 저축한다. - ادخرت مبلغاً من المال.
7978. 너는 재산을 저축할 것이다. - ستوفر ثروة.
7979. 모았어? - هل ادخرت؟
7980. 네, 모았어. - نعم، ادخرته.
7981. 투자하다 - للاستثمار
7982. 그녀는 주식에 투자했다. - استثمرت في الأسهم.
7983. 우리는 사업에 투자한다. - سنستثمر في الأعمال التجارية.
7984. 당신들은 부동산에 투자할 것이다. - ستستثمر في العقارات.
7985. 이득 봤어? - هل حققت ربحاً؟
7986. 네, 이득 봤어. - نعم، حققت ربحاً
7987. 송금하다 - لتحويل الأموال
7988. 나는 친구에게 송금했다. - أرسلت المال إلى صديق.
7989. 너는 가족에게 송금한다. - سوف ترسل المال إلى عائلتك.
7990. 그는 회사에 송금할 것이다. - سوف يرسل المال إلى الشركة.
7991. 받았어? - هل استلمتها؟

7992. 네, 받았어. - نعم، استلمته.
7993. 예치하다 - للإيداع
7994. 그들은 돈을 예치했다. - أودعت المال.
7995. 나는 계좌에 예치한다. - أودعت في الحساب
7996. 너는 자금을 예치할 것이다. - سوف تودع الأموال.
7997. 넣었어? - هل أودعتها؟
7998. 네, 넣었어. - نعم، أودعتها.
7999. 인출하다 - سحبت
8000. 그녀는 은행에서 인출했다. - لقد سحبت من البنك.
8001. 우리는 자동화기기에서 인출한다. - سنقوم بالسحب من الجهاز الآلي.
8002. 당신들은 계좌에서 인출할 것이다. - ستسحب من حسابك.
8003. 뺐어? - هل سحبته؟
8004. 네, 뺐어. - نعم، لقد سحبت
8005. 이체하다 - للتحويل
8006. 나는 계좌로 이체했다. - قمت بالتحويل إلى الحساب.
8007. 너는 돈을 이체한다. - قمت بتحويل المال.
8008. 그는 급여를 이체할 것이다. - سوف يحول راتبه.
8009. 보냈어? - هل أرسلته؟
8010. 네, 보냈어. - نعم، أرسلته.
8011. 90. 명사 단어들 외우기, 필수 10개 동사의 단어들을 가지고 50문장 연습하기 - 90. احفظ الكلمات الاسمية، وتدرب على 50 جملة بكلمات من الأفعال العشرة الأساسية
8012. 신용카드 - بطاقة ائتمان
8013. 현금 - نقداً
8014. 모바일 - جوال
8015. 주식 - مخزون
8016. 물건 - شيء
8017. 부동산 - عقارات
8018. 팀 - فريق
8019. 회사 - شركة
8020. 학급 - فئة
8021. 시장 - السوق
8022. 결정 - القرار
8023. 결과 - النتيجة
8024. 날씨 - الطقس

8025. 소식 - الأخبار
8026. 경제 - الاقتصاد
8027. 목록 - قائمة
8028. 예외 - استثناء
8029. 조항 - مقالة
8030. 요청 - الطلب
8031. 접근 - الوصول
8032. 변경 - التغيير
8033. 토론 - المناقشة
8034. 생각 - الفكر
8035. 결론 - الخاتمة
8036. 웃음 - الضحك
8037. 호기심 - الفضول
8038. 혼란 - الحيرة
8039. 투자 - الاستثمار
8040. 관광객 - سائح
8041. 회원 - عضو
8042. 결제하다 - للدفع
8043. 그들은 신용카드로 결제했다. - دفعوا ببطاقة الائتمان.
8044. 나는 현금으로 결제한다. - أدفع نقداً
8045. 너는 모바일로 결제할 것이다. - ستدفع بواسطة هاتفك المحمول.
8046. 됐어? - هل أنت موافق؟
8047. 네, 됐어. - نعم، أنا موافق
8048. 거래하다 - للتداول
8049. 그는 주식을 거래했다. - يتاجر بالأسهم
8050. 우리는 물건을 거래한다. - نحن نتاجر بالأشياء
8051. 당신들은 부동산을 거래할 것이다. - أنتم يا رفاق ستتاجرون بالعقارات
8052. 필요한 거 있어? - هل تحتاج إلى أي شيء؟
8053. 아니, 괜찮아. - لا، أنا بخير
8054. 대표하다 - لتمثيل
8055. 그녀는 팀을 대표했다. - هي تمثل الفريق
8056. 나는 회사를 대표한다. - أنا أمثل الشركة
8057. 너는 학급을 대표할 것이다. - أنتِ ستمثلين الفريق
8058. 준비됐어? - هل أنتِ مستعدة؟

8059. 네, 준비됐어. - نعم، أنا مستعد
8060. 영향을 주다 - للتأثير
8061. 그들은 시장에 영향을 주었다. - أثرت على السوق
8062. 나는 결정에 영향을 준다. - سأؤثر على القرار
8063. 너는 결과에 영향을 줄 것이다. - سوف تؤثر على النتيجة.
8064. 변화됐어? - هل تغيرت؟
8065. 네, 변화됐어. - نعم، لقد تغيرت
8066. 영향을 받다 - تأثرت بـ
8067. 나는 날씨에 영향을 받았다. - لقد تأثرت بالطقس.
8068. 너는 소식에 영향을 받는다. - تأثرت بالأخبار.
8069. 그는 경제에 영향을 받을 것이다. - سوف يتأثر بالاقتصاد.
8070. 괜찮아? - هل أنت بخير؟
8071. 네, 괜찮아. - نعم، أنا بخير
8072. 제외하다 - لاستبعاد
8073. 그녀는 목록에서 제외됐다. - تم استثناؤها من القائمة.
8074. 우리는 예외를 제외한다. - سنستثني الاستثناء.
8075. 당신들은 조항을 제외할 것이다. - سوف تستثني الشرط.
8076. 빠진 거 있어? - هل فاتني أي شيء؟
8077. 아니, 없어. - لا، لا شيء
8078. 허용하다 - سمح
8079. 그는 요청을 허용했다. - سمح بالطلب.
8080. 나는 접근을 허용한다. - سأسمح بالوصول
8081. 너는 변경을 허용할 것이다. - ستسمح بالتغيير
8082. 가능해? - هل يمكنك ذلك؟
8083. 네, 가능해. - نعم، هذا ممكن.
8084. 유도하다 - لاستنباط
8085. 그들은 토론을 유도했다. - أثاروا نقاشاً
8086. 나는 생각을 유도한다. - أنا أستثير التفكير.
8087. 너는 결론을 유도할 것이다. - سوف تستنبط استنتاجًا.
8088. 알겠어? - هل تفهم؟
8089. 네, 알겠어. - نعم، أفهم
8090. 유발하다 - استفزت
8091. 그녀는 웃음을 유발했다. - أثارت الضحك.
8092. 우리는 호기심을 유발한다. - سنثير الفضول.

8093. 당신들은 혼란을 유발할 것이다. - أنتم يا رفاق ستثيرون الحيرة.
8094. 웃겼어? - هل كانت مضحكة؟
8095. 네, 웃겼어. - نعم، كان مضحكاً.
8096. 유치하다 - جذب
8097. 나는 투자를 유치했다. - جذبت الاستثمار.
8098. 너는 관광객을 유치한다. - ستجذب السياح.
8099. 그는 회원을 유치할 것이다. - سوف يجذب الأعضاء.
8100. 성공했어? - هل نجحت؟
8101. 네, 성공했어. - نعم، نجحت.
8102. 91. 명사 단어들 외우기, 필수 10개 동사의 단어들을 가지고 50문장 연습하기 - 91- احفظ الكلمات الاسمية، وتمرن على 50 جملة مع الكلمات الفعلية العشر الأساسية
8103. 프로젝트 - مشروع
8104. 팀 - فريق
8105. 운동 - العمل
8106. 결혼 생활 - الحياة الزوجية
8107. 과거 - الماضي
8108. 문제 - مشكلة
8109. 방문객 - زائر
8110. 길 - الطريق
8111. 미래 - المستقبل
8112. 땅 - الأرض
8113. 계획 - خطة
8114. 성공 - النجاح
8115. 관심 - الفائدة
8116. 변화 - التغيير
8117. 학교 - المدرسة
8118. 대학 - الجامعة
8119. 고등학교 - المدرسة الثانوية
8120. 경험 - الخبرة
8121. 지식 - المعرفة
8122. 환경 - البيئة
8123. 사회 - المجتمع
8124. 줄 - الخط
8125. 기회 - الفرصة

8126. 사과 - اعتذار
8127. 피자 - بيتزا
8128. 과자 - وجبة خفيفة
8129. 이끌다 - لقيادة
8130. 그들은 프로젝트를 이끌었다. - قادوا المشروع
8131. 나는 팀을 이끈다. - أقود الفريق
8132. 너는 운동을 이끌 것이다. - ستقود التمرين.
8133. 준비됐니? - هل أنت مستعد؟
8134. 네, 준비됐어. - نعم، أنا مستعد
8135. 이혼하다 - للطلاق
8136. 그녀는 결혼 생활을 이혼했다. - طلقت زواجها
8137. 나는 과거를 이혼한다. - طلقت الماضي
8138. 너는 문제에서 이혼할 것이다. - ستطلقين نفسك من المشكلة
8139. 괜찮니? - هل أنت بخير؟
8140. 네, 괜찮아. - نعم، أنا بخير
8141. 인도하다 - لتوجيه
8142. 그는 방문객을 인도했다. - أرشد الزائر
8143. 우리는 새로운 길을 인도한다. - سنقود الطريق إلى طريق جديد
8144. 당신들은 미래로 인도할 것이다. - سوف تقود الطريق إلى المستقبل.
8145. 맞는 길이야? - هل هذا هو الطريق الصحيح؟
8146. 네, 맞아. - نعم، إنه كذلك.
8147. 일구다 - للعمل
8148. 그들은 땅을 일궜다. - عملوا في الأرض
8149. 나는 계획을 일군다. - أبني خطة
8150. 너는 성공을 일굴 것이다. - ستعمل النجاح.
8151. 진행됐어? - هل نجحت؟
8152. 네, 진행됐어. - نعم، لقد نجح
8153. 일으키다 - تسببت
8154. 그녀는 관심을 일으켰다. - تسببت في الاهتمام
8155. 우리는 문제를 일으킨다. - نحن نتسبب في المشاكل
8156. 당신들은 변화를 일으킬 것이다. - سوف تتسبب في التغيير
8157. 뭐야 그거? - ما هذا؟
8158. 중요한 거야. - هذا مهم
8159. 입학하다 - للدخول

8160. 나는 학교에 입학했다. - دخلت الجامعة
8161. 너는 대학에 입학한다. - ستدخل الكلية
8162. 그는 고등학교에 입학할 것이다. - سيدخل المدرسة الثانوية
8163. 준비됐어? - هل أنت مستعد؟
8164. 네, 준비됐어. - نعم، أنا مستعد
8165. 자라다 - للنضوج
8166. 그들은 함께 자랐다. - لقد كبروا معاً
8167. 나는 경험으로 자란다. - سأكبر بالخبرة
8168. 너는 지식으로 자랄 것이다. - سوف تنمو في المعرفة.
8169. 컸니? - هل كبرت؟
8170. 네, 컸어. - نعم، لقد كبرت.
8171. 작용하다 - للتمثيل
8172. 그녀는 팀에 작용했다. - تصرفت على الفريق.
8173. 우리는 환경에 작용한다. - سوف تتصرف على البيئة.
8174. 당신들은 사회에 작용할 것이다. - سوف تتصرف على المجتمع.
8175. 느꼈어? - هل شعرت به؟
8176. 네, 느꼈어. - نعم، شعرت به
8177. 잡아당기다 - بالشد
8178. 나는 줄을 잡아당겼다. - سحبت الخيط
8179. 너는 관심을 잡아당긴다. - أنت تشد الانتباه
8180. 그는 기회를 잡아당길 것이다. - شدّ على الفرصة.
8181. 성공했니? - هل نجحت؟
8182. 네, 성공했어. - نعم، نجحت.
8183. 잡아먹다 - أن تأكل
8184. 나는 사과를 잡아먹었다. - أمسكت بتفاحة.
8185. 너는 피자를 잡아먹는다. - ستأكل البيتزا.
8186. 그는 과자를 잡아먹을 것이다. - سيتناول الحلوى.
8187. 배고파? - هل أنت جائع؟
8188. 네, 배고파. - نعم، أنا جائع.
8189. 92. 명사 단어들 외우기, 필수 10개 동사의 단어들을 가지고 50문장 연습하기 - 92. احفظ الكلمات الاسمية، وتدرب على 50 جملة باستخدام 10 كلمات فعلية أساسية
8190. 공 - كرة
8191. 기회 - فرصة
8192. 순간 - لحظة

8193. 상황 - الموقف
8194. 시장 - السوق
8195. 분위기 - الغلاف الجوي
8196. 카메라 - الكاميرا
8197. 배터리 - البطارية
8198. 부품 - الجزء
8199. 논쟁 - الجدال
8200. 소음 - الضوضاء
8201. 갈등 - تعارض
8202. 권리 - صحيح
8203. 위치 - الموقع
8204. 우승 - البطولة
8205. 집 - المنزل
8206. 차 - سيارة
8207. 자산 - الأصل
8208. 손 - اليد
8209. 발 - قدم
8210. 어깨 - كتف
8211. 약속 - الوعد
8212. 계획 - خطة
8213. 기계 - الماكينة
8214. 데이터 - البيانات
8215. 시스템 - النظام
8216. 도시 - المدينة
8217. 영역 - المنطقة
8218. 지역 - المنطقة
8219. 잡아채다 - للإمساك
8220. 그는 공을 잡아챘다. - التقط الكرة
8221. 그녀는 기회를 잡아챈다. - اغتنمت الفرصة.
8222. 우리는 순간을 잡아챌 것이다. - سنغتنم الفرصة.
8223. 봤어? - هل رأيت ذلك؟
8224. 아니, 못 봤어. - لا، لم أره
8225. 장악하다 - سيطرت على
8226. 그녀는 상황을 장악했다. - لقد سيطرت على الموقف.

8227. 우리는 시장을 장악한다. - سنسيطر على السوق
8228. 당신들은 분위기를 장악할 것이다. - ستسيطر على الجو
8229. 준비됐어? - هل أنت مستعد؟
8230. 네, 준비됐어. - نعم، أنا مستعد
8231. 장착하다 - للتركيب
8232. 나는 카메라를 장착했다. - سأقوم بتركيب الكاميرا.
8233. 너는 배터리를 장착한다. - ستقوم بتركيب البطارية.
8234. 그는 부품을 장착할 것이다. - سيقوم بتركيب الأجزاء.
8235. 맞아? - هل هذا صحيح؟
8236. 네, 맞아. - نعم، هذا صحيح
8237. 잦아들다 - توقف عن الجدال
8238. 그는 논쟁이 잦아들었다. - سيتوقف عن الجدال
8239. 그녀는 소음이 잦아든다. - ستتوقف عن إحداث ضوضاء.
8240. 우리는 갈등이 잦아들 것이다. - سيكون لدينا نزاعات أقل.
8241. 끝났어? - هل انتهى الأمر؟
8242. 아니, 안 끝났어. - لا، لم ينتهي
8243. 쟁기다 - لحرث
8244. 그녀는 권리를 쟁겼다. - ستحرث من أجل الحقوق.
8245. 우리는 위치를 쟁긴다. - سوف نحرث من أجل الموقف.
8246. 당신들은 우승을 쟁길 것이다. - ستحرث من أجل الفوز
8247. 이겼어? - هل فزت؟
8248. 네, 이겼어. - نعم، فزت
8249. 저당잡히다 - رهنت
8250. 나는 집이 저당잡혔다. - أنا رهنت منزلي
8251. 너는 차가 저당잡힌다. - سوف ترهن سيارتك.
8252. 그는 자산이 저당잡힐 것이다. - سوف يرهن ممتلكاته
8253. 괜찮아? - هل أنت بخير؟
8254. 아니, 안 괜찮아. - لا، لست بخير
8255. 저리다 - أنا أشعر بوخز.
8256. 나는 손이 저렸다. - لدي وخز في اليدين.
8257. 너는 발이 저린다. - لديك وخز في قدميك.
8258. 그는 어깨가 저릴 것이다. - سيكون لديه وخز في كتفه.
8259. 아파? - هل يؤلم؟
8260. 네, 아파. - نعم، إنه يؤلم.

8261. 저버리다 - للتخلي عن
8262. 그녀는 약속을 저버렸다. - لقد نكثت بوعدها
8263. 우리는 계획을 저버린다. - نتخلى عن خططنا
8264. 당신들은 기회를 저버릴 것이다. - سوف تضيع الفرصة
8265. 실망했어? - هل خاب أملك؟
8266. 네, 실망했어. - نعم، خاب أملي
8267. 점검하다 - للتحقق
8268. 그는 기계를 점검했다. - لقد تحقق من الجهاز.
8269. 그녀는 데이터를 점검한다. - تتحقق من البيانات.
8270. 우리는 시스템을 점검할 것이다. - سنتحقق من النظام.
8271. 문제 있어? - هل هناك مشكلة؟
8272. 아니, 문제 없어. - لا، لا توجد مشكلة
8273. 점령하다 - لاحتلال
8274. 그들은 도시를 점령했다. - استولوا على المدينة
8275. 당신들은 영역을 점령한다. - استولوا على الأرض
8276. 그는 지역을 점령할 것이다. - سوف يستولي على الأرض
8277. 성공했어? - هل نجحتم؟
8278. 네, 성공했어. - نعم، نجحنا.
8279. 93. 명사 단어들 외우기, 필수 10개 동사의 단어들을 가지고 50문장 연습하기 - 93. احفظ الكلمات الاسمية، وتدرب على 50 جملة مع الكلمات الفعلية العشر المطلوبة
8280. 목표 - الهدف
8281. 위치 - الموقع
8282. 대상 - الهدف
8283. 신청서 - التطبيق
8284. 문의 - الاستفسار
8285. 요청 - طلب
8286. 고객 - العميل
8287. 팀 - فريق العمل
8288. 파트너 - شريك
8289. 산 - الجبل
8290. 과제 - التكليف
8291. 도전 - التحدي
8292. 시스템 - النظام
8293. 상황 - الوضع

8294. 관계 - العلاقة
8295. 도시 - المدينة
8296. 직장 - المستقيم
8297. 커뮤니티 - المجتمع
8298. 계획 - الخطة
8299. 날짜 - التاريخ
8300. 의문 - السؤال
8301. 이슈 - المشكلة
8302. 문제 - المشكلة
8303. 차 - السيارة
8304. 속도 - السرعة
8305. 진행 - التقدم
8306. 반대 - العكس
8307. 상대 - الخصم
8308. 점찍다 - إلى الهدف
8309. 그녀는 목표를 점찍었다. - أشارت إلى الهدف.
8310. 우리는 위치를 점찍는다. - سنشير إلى الموقع.
8311. 당신들은 대상을 점찍을 것이다. - ستشير إلى الهدف.
8312. 확실해? - هل أنت متأكد؟
8313. 네, 확실해. - نعم، أنا متأكد
8314. 접수하다 - لاستلام
8315. 나는 신청서를 접수했다. - تلقيت الطلب.
8316. 너는 문의를 접수한다. - سوف تتلقى الاستفسار.
8317. 그는 요청을 접수할 것이다. - سيتلقى الطلب.
8318. 받았어? - هل استلمته؟
8319. 네, 받았어. - نعم، استلمته.
8320. 접촉하다 - إجراء اتصال
8321. 그는 고객과 접촉했다. - سيقوم بالاتصال بالعميل.
8322. 그녀는 팀과 접촉한다. - سوف تتصل بالفريق.
8323. 우리는 파트너와 접촉할 것이다. - سنتصل بالشريك.
8324. 준비됐어? - هل أنت مستعد؟
8325. 네, 준비됐어. - نعم، أنا مستعد
8326. 정복하다 - لغزو
8327. 그들은 산을 정복했다. - لقد قهروا الجبل.

8328. 당신들은 과제를 정복한다. - أنت تغزو المهمة.
8329. 그는 도전을 정복할 것이다. - سوف يغزو التحدي.
8330. 가능해? - هل يمكنك القيام بذلك؟
8331. 네, 가능해. - نعم، هذا ممكن.
8332. 정상화하다 - لتطبيع
8333. 나는 시스템을 정상화했다. - قمت بتطبيع النظام.
8334. 너는 상황을 정상화한다. - قمت بتطبيع الوضع.
8335. 그는 관계를 정상화할 것이다. - سيقوم بتطبيع العلاقة.
8336. 해결됐어? - هل نجح الأمر؟
8337. 네, 해결됐어. - نعم، تمت تسويتها
8338. 정착하다 - استقرت
8339. 그녀는 새 도시에 정착했다. - استقرت في مدينة جديدة.
8340. 우리는 직장에 정착한다. - سنستقر في وظائفنا.
8341. 당신들은 커뮤니티에 정착할 것이다. - سوف تستقر في المجتمع.
8342. 편해? - هل أنت مرتاح؟
8343. 네, 편해. - نعم، أنا مرتاح
8344. 정하다 - للاستقرار
8345. 나는 목표를 정했다. - أضع هدفاً
8346. 너는 계획을 정한다. - ستضع خطة
8347. 그는 날짜를 정할 것이다. - سيحدد موعداً.
8348. 결정했어? - هل قررت؟
8349. 네, 결정했어. - نعم، لقد قررت
8350. 제기하다 - طرح السؤال
8351. 그는 의문을 제기했다. - لقد أثار السؤال.
8352. 그녀는 이슈를 제기한다. - ستثير مسألة.
8353. 우리는 문제를 제기할 것이다. - سنثير المسألة.
8354. 맞아? - هل هذا صحيح؟
8355. 네, 맞아. - نعم، هذا صحيح
8356. 제동하다 - الفرملة
8357. 나는 차를 제동했다. - فرملت السيارة
8358. 너는 속도를 제동한다. - فرملت السرعة.
8359. 그는 진행을 제동할 것이다. - سوف يكبح تقدمه.
8360. 멈췄어? - هل توقفت؟
8361. 네, 멈췄어. - نعم، توقفت

8362. 제압하다 - لإخضاع
8363. 그들은 반대를 제압했다. - أخضعوا المعارضة.
8364. 당신들은 문제를 제압한다. - أخضعوا المشكلة.
8365. 그는 상대를 제압할 것이다. - أخضع الخصم.
8366. 이겼어? - هل فزت؟
8367. 네, 이겼어. - نعم، فزت.
8368. 94. 명사 단어들 외우기, 필수 10개 동사의 단어들을 가지고 50문장 연습하기 - 94. احفظ الكلمات الاسمية، وتدرب على 50 جملة مع الكلمات الفعلية العشر الأساسية
8369. 건너갈 때 - عند العبور
8370. 사용할 때 - عند الاستخدام
8371. 말할 때 - عند التحدث
8372. 압박 - الضغط
8373. 긴장 - العصبية
8374. 시간 - ساعة
8375. 연구 - البحث
8376. 교육 - التعليم
8377. 상담 - الاستشارات
8378. 실패 - الفشل
8379. 장애 - العوائق
8380. 거부 - الرفض
8381. 프로젝트 - مشروع
8382. 회의 - اجتماع
8383. 혁신 - الابتكار
8384. 음식 - الطعام
8385. 상품 - السلع
8386. 서비스 - الخدمات
8387. 피곤 - متعب
8388. 슬픔 - الحزن
8389. 부담 - العبء
8390. 문 - باب
8391. 창문 - النافذة
8392. 뚜껑 - الغطاء
8393. 체중 - الوزن
8394. 관심 - الفائدة

8395. 거리 - المسافة
8396. 소음 - الضوضاء
8397. 비용 - النفقات
8398. 조심하다 - توخي الحذر
8399. 나는 건너갈 때 조심했다. - كنت حذراً عند العبور
8400. 너는 사용할 때 조심한다. - كنت حذرا عند استخدامه.
8401. 그는 말할 때 조심할 것이다. - سيكون حذرا عندما يتحدث.
8402. 괜찮아? - هل أنت بخير؟
8403. 네, 괜찮아. - نعم، أنا بخير
8404. 조여오다 - لتشديد
8405. 그는 압박이 조여왔다. - شعر بالضغط يشتد.
8406. 그녀는 긴장이 조여온다. - شعرت بالضغط يشتد.
8407. 우리는 시간이 조여올 것이다. - سيكون لدينا ضيق في الوقت.
8408. 버틸 수 있어? - هل يمكنك الصمود؟
8409. 네, 버텨. - نعم، انتظر
8410. 종사하다 - أن تنخرط في
8411. 나는 연구에 종사했다. - كنت منخرطاً في البحث.
8412. 너는 교육에 종사한다. - أنت منخرط في التدريس.
8413. 그는 상담에 종사할 것이다. - سوف ينخرط في الإرشاد.
8414. 좋아해? - هل يعجبك؟
8415. 네, 좋아해. - نعم، يعجبني
8416. 좌절하다 - أن تكون محبطة
8417. 그녀는 실패에 좌절했다. - كانت محبطة بسبب فشلها.
8418. 우리는 장애에 좌절한다. - نحن محبطون بسبب العقبات.
8419. 당신들은 거부에 좌절할 것이다. - ستصاب بالإحباط بسبب الرفض.
8420. 힘들어? - هل هو صعب؟
8421. 네, 힘들어. - نعم، إنه صعب.
8422. 주도하다 - أن تقود
8423. 나는 프로젝트를 주도했다. - لقد قدت المشروع.
8424. 너는 회의를 주도한다. - ستقود الاجتماعات.
8425. 그는 혁신을 주도할 것이다. - سيقود الابتكار.
8426. 준비됐어? - هل أنت مستعد؟
8427. 네, 준비됐어. - نعم، أنا مستعد
8428. 주문하다 - للطلب

8429. 그녀는 음식을 주문했다. - طلبت الطعام
8430. 우리는 상품을 주문한다. - نحن نطلب السلع.
8431. 당신들은 서비스를 주문할 것이다. - ستطلب خدمة.
8432. 뭐 주문할까? - ماذا سنطلب؟
8433. 피자 좋아. - أحب البيتزا
8434. 주저앉다 - للركود.
8435. 나는 피곤에 주저앉았다. - أنا متعب
8436. 너는 슬픔에 주저앉는다. - يغلبك الحزن
8437. 그는 부담에 주저앉을 것이다. - سوف يتعثر تحت الضغط.
8438. 힘들어? - هل أنت متعب؟
8439. 네, 많이. - نعم، كثيراً
8440. 죄다 - كثيراً
8441. 그는 문을 죄었다. - سيغلق الباب
8442. 그녀는 창문을 죈다. - سوف تضغط على النافذة.
8443. 우리는 뚜껑을 죌 것이다. - سنقوم بربط الغطاء.
8444. 닫혔어? - هل هو مغلق؟
8445. 네, 닫혔어. - نعم، إنه مغلق
8446. 줄다 - لإنقاص الوزن
8447. 나는 체중이 줄었다. - لقد فقدت الوزن
8448. 너는 관심이 줄었다. - لقد فقدت الاهتمام.
8449. 그는 거리가 줄 것이다. - سيكون لديه مسافة أقل.
8450. 작아졌어? - هل قل وزنك؟
8451. 네, 조금. - نعم، قليلاً
8452. 줄이다 - للتقليل
8453. 그녀는 소음을 줄였다. - لقد قللت من الضوضاء.
8454. 우리는 비용을 줄인다. - سنقلل نفقاتنا.
8455. 당신들은 시간을 줄일 것이다. - سوف تقلل الوقت.
8456. 줄일까? - تقليل؟
8457. 좋은 생각이야. - هذه فكرة جيدة.
8458. 95. 명사 단어들 외우기, 필수 10개 동사의 단어들을 가지고 50문장 연습하기 - 95. احفظ الكلمات الاسمية، تدرب على 50 جملة مع 10 كلمات فعلية أساسية
8459. 결정 - القرار
8460. 일 - يوم
8461. 관계 - العلاقة

8462. 약속 - الوعد
8463. 행동 - فعل
8464. 문제 - مشكلة
8465. 상황 - الموقف
8466. 건강 - الصحة
8467. 방 - غرفة
8468. 책상 - الجدول
8469. 자료 - البيانات
8470. 반복 - التكرار
8471. 음식 - الطعام
8472. 기다림 - انتظر
8473. 목표 - الهدف
8474. 꿈 - الحلم
8475. 성공 - النجاح
8476. 좋고 나쁨 - الخير والشر
8477. 진실과 거짓 - الصدق والكذب
8478. 중요한 것 - الكثير
8479. 우연히 - بالصدفة
8480. 친구 - الصديق
8481. 기회 - الفرصة
8482. 도전 - التحدي
8483. 위험 - خطر
8484. 변화 - التغيير
8485. 적 - العدو
8486. 중요하다 - مهم
8487. 그는 결정이 중요했다. - قراره مهم
8488. 그녀는 일이 중요하다. - عملها مهم
8489. 우리는 관계가 중요할 것이다. - علاقتنا ستكون مهمة
8490. 중요해? - مهمة؟
8491. 네, 매우. - نعم، مهمة جداً
8492. 지체하다 - أن تتأخر
8493. 나는 약속에 지체했다. - تأخرت عن موعد
8494. 너는 결정에 지체한다. - أنت متأخر في قرارك
8495. 그는 행동에 지체할 것이다. - .سوف يتأخر في التمثيل

8496. 늦었어? - هل تأخرت؟
8497. 조금 늦었어. - أنا متأخر قليلاً
8498. 진단하다 - لتشخيص
8499. 그녀는 문제를 진단했다. - لقد شخصت المشكلة.
8500. 우리는 상황을 진단한다. - نقوم بتشخيص الحالة.
8501. 당신들은 건강을 진단할 것이다. - ستقوم بتشخيص حالتك الصحية.
8502. 건강해? - هل أنت بصحة جيدة؟
8503. 네, 괜찮아. - نعم، أنا بخير
8504. 질러놓다 - لإحداث فوضى
8505. 나는 방을 질러놓았다. - سأنظف الغرفة.
8506. 너는 책상을 질러놓는다. - سوف تنظف المكتب.
8507. 그는 자료를 질러놓을 것이다. - سيضع المواد جانباً.
8508. 정리할까? - هل ننظف؟
8509. 나중에 할게. - سأفعل ذلك لاحقاً
8510. 질리다 - أن يتعب من
8511. 그는 반복에 질렸다. - لقد سئم من التكرار.
8512. 그녀는 음식에 질린다. - لقد سئمت من الطعام.
8513. 우리는 기다림에 질릴 것이다. - سوف نتعب من الانتظار.
8514. 질렸어? - هل سئمت من ذلك؟
8515. 아직 아냐. - ليس بعد.
8516. 질주하다 - للركض
8517. 나는 목표를 향해 질주했다. - لقد ركضت نحو هدفي.
8518. 너는 꿈을 향해 질주한다. - ستركض نحو أحلامك.
8519. 그는 성공을 향해 질주할 것이다. - سوف يركض نحو النجاح.
8520. 빠르게? - بسرعة؟
8521. 최선을 다해. - بأسرع ما يمكنك.
8522. 분별하다 - لتمييز
8523. 그녀는 좋고 나쁨을 분별했다. - تميز بين الخير والشر.
8524. 우리는 진실과 거짓을 분별한다. - نحن نميز بين الحق والباطل.
8525. 당신들은 중요한 것을 분별할 것이다. - ستميز ما هو مهم.
8526. 알아볼 수 있어? - هل يمكنك تمييزه؟
8527. 시도해볼게. - سأحاول
8528. 마주치다 - أن تصادف
8529. 나는 우연히 그와 마주쳤다. - صادفته بالصدفة

8530. 너는 친구와 마주친다. - ستصادف صديقاً
8531. 그는 기회와 마주칠 것이다. - سيصطدم بفرصة
8532. 누구 만났어? - من قابلت؟
8533. 옛 친구야. - صديق قديم
8534. 직면하다 - واجه
8535. 그는 도전과 직면했다. - واجه تحديًا.
8536. 그녀는 위험과 직면한다. - ستواجه خطرًا.
8537. 우리는 변화와 직면할 것이다. - سنواجه التغيير.
8538. 겁났어? - هل أنت خائف؟
8539. 조금, 그래. - قليلاً، نعم
8540. 대면하다 - مواجهة
8541. 나는 문제를 대면했다. - واجهت المشكلة
8542. 너는 상황을 대면한다. - ستواجه الموقف
8543. 그는 적을 대면할 것이다. - سيواجه العدو
8544. 준비됐어? - هل أنت مستعد؟
8545. 네, 준비됐어. - نعم، أنا مستعد.
8546. 96. 명사 단어들 외우기, 필수 10개 동사의 단어들을 가지고 50문장 연습하기 - 96. احفظ الكلمات الاسمية، وتدرب على 50 جملة مع الكلمات الفعلية العشر الأساسية
8547. 기술 - التكنولوجيا
8548. 이슈 - قضية
8549. 감정 - العاطفة
8550. 동아리 - النادي
8551. 커뮤니티 - المجتمع
8552. 프로젝트 - مشروع
8553. 전략 - الاستراتيجية
8554. 생각 - الفكر
8555. 의견 - الرأي
8556. 지지 - الدعم
8557. 친구 - صديق
8558. 팀 - فريق
8559. 선수 - لاعب
8560. 동생 - أخ
8561. 동료 - زميل
8562. 정보 - المعلومات

8563. 자료 - البيانات
8564. 증거 - الأدلة
8565. 용기 - الشجاعة
8566. 사람들 - الأشخاص
8567. 자금 - الأموال
8568. 가족 - العائلة
8569. 상대방 - الخصم
8570. 위험 - الخطر
8571. 도전 - التحدي
8572. 실패 - الفشل
8573. 다루다 - في التعامل مع
8574. 그녀는 기술을 다루었다. - تعاملت مع التكنولوجيا.
8575. 우리는 이슈를 다룬다. - نحن نتعامل مع القضايا.
8576. 당신들은 감정을 다룰 것이다. - ستتعامل مع المشاعر.
8577. 어려워? - صعبة؟
8578. 조금 어려워. - صعبة بعض الشيء
8579. 활동하다 - أن تكون نشطاً
8580. 나는 동아리에서 활동했다. - كنت نشطاً في النادي.
8581. 너는 커뮤니티에서 활동한다. - أنت نشط في المجتمع.
8582. 그는 프로젝트에서 활동할 것이다. - سيكون نشطاً في المشروع.
8583. 재밌어? - هل تستمتع بوقتك؟
8584. 네, 많이. - نعم، كثيراً.
8585. 진화하다 - تطور
8586. 그는 전략을 진화시켰다. - لقد طور استراتيجيته.
8587. 그녀는 생각을 진화시킨다. - طوّر تفكيرها.
8588. 우리는 기술을 진화시킬 것이다. - سنقوم بتطوير تقنيتنا.
8589. 변했어? - هل تغيرت؟
8590. 많이 변했어. - لقد تغيرت كثيراً
8591. 표시하다 - لإظهار
8592. 나는 감정을 표시했다. - لقد حددت مشاعري.
8593. 너는 의견을 표시한다. - أنت تعبر عن رأيك.
8594. 그는 지지를 표시할 것이다. - سوف يظهر دعمه.
8595. 보여줄까? - هل أريك؟
8596. 좋아, 보여줘. - حسناً، أرني

8597. 응원하다 - لتشجيع
8598. 그녀는 친구를 응원했다. - لقد هتفت لصديقتها.
8599. 우리는 팀을 응원한다. - نحن نشجع الفريق.
8600. 당신들은 선수를 응원할 것이다. - سوف تهتف للرياضي.
8601. 같이 갈래? - هل تريد أن تأتي معي؟
8602. 네, 가자. - نعم، لنذهب.
8603. 주의를 주다 - لإعطاء الاهتمام لـ
8604. 나는 동생에게 주의를 주었다. - أعطيت أخي انتباهي.
8605. 너는 친구에게 주의를 준다. - ستعطي الاهتمام لصديقك.
8606. 그는 동료에게 주의를 줄 것이다. - سيعطي الاهتمام لزميله في العمل.
8607. 필요해? - هل تحتاجه؟
8608. 네, 조심해. - نعم، كن حذراً
8609. 수집하다 - لجمع
8610. 그녀는 정보를 수집했다. - قامت بجمع المعلومات.
8611. 우리는 자료를 수집한다. - نحن نجمع المواد.
8612. 당신들은 증거를 수집할 것이다. - سوف تجمع الأدلة.
8613. 찾았어? - هل وجدتها؟
8614. 네, 찾았어. - نعم، وجدتها
8615. 모으다 - جمعت
8616. 나는 용기를 모았다. - جمعت الشجاعة
8617. 너는 사람들을 모은다. - ستجمع الناس
8618. 그는 자금을 모을 것이다. - سيجمع الأموال.
8619. 준비됐어? - هل أنت مستعد؟
8620. 거의 다 됐어. - كدنا نصل
8621. 속이다 - لخداع
8622. 그는 친구를 속였다. - لقد خدع أصدقائه
8623. 그녀는 가족을 속인다. - تخدع عائلتها.
8624. 우리는 상대방을 속일 것이다. - سنخدع الشخص الآخر.
8625. 알아챘어? - هل فهمت؟
8626. 아니, 몰라. - لا، لا أفهم
8627. 꺼리다 - إلى متردد
8628. 나는 위험을 꺼렸다. - كنت مترددة في المخاطرة
8629. 너는 도전을 꺼린다. - أنت متردد في خوض التحدي.
8630. 그는 실패를 꺼릴 것이다. - متردد في الفشل

8631. 두려워? - خائف؟
8632. 조금, 그래. - قليلاً، نعم.
8633. 97. 명사 단어들 외우기, 필수 10개 동사의 단어들을 가지고 50문장 연습하기 - 97- احفظ الكلمات الاسمية، وتدرب على 50 جملة مع الكلمات الفعلية العشر الأساسية
8634. 소식 - الأخبار
8635. 상황 - الموقف
8636. 결과 - النتيجة
8637. 성공 - النجاح
8638. 달성 - الإنجاز
8639. 지연 - التأخير
8640. 소음 - الضوضاء
8641. 불편 - الإزعاج
8642. 실수 - خطأ
8643. 성취 - الإنجاز
8644. 팀 - الفريق
8645. 성과 - النتيجة
8646. 늦음 - التأخر
8647. 오해 - سوء فهم
8648. 친구의 성공 - نجاح صديق
8649. 동료의 기회 - فرصة الزميل
8650. 이웃의 행복 - سعادة الجيران
8651. 동생의 인기 - شعبية الأخ الصغير
8652. 친구의 재능 - موهبة الصديق
8653. 동료의 성공 - نجاح الزميل
8654. 의견 - رأي
8655. 규칙 - القاعدة
8656. 선택 - الاختيار
8657. 계획 - خطة
8658. 슬프다 - للحزن
8659. 그녀는 소식에 슬퍼했다. - لقد أحزنها الخبر
8660. 우리는 상황에 슬퍼한다. - لقد أحزننا الوضع
8661. 당신들은 결과에 슬퍼할 것이다. - ستحزنك النتيجة.
8662. 괜찮아? - هل أنت بخير؟
8663. 아니, 슬퍼. - لا، أنا حزينة

8664. 기쁘다 - أنا مسرور
8665. 나는 성공에 기뻐했다. - أنا مسرور بالنجاح.
8666. 너는 소식에 기뻐한다. - ستفرح بالأخبار.
8667. 그는 달성에 기뻐할 것이다. - سيفرح بالإنجاز.
8668. 행복해? - هل أنت سعيد؟
8669. 네, 매우. - نعم، جداً
8670. 짜증나다 - منزعج
8671. 그는 지연에 짜증났다. - لقد انزعج من التأخير.
8672. 그녀는 소음에 짜증난다. - إنها منزعجة من الإزعاج.
8673. 우리는 불편에 짜증날 것이다. - نحن منزعجون من الإزعاج.
8674. 짜증나? - منزعج؟
8675. 네, 많이. - نعم، كثيراً
8676. 부끄럽다 - إلى محرج
8677. 나는 실수에 부끄러워했다. - لقد شعرت بالحرج من الخطأ.
8678. 너는 상황에 부끄러워한다. - أنت محرج من الموقف.
8679. 그는 결과에 부끄러워할 것이다. - سيكون محرجاً من النتيجة.
8680. 어색해? - محرج؟
8681. 네, 조금. - نعم، قليلاً
8682. 자랑스럽다 - لفخورة
8683. 그녀는 성취에 자랑스러워했다. - كانت فخورة بإنجازها.
8684. 우리는 팀에 자랑스러워한다. - نحن فخورون بالفريق.
8685. 당신들은 성과에 자랑스러워할 것이다. - يجب أن تكون فخورة بإنجازاتك
8686. 뿌듯해? - فخورة؟
8687. 네, 많이. - نعم، كثيراً
8688. 미안하다 - آسفة
8689. 나는 실수로 미안했다. - أنا آسف على خطأي
8690. 너는 늦음에 미안하다. - أنت آسف لتأخرك
8691. 그는 오해에 미안할 것이다. - سوف يعتذر عن سوء الفهم.
8692. 사과할래? - هل تريد الاعتذار؟
8693. 네, 사과할게. - نعم، سأعتذر
8694. 부러워하다 - للحسد
8695. 그는 친구의 성공을 부러워했다. - إنه يحسد نجاح صديقه.
8696. 그녀는 동료의 기회를 부러워한다. - إنها تحسد فرص زميلها.
8697. 우리는 이웃의 행복을 부러워할 것이다. - نحن نحسد سعادة جارنا.

8698. 부럽지? - الحسد، أليس كذلك؟
8699. 응, 부럽다. - نعم، الحسد
8700. 질투하다 - أن تغار
8701. 나는 동생의 인기를 질투했다. - أغار من شعبية أخي.
8702. 너는 친구의 재능을 질투한다. - أنت تغار من موهبة صديقك.
8703. 그는 동료의 성공을 질투할 것이다. - سيغار من نجاح زميله.
8704. 질투해? - غيور؟
8705. 좀, 그래. - قليلاً، نعم
8706. 강요하다 - أن تفرض
8707. 그녀는 의견을 강요했다. - لقد فرضت رأيها.
8708. 우리는 규칙을 강요한다. - نحن نفرض القواعد
8709. 당신들은 선택을 강요할 것이다. - ستفرض خياراً
8710. 필요해? - هل تحتاجها؟
8711. 아니, 선택해. - لا، أنت تختار
8712. 공표하다 - أن تصدر
8713. 나는 계획을 공표했다. - أنا أصدر خطة
8714. 너는 의견을 공표한다. - أنت تعلن رأياً
8715. 그는 결과를 공표할 것이다. - سوف ينشر النتائج.
8716. 알렸어? - هل أعلنتها؟
8717. 네, 모두에게. - نعم، للجميع.
8718. 98. 명사 단어들 외우기, 필수 10개 동사의 단어들을 가지고 50문장 연습하기 - 98. احفظ الكلمات الاسمية، تدرب على 50 جملة بكلمات الأفعال العشرة الأساسية
8719. 억압 - قمع
8720. 부정 - الإنكار
8721. 위협 - التهديد
8722. 분쟁 - النزاع
8723. 갈등 - النزاع
8724. 문제 - مشكلة
8725. 조건 - الشرط
8726. 요구 - طلب
8727. 계획 - خطة
8728. 신호 - إشارة
8729. 경고 - تحذير
8730. 증거 - دليل

8731. 우정 - صداقة
8732. 건강 - الصحة
8733. 지식 - المعرفة
8734. 기회 - الفرصة
8735. 관계 - العلاقة
8736. 추억 - الذاكرة
8737. 명령 - الأمر
8738. 자료 - البيانات
8739. 자금 - الأموال
8740. 환자 - المريض
8741. 위험 - الخطر
8742. 감염 - العدوى
8743. 위기 - الخطر
8744. 도전 - التحدي
8745. 대항하다 - الوقوف ضد
8746. 그는 억압에 대항했다. - وقف ضد الظلم
8747. 그녀는 부정에 대항한다. - وقفت ضد الظلم
8748. 우리는 위협에 대항할 것이다. - سنقف ضد التهديد.
8749. 이겼어? - هل انتصرت؟
8750. 아직 모르겠어. - لا أعلم بعد
8751. 중재하다 - توسطت
8752. 나는 분쟁을 중재했다. - توسطت في النزاع
8753. 너는 갈등을 중재한다. - توسطت في النزاع
8754. 그는 문제를 중재할 것이다. - سيتوسط في المشكلة.
8755. 해결됐어? - هل تمت تسويتها؟
8756. 네, 해결됐어. - نعم، تمت تسويتها
8757. 타협하다 - للتوصل إلى حل وسط
8758. 그녀는 조건에 타협했다. - تنازلت عن الشروط
8759. 우리는 요구에 타협한다. - نحن نتنازل عن مطالبنا.
8760. 당신들은 계획에 타협할 것이다. - سوف تتنازل عن الخطة
8761. 동의해? - هل توافق؟
8762. 네, 동의해. - نعم، أوافق
8763. 간과하다 - للتغاضي عن
8764. 나는 신호를 간과했다. - لقد تغاضيت عن الإشارة

8765. 너는 경고를 간과한다. - تغاضيت عن التحذير
8766. 그는 증거를 간과할 것이다. - سوف يتغاضى عن الدليل
8767. 못 봤어? - ألم تراه؟
8768. 아니, 못 봤어. - لا، لم أراها
8769. 가치를 두다 - لتقدير
8770. 그녀는 우정에 가치를 두었다. - إنها تقدر صداقتها.
8771. 우리는 건강에 가치를 둔다. - نحن نقدر صحتنا.
8772. 당신들은 지식에 가치를 둘 것이다. - سوف تقدر المعرفة.
8773. 중요해? - هل هي مهمة؟
8774. 네, 매우. - نعم، جداً.
8775. 소중히 여기다 - لتقدير
8776. 나는 기회를 소중히 여겼다. - أقدر الفرصة
8777. 너는 관계를 소중히 여긴다. - ستقدر العلاقات.
8778. 그는 추억을 소중히 여길 것이다. - سوف يعتز بالذكريات
8779. 소중해? - ثمينة؟
8780. 네, 매우 소중해. - نعم، ثمينة جداً
8781. 대기하다 - انتظرت
8782. 나는 명령을 대기했다. - انتظرت الأمر
8783. 너는 신호를 대기한다. - انتظر الإشارة
8784. 그는 기회를 대기할 것이다. - سينتظر الفرصة
8785. 준비됐어? - هل أنت مستعد؟
8786. 네, 됐어. - نعم، أنا مستعد
8787. 예비하다 - للتحضير
8788. 그는 자료를 예비했다. - سيقوم بإعداد المواد.
8789. 그녀는 계획을 예비한다. - ستقوم بإعداد الخطة.
8790. 우리는 자금을 예비할 것이다. - سنحجز الأموال.
8791. 준비할까? - هل يجب أن نستعد؟
8792. 네, 해야 해. - نعم، يجب علينا
8793. 격리하다 - لعزل
8794. 그녀는 환자를 격리했다. - لقد عزلت المريض.
8795. 우리는 위험을 격리한다. - سنعزل الخطر.
8796. 당신들은 감염을 격리할 것이다. - ستعزل العدوى.
8797. 안전해? - هل هو آمن؟
8798. 네, 안전해. - نعم، إنه آمن.

8799. 대처하다 - للتأقلم
8800. 나는 위기를 대처했다. - تعاملت مع الأزمة
8801. 너는 문제를 대처한다. - ستتعامل مع المشكلة
8802. 그는 도전을 대처할 것이다. - سيتعامل مع التحدي.
8803. 가능해? - هل هذا ممكن؟
8804. 네, 가능해. - نعم، إنه ممكن.
8805. 99. 명사 단어들 외우기, 필수 10개 동사의 단어들을 가지고 50문장 연습하기 - 99. احفظ الكلمات الاسمية، وتدرب على 50 جملة مع الكلمات الفعلية العشر الأساسية
8806. 적 - العدو
8807. 위협 - تهديد
8808. 경쟁 - تنافس
8809. 함정 - فخ
8810. 오해 - سوء الفهم
8811. 위기 - خطر
8812. 자리 - مقعد
8813. 의견 - الرأي
8814. 기회 - الفرصة
8815. 운명 - المصير
8816. 도전 - التحدي
8817. 이해관계 - المصالح
8818. 상대 - الخصم
8819. 세부사항 - التفاصيل
8820. 약속 - الوعد
8821. 하늘 - السماء
8822. 그림 - اللوحة
8823. 전망 - عرض
8824. 비밀 - سر
8825. 조언 - نصيحة
8826. 계획 - الخطة
8827. 기쁨 - السرور
8828. 슬픔 - الحزن
8829. 승리 - النصر
8830. 사과 - الاعتذار
8831. 의문 - سؤال

8832. 정보 - المعلومات
8833. 맞서다 - المواجهة
8834. 그는 적을 맞섰다. - واجه العدو
8835. 그녀는 위협을 맞선다. - واجهت التهديد
8836. 우리는 경쟁을 맞설 것이다. - سنواجه المنافسة.
8837. 두려워? - هل أنت خائف؟
8838. 아니, 안 두려워. - لا، لست خائفاً
8839. 빠지다 - أن تقع في
8840. 그녀는 함정에 빠졌다. - تقع في فخ.
8841. 우리는 오해에 빠진다. - نقع في سوء تفاهم
8842. 당신들은 위기에 빠질 것이다. - ستقع في أزمة
8843. 괜찮아? - هل أنت بخير؟
8844. 네, 괜찮아. - نعم، أنا بخير
8845. 양보하다 - لإفساح المجال
8846. 나는 자리를 양보했다. - لقد تنازلت عن مقعدي
8847. 너는 의견을 양보한다. - أنت تتنازل عن رأيك
8848. 그는 기회를 양보할 것이다. - سيتنازل عن الفرصة
8849. 필요해? - هل تحتاجها؟
8850. 아니, 괜찮아. - لا، أنا بخير
8851. 맞다 - إلى اليمين
8852. 그는 운명을 맞았다. - يلقى مصيره
8853. 그녀는 기회를 맞는다. - ستحصل على فرصة
8854. 우리는 도전을 맞을 것이다. - سوف نتحدى
8855. 준비됐어? - هل أنت مستعد؟
8856. 네, 준비됐어. - نعم، أنا مستعد
8857. 충돌하다 - للصدام
8858. 나는 의견이 충돌했다. - لدي تضارب في الآراء
8859. 너는 이해관계가 충돌한다. - لديك تضارب في المصالح
8860. 그는 상대와 충돌할 것이다. - سوف يتعارض مع خصمه.
8861. 괜찮아? - هل أنت بخير؟
8862. 네, 괜찮아. - نعم، أنا بخير
8863. 놓치다 - أن تفوت
8864. 그녀는 기회를 놓쳤다. - لقد فوتت الفرصة
8865. 우리는 세부사항을 놓친다. - ستفوتنا التفاصيل

8866. 당신들은 약속을 놓칠 것이다. - سيفوتك الموعد
8867. 걱정돼? - هل أنت قلق؟
8868. 아니, 괜찮아. - لا، أنا بخير
8869. 쳐다보다 - بالنظر إلى الأعلى
8870. 나는 하늘을 쳐다보았다. - حدقت في السماء
8871. 너는 그림을 쳐다본다. - ستحدق في اللوحة.
8872. 그는 전망을 쳐다볼 것이다. - سوف يحدق في المنظر.
8873. 예쁘지? - أليس جميلاً؟
8874. 네, 예뻐. - نعم، إنه جميل
8875. 속삭이다 - يهمس
8876. 그는 비밀을 속삭였다. - يهمس بسر.
8877. 그녀는 조언을 속삭인다. - ستهمس بنصيحة
8878. 우리는 계획을 속삭일 것이다. - سنهمس بالخطط
8879. 들렸어? - هل سمعت ذلك؟
8880. 아니, 못 들었어. - لا، لم أسمع
8881. 외치다 - صرخ
8882. 나는 기쁨을 외쳤다. - صرخت فرحاً
8883. 너는 슬픔을 외친다. - ستصرخ حزناً
8884. 그는 승리를 외칠 것이다. - سيصرخ بالنصر
8885. 들려? - هل تسمع ذلك؟
8886. 네, 들려. - نعم، أسمعك
8887. 물다 - للعض
8888. 그녀는 사과를 물었다. - طلبت تفاحة
8889. 우리는 의문을 묻는다. - نحن نطرح الأسئلة.
8890. 당신들은 정보를 물을 것이다. - سوف تسأل عن المعلومات
8891. 아파? - هل يؤلم؟
8892. 아니, 안 아파. - لا، لا تؤلم.
8893. 100. 명사 단어들 외우기, 필수 10개 동사의 단어들을 가지고 50문장 연습하기 - 100. احفظ الكلمات الاسمية، تدرب على 50 جملة بكلمات الأفعال العشرة الأساسية
8894. 사과 - اعتذر
8895. 껌 - مضغ العلكة
8896. 채소 - الخضار
8897. 커피 - قهوة
8898. 곡물 - الحبوب

8899. 향신료 - التوابل
8900. 스프 - حساء
8901. 샐러드 - سلطة
8902. 소스 - صلصة
8903. 빵 - خبز
8904. 과일 - فاكهة
8905. 김치 - الكيمتشي
8906. 맥주 - البيرة
8907. 빵 반죽 - عجينة الخبز
8908. 치즈 - الجبن
8909. 와인 - النبيذ
8910. 고기 - اللحم
8911. 길 - الطريق
8912. 다리 - الساق
8913. 강 - النهر
8914. 집 - منزل
8915. 시작점 - نقطة البداية
8916. 고향 - مسقط الرأس
8917. 씹다 - للمضغ
8918. 나는 사과를 씹었다. - مضغت تفاحة
8919. 너는 껌을 씹는다. - مضغت علكة
8920. 그는 채소를 씹을 것이다. - يمضغ خضرواته.
8921. 맛있어? - هل هي لذيذة؟
8922. 네, 맛있어. - نعم، إنها لذيذة
8923. 갈다 - لطحن
8924. 그녀는 커피를 갈았다. - لقد طحنت القهوة.
8925. 우리는 곡물을 간다. - نحن نطحن الحبوب.
8926. 당신들은 향신료를 갈 것이다. - أنتم ستطحنون التوابل.
8927. 준비됐어? - هل أنتم مستعدون؟
8928. 네, 준비됐어. - نعم، أنا مستعد
8929. 분쇄하다 - للطحن
8930. 나는 약을 분쇄했다. - لقد سحقت الدواء
8931. 너는 돌을 분쇄한다. - ستسحق الحجارة.
8932. 그는 씨앗을 분쇄할 것이다. - سوف يسحق البذور.

8933. 필요해? - هل تحتاجه؟
8934. 네, 필요해. - نعم، أحتاجه
8935. 휘젓다 - لتحريك
8936. 그녀는 스프를 휘저었다. - حركت الحساء.
8937. 우리는 샐러드를 휘젓는다. - نخفق السلطة.
8938. 당신들은 소스를 휘젓을 것이다. - أنتم يا رفاق ستخفقون الصلصة.
8939. 잘 섞였어? - هل تم خلطها جيداً؟
8940. 네, 잘 섞였어. - نعم، إنها ممزوجة جيداً.
8941. 담그다 - لتنقع
8942. 나는 빵을 우유에 담갔다. - أنقع الخبز في الحليب.
8943. 너는 과일을 물에 담근다. - سوف تنقع الفاكهة في الماء.
8944. 그는 채소를 절임에 담글 것이다. - سوف ينقع الخضروات في المخللات.
8945. 시간 됐어? - هل حان الوقت؟
8946. 네, 됐어. - نعم، إنه جاهز
8947. 발효시키다 - للتخمير
8948. 그녀는 김치를 발효시켰다. - لقد خمرت الكيمتشي.
8949. 우리는 맥주를 발효시킨다. - سنقوم بتخمير الجعة.
8950. 당신들은 빵 반죽을 발효시킬 것이다. - ستقوم بتخمير عجينة الخبز.
8951. 준비됐어? - هل أنت جاهز؟
8952. 네, 준비됐어. - نعم، إنها جاهزة
8953. 숙성시키다 - لتعتق
8954. 나는 치즈를 숙성시켰다. - أنا أعتق الجبن.
8955. 너는 와인을 숙성시킨다. - ستعتق النبيذ
8956. 그는 고기를 숙성시킬 것이다. - سيعتق اللحم
8957. 맛있겠다, 안 그래? - سيكون لذيذاً، أليس كذلك؟
8958. 네, 맛있겠어. - نعم، سيكون لذيذاً
8959. 건너가다 - لعبور الشارع
8960. 그녀는 길을 건너갔다. - لقد عبرت الطريق.
8961. 우리는 다리를 건너간다. - سنعبر الجسر.
8962. 당신들은 강을 건너갈 것이다. - ستعبر النهر.
8963. 위험해? - هل الأمر خطير؟
8964. 아니, 안 위험해. - لا، ليس خطيراً
8965. 되돌아가다 - للعودة
8966. 나는 집으로 되돌아갔다. - عدت إلى منزلي

8967. 너는 시작점으로 되돌아간다. - ستعود إلى نقطة البداية.
8968. 그는 고향으로 되돌아갈 것이다. - سيعود إلى مسقط رأسه.
8969. 늦었어? - هل الوقت متأخر؟
8970. 아니, 안 늦었어. - لا، لم يتأخر

MP3 파일들 다운로드 - 밑의 주소를 클릭하시거나 큐알 코드를 스마트폰으로 접속후 비밀번호를 넣으시면 다운로드가 가능합니다.

비밀번호 9876

https://naver.me/x58eCQ6F

또는

https://www.dropbox.com/scl/fo/jdwzav96merobmjx6591h/h?rlkey=o42d74bkuhj6esu3w4x3c6lqq&dl=0

QR 코드를 스마트폰으로 찍으시면 보실 수 있습니다. 비밀번호는? 9876입니다.

1천 동사 5천 문장을 듣고 따라하면 저절로 암기되는 아랍어 회화(MP3)

발　행 | 2024년 4월 16일
저　자 | 정호칭
펴낸이 | 한건희
펴낸곳 | 주식회사 부크크
출판사등록 | 2014.07.15.(제2014-16호)
주　소 | 서울특별시 금천구 가산디지털1로 119 SK트윈타워 A동 305호
전　화 | 1670-8316
이메일 | info@bookk.co.kr

ISBN | 979-11-410-8115-7

www.bookk.co.kr